100

MERVEILLES DU MONDE

100
MERVEILLES DU MONDE

MICHAEL HOFFMANN

ALEXANDER KRINGS

Bath · New York · Singapore · Hong Kong · Cologne · Delhi · Melbourne

Sommaire

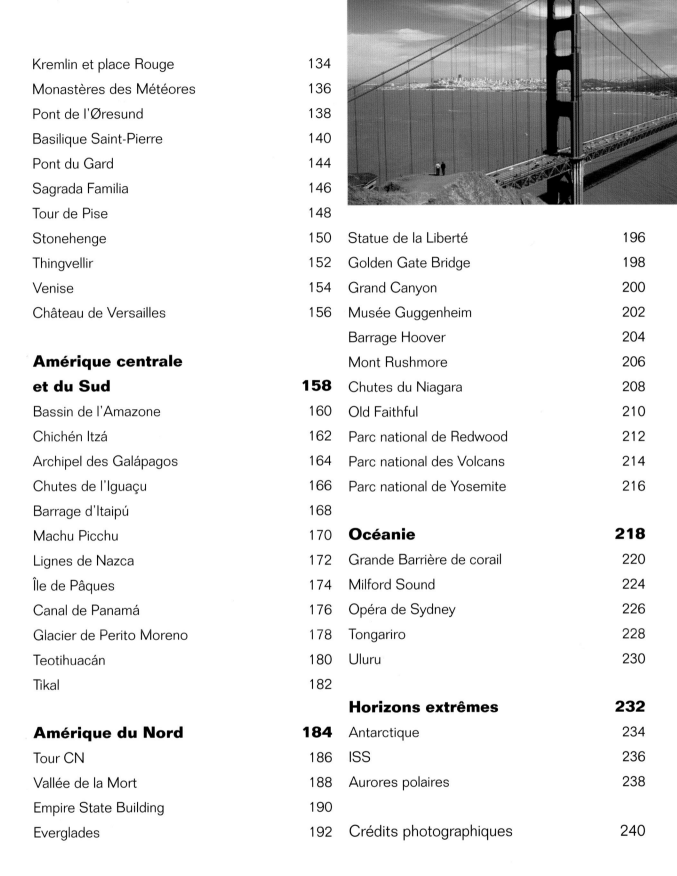

Avant-propos

Qu'est-ce qu'une merveille ? Si l'on en croit les dictionnaires, une merveille est une « chose qui provoque une intense admiration par sa beauté, sa grandeur ». Autrefois, les merveilles définissaient des phénomènes mystérieux, inexplicables, ou en rupture avec les lois de la nature. Dans le sens religieux, elles étaient considérées comme des témoignages de la puissance des dieux.

Dans la langue courante, le mot « merveille » est dénué de toute connotation ou signification philosophique ou religieuse. Le plus souvent, il s'applique à tout ce qui suscite l'étonnement ou l'émerveillement, à tout ce qui nous enthousiasme ou nous impressionne. Si les merveilles se définissent généralement par des superlatifs – spectaculaires, grandioses, impressionnantes –, elles peuvent aussi être singulières, intrigantes, ou même inquiétantes.

La planète sur laquelle nous vivons ne manque pas de sujets d'émerveillement. Parmi les cinq continents, il n'en est pas un qui n'ait de précieux trésors à nous offrir. La nature elle-même est douée d'un remarquable pouvoir créateur. Parmi

les merveilles naturelles les plus fascinantes, beaucoup possèdent un riche passé, long parfois de plusieurs millénaires. À l'image de la nature, les hommes de tous les temps – architectes et artistes – ont laissé des traces de leur prodigieux savoir-faire sous la forme de prestigieux édifices et de grandioses constructions. Certaines sont les témoins mystérieux de brillantes civilisations perdues dans la nuit des temps.

Cet ouvrage vous invite à un passionnant voyage à travers les cinq continents pour découvrir les cent plus belles merveilles du monde. Ce périple se prolonge et s'achève par l'exploration d'horizons extrêmes, également riches en surprises, situés en marge des grands continents – sélection guidée par des critères principalement subjectifs.

Malgré leur diversité, toutes les merveilles présentées au fil de ces pages partagent un point commun : elles dépassent par leur envergure les limites du quotidien et du connu. Si la plupart déclenchent d'emblée de vives émotions, certaines dévoilent plus subtilement leurs secrets. Laissez-vous ensorceler par l'univers grandiose et fantastique des merveilles du monde.

Le continent africain exerce un extraordinaire pouvoir de fascination.
Les immensités désertiques du Sahara suscitent l'inquiétude ou
l'émerveillement. Les paysages vierges des derniers paradis terrestres
offrent le refuge à des espèces animales rares. De grandioses
monuments, témoignages de civilisations anciennes hautement
avancées, continuent de soulever de multiples questions.

AFRIQUE

ÉGYPTE

Abou-Simbel

À 280 KILOMÈTRES AU SUD D'ASSOUAN, LES TEMPLES RUPESTRES D'ABOU-SIMBEL
SIGNALENT LEUR GRANDIOSE PRÉSENCE. ŒUVRE DU PHARAON RAMSÈS II,
ILS ONT ÉTÉ CONSTRUITS AU XIIIᵉ SIÈCLE AVANT NOTRE ÈRE.

Pendant le règne de Ramsès II (v. 1304-1236 av. J.-C.), l'un des plus grands pharaons de l'histoire égyptienne, le pays irrigué par le Nil connut une remarquable prospérité, tant économique que culturelle. Aucun autre pharaon ne parvint à rivaliser avec lui à cet égard. Ramsès s'illustra également comme habile politicien, et pendant près de cinquante ans, les relations de l'Égypte avec les pays voisins furent marquées par un climat de paix. Le pharaon fit ériger dans l'ensemble du pays de gigantesques édifices témoignant de sa toute-puissance. Les deux temples d'Abou-Simbel en sont une merveilleuse illustration : ils surpassent par leurs dimensions et leur caractère grandiose tous les monuments édifiés jusqu'ici.

Le site d'Abou-Simbel, que Ramsès II choisit pour construire un complexe prestigieux pour lui et pour sa femme favorite Néfertari, s'étend en Nubie, entre les première et deuxième cataractes du Nil, fleuve vénéré. Des milliers d'ouvriers furent réquisitionnés pour la construction des temples. Des outils rudimentaires de bronze et de pierre servirent à la réalisation de l'ambitieux ouvrage, les temples devant être taillés à même le roc et jusqu'à 60 mètres de profondeur à l'intérieur de la falaise. Des millions de tonnes de grès furent ainsi déblayés. Ramsès ne tarissait pas d'éloges pour ses ouvriers : « Vous, travailleurs élus, forts et habiles de

CI-CONTRE Le petit temple d'Abou-Simbel est dédié à l'épouse de Ramsès II, Néfertari.

CI-DESSOUS L'intérieur du temple de Ramsès est décoré de scènes illustrant la vie du pharaon.

vos mains, vous qui érigez pour moi de nombreux monuments, vous faites l'expérience du travail avec de nobles matériaux, vous apprenez à différencier les espèces de granit et vous vous familiarisez avec le grès... »

C'est Johann Ludwig Burkhardt, un explorateur suisse, qui, en 1813, découvrit le site en partie enseveli sous le sable. En 1817, il fut déblayé pour en permettre l'accès. De part et d'autre de l'entrée se dressent quatre colosses de 22 mètres de hauteur chacun. Représentant Ramsès II, ils portent des inscriptions à sa gloire telles que « Ramsès, le favori d'Amon », « Ramsès, le Soleil des souverains » ou « Ramsès, souverain des deux pays » – Ramsès II, incarnation du dieu-Soleil Rê. Après avoir traversé la vaste salle à trois nefs, rythmée par huit colonnes de soutènement, le visiteur accède à un vestibule à quatre colonnes et à un sanctuaire. Les bas-reliefs de la salle hypostyle mettent en scène les exploits du souverain vainqueur des Syriens, des Libyens et des Hittites lors de la bataille de Qadesh. Dans le sanc-

tuaire, quatre statues sculptées dans la pierre figurent les dieux Rê-Harakhti, Ptah et Amon-Rê, ainsi que le tout-puissant Ramsès II. Le grand temple est orienté de sorte que deux fois par an, le 20 février – date de la naissance du pharaon – et le 20 octobre – date de son couronnement –, les premiers rayons du soleil traversent la salle hypostyle, puis le vestibule, pour atteindre le sanctuaire et illuminer les statues.

Le petit temple, qui fut érigé pour Néfertari, est consacré à la déesse Hathor. Cette version réduite de l'édifice du pharaon fut également taillée dans la falaise, jusqu'à 21 mètres de profondeur. Il comprend une vaste salle dont le plafond repose sur six piliers, un vestibule avec deux chambres attenantes et un sanctuaire. Sur les parois de la salle hypostyle, des bas-reliefs figurent des scènes de couronnement ainsi que la reine Néfertari. Celle-ci, Hathor et Ramsès sont représentés chacun par deux statues. Toutes atteignent environ 10 mètres de hauteur, ce qui, pour la femme d'un pharaon, représentait un véritable honneur : l'épouse du pharaon rivalisait avec ce dernier par ses dimensions ! En règle générale, les effigies des épouses étaient beaucoup plus petites que celles des souverains.

Dans les années 1960, les temples furent menacés d'immersion suite à la construction du haut barrage d'Assouan. Leur sauvetage fut effectué par l'une des plus gigantesques entreprises des temps modernes : le déplacement des deux temples. Vingt mille tonnes de pierre furent découpées en 1 036 blocs et remontées de 180 mètres vers l'intérieur des terres et de 64 mètres au-dessus de l'ancien site. En mars 1968, les travaux étaient achevés. La demeure éternelle du grand pharaon égyptien Ramsès est désormais sauvée.

CHRONOLOGIE

✴ **1290-1224 av. J.-C. :** construction des temples d'Abou-Simbel

✴ **22 mars 1813 :** découverte des temples d'Abou-Simbel par l'explorateur suisse Johann Ludwig Burckhardt (1784-1817)

✴ **1817 :** mise au jour d'Abou-Simbel

✴ **1960-1971 :** construction du haut barrage d'Assouan

✴ **1964-1968 :** déplacement des temples d'Abou-Simbel

KENYA
Amboseli

LE SUD DU KENYA ABRITE UNE RÉSERVE ANIMALE UNIQUE, LE PARC NATIONAL D'AMBOSELI.
IL DOIT SA RENOMMÉE MONDIALE À LA BEAUTÉ DE SES PAYSAGES ET À LA RICHESSE DE
SA FAUNE, COMPRENANT NOTAMMENT UNE IMPORTANTE POPULATION D'ÉLÉPHANTS.

Amboseli

Le parc national d'Amboseli est la réserve animale la plus visitée du Kenya. Créée en 1948, elle couvrait alors une superficie de 3 260 kilomètres carrés. Elle fut cédée aux Masai en 1961. En 1974, une importante partie de la réserve fut déclarée parc national. Le parc d'Amboseli – ou d'Ol Tukai, dans la langue nilosaharienne des Masai – comprend une région marécageuse, qui attire une faune extrêmement variée.

Malgré sa faible superficie – 392 kilomètres carrés seulement –, le parc national d'Amboseli offre des conditions de vie privilégiées à de nombreuses espèces animales. Il s'étage entre 1 400 et 1 900 mètres d'altitude au pied de l'impressionnant Kilimandjaro, abritant une population d'éléphants unique. C'est aux Masai, propriétaires des terres environnantes, que l'on doit leur survie.

Le parc national d'Amboseli est certainement le site qui se prête le mieux, au Kenya, à l'observation des éléphants. Dans son enceinte évolue une importante population, l'une des rares d'Afrique à ne pas avoir été décimée par le braconnage. La troupe d'éléphants compte plus de huit cents spécimens, mâles et femelles, appartenant à plusieurs générations. Un centre de recherche, installé à l'intérieur même du parc, étudie en détail le comportement social des

CARTE D'IDENTITÉ

* **Nom** : parc national d'Amboseli

* **Création** : 1974

* **Superficie** : 392 km²

* **État** : Kenya

* **Population du parc national** : Masai ; éléphants et autres espèces animales

* **Masai** : pasteurs nomades vivant dans les vastes savanes du sud du Kenya et du nord de la Tanzanie. Environ un million de Masai se répartissent actuellement de chaque côté de la frontière entre les deux pays

Le plus haut sommet d'Afrique, le Kilimandjaro, ou « montagne blanche », veille sur le parc national d'Amboseli et sa faune variée, à laquelle appartient ce petit troupeau de zèbres.

« doux géants gris », connu pour sa complexité et sa diversité. À la présence des scientifiques s'ajoute celle des équipes de gardiens qui assurent en permanence la surveillance du parc d'Amboseli, le gouvernement du Kenya mettant tout en œuvre pour protéger les pachydermes.

À l'ombre du Kilimandjaro. Le parc national d'Amboseli joue volontiers sur les contrastes. Des savanes et des plaines sèches dominent en grande partie le paysage. Pendant les périodes de sécheresse intense, de curieux mirages laissent apparaître, au-delà du lac d'Amboseli, au nord-ouest du parc, des villages traversés par des troupeaux de gnous et de zèbres. Les rares précipitations qui tombent sur la région ne suffisent généralement pas à remplir le lac, qui reste asséché pendant la majeure partie de l'année. À ces paysages désolés s'opposent, au sud du parc, des zones marécageuses à la végétation luxuriante, dues à la présence de rivières souterraines alimentées par la fonte des neiges du Kilimandjaro.

Les éléphants ne sont pas les seuls animaux à peupler le parc d'Amboseli. Cinquante-cinq autres espèces de mammifères y ont été recensées. Les vastes étendues de savane offrent des habitats de choix aux rhinocéros,

girafes, gazelles de Grant et de Thomson, gnous et zèbres, hyènes, chacals, lions, guépards et léopards. Dans les régions très sèches, à l'écart des marécages, évoluent les oryx, gerenuks et élans du Cap. Quant aux zones marécageuses, elles sont le paradis des oiseaux. Au bord des points d'eau se rassemblent les pélicans et oies naines, rares au Kenya. Martins-pêcheurs et guêpiers se tiennent à l'affût de leurs proies dans les roseaux, tandis que les rapaces sont représentés par les balbuzards, aigles de Bonelli, autours chanteurs et fauconnets d'Afrique.

CI-DESSUS Village masai traditionnel dans le parc national d'Amboseli.

CI-CONTRE Entre passé et présent – un jeune Masai en tenue traditionnelle surveille les éléphants depuis sa voiture.

TUNISIE
El-Djem

L'AMPHITHÉÂTRE DE THYSDRUS, L'UN DES PLUS PRESTIGIEUX DE L'EMPIRE ROMAIN, DRESSE SON ÉLÉGANTE SILHOUETTE AU-DESSUS DU DÉSERT TUNISIEN. LE GIGANTESQUE ÉDIFICE EN GRÈS A ÉTÉ CONSTRUIT, EN HUIT ANS SEULEMENT, SUR LE MODÈLE DU COLISÉE.

El-Djem

En l'an 230, l'ambitieux proconsul romain Gordien Ier ordonna la construction d'un amphithéâtre à Thysdrus. Au bout de huit ans de travaux seulement, l'ouvrage était achevé. Le monument massif, modèle d'harmonie, s'élevait au-dessus du sable du désert. Le maître d'œuvre désigné par Gordien avait accompli un véritable exploit.

L'amphithéâtre d'el-Djem impressionne par son architecture grandiose et audacieuse. Sa structure à trois étages présente une forme elliptique, de 427 mètres de circonférence. Elle possédait une arène de 64 par 38 mètres délimitée par un muret

et offrait une capacité d'accueil de 35 000 personnes. La construction de grès, inondée de soleil, dégage une impression indescriptible de grandeur mêlée de légèreté.

Les architectes sont parvenus à créer d'ingénieuses perspectives, la lumière pénétrant dans l'arène depuis toutes les directions. Les soixante-quatre arcades qui rythment chacun des trois niveaux confèrent à la construction une grande élégance. Dans l'arène, les magnifiques mosaïques témoignent du haut niveau de maîtrise des artistes à l'origine de leur création. L'amphithéâtre de Thysdrus offre ainsi un merveilleux exemple de symbiose entre traditions arabes et architecture romaine.

Vue sur l'intérieur de l'amphithéâtre. Des courses de chars et des combats de gladiateurs se déroulaient dans l'arène.

CARTE D'IDENTITÉ

* **Longueur** : 150 m

* **Largeur** : 120 m

* **Hauteur** : 36 m (trois niveaux)

* **Durée de la construction** : 8 ans (230-238)

* **Matériau de construction** : grès

CHRONOLOGIE

* **46 av. J.-C.** : fondation de Thysdrus

* **Vers 230** : construction de l'amphithéâtre

* **238** : révolte réprimée par les troupes de l'empereur romain Maximin Ier le Thrace (173-238), né en Thrace

* **VIIe siècle** : l'amphithéâtre devient le refuge de l'héroïne berbère Damya Kahina, qui s'opposa aux Arabes

* **1695** : destruction partielle du monument par les troupes de Mohamed Bey

AU MILIEU Les salles et les galeries de l'amphithéâtre sont décorées de superbes mosaïques.

EN BAS Les soixante-quatre arcades qui rythment le pourtour de chacun des trois niveaux confèrent à l'édifice une grande élégance.

La construction de l'arène fut une épreuve de force. Les matériaux, de gigantesques blocs de grès, durent être acheminés depuis des carrières situées jusqu'à 30 kilomètres de distance. Étant donné la nature tendre et friable du grès, les blocs devaient être très gros, afin de pouvoir assurer une stabilité optimale. Leur couleur, unique, est demeurée intacte jusqu'à ce jour. Les tons chauds de terre réfléchissent avec subtilité la lumière du soleil, phénomène qui confère à l'édifice son rayonnement si particulier.

L'amphithéâtre de Thysdrus fut le dernier grand monument du genre érigé pendant l'Empire romain – imposante pièce architectonique qui fascine par son caractère d'exception, notamment par l'harmonie presque parfaite qui en émane. Façonnés par le temps et les éléments, les blocs de grès de Thysdrus racontent la passionnante histoire de l'édifice. L'amphithéâtre de Thysdrus a vu le jour loin de la mer et de toutes les grandes routes commerciales. Pourtant, il semblerait que le financement de sa construction n'ait pas posé de problèmes majeurs. Les revenus tirés du commerce florissant des olives fournirent les fonds nécessaires.

La steppe nord-africaine avait été convertie par César en une gigantesque oliveraie. L'oléiculture fut pratiquée pendant plus de deux cents ans dans cette région aride, qui devint le principal fournisseur d'huile d'olive de l'Empire romain. Les recettes provenant de ce commerce contribuèrent à la prospérité de Thysdrus. L'essor économique initia une ère de grandeur dont s'enorgueillirent les habitants de la ville. Le majestueux amphithéâtre de Thysdrus exprime cette puissance à travers la pierre.

L'année 238 marqua le faîte de la gloire pour la province de Thysdrus. Forte de son prestige, elle se souleva contre l'Empire romain. Mais Rome répondit impitoyablement et mit fin à l'insurrection par les armes. Ce qui explique que l'amphithéâtre de Thysdrus n'ait jamais été entièrement achevé. En quelques années, la culture de l'opulente cité de Thysdrus s'effondra. Vers la fin du XVIIe siècle, les troupes du conquérant turc Mohamed Bey firent sauter l'arrière du monument. Les ruines se transformèrent alors en une carrière dans laquelle les générations suivantes puisèrent sans vergogne. Le mythe des jeux continue néanmoins à vivre à travers les mosaïques. La fierté, la passion et l'ardeur au combat des habitants de Thysdrus firent de la cité un important foyer culturel de l'Afrique antique.

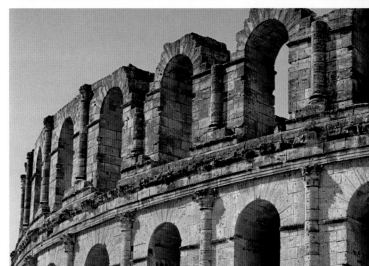

MAROC
La médina de Fès

LABYRINTHE INEXTRICABLE DE VENELLES, DE PLACES, D'HABITATIONS ET DE SOMPTUEUSES MOSQUÉES, L'ANCIENNE VILLE DE FÈS ENSORCELLE LE VISITEUR AVEC SES SENTEURS EXOTIQUES ET SES COULEURS IRRÉSISTIBLES.

Il y a bien longtemps – environ 1 200 ans – Idris Ier, fondateur de la dynastie des Idrisides, fut pourchassé par les sbires du calife de Bagdad Haroun al-Rachid. Son périple le conduisit jusqu'à un cours d'eau portant le nom de Fès. Croyant être à l'abri de ses poursuivants, il décida d'y établir une ville. Mais Allah n'exauça nullement ses vœux de paix et de tranquillité. Les tueurs du puissant calife retrouvèrent les traces d'Idris et le massacrèrent. Toutefois, pendant sa fuite, Idris avait engendré un enfant qui ne vint au monde qu'après la mort de son père. Emboîtant courageusement le pas à celui-ci, Idris II fonda la ville de Fès. Ce grand admirateur du prophète s'employa à rendre hommage à Allah.

Une situation privilégiée. C'est avec raison qu'Idris II élut cet endroit sur les rives du Fès pour édifier sa ville. La cité acquit bientôt un tel prestige qu'elle fut célébrée par des chants et des poèmes. À partir des années 817-818 les fidèles affluèrent vers Fès pour y travailler, y prier et jouir de sa prospérité. Deux mille familles exilées de Kairouan, en Tunisie, choisirent de s'y établir. Elles érigèrent au cœur de la cité un imposant sanctuaire qui prit leur nom, la mosquée Qarawiyyin. En peu de temps, la ville de Fès fut hissée au rang de foyer cuturel et religieux du Maroc. Mais les nouveaux arrivants n'étaient pas seulement de fervents

CI-CONTRE La mosquée Qarawiyyin, à Fès el-Bali, la vieille ville.

CI-DESSOUS Tanneries dans le cœur historique de Fès.

croyants. Ils apportaient également avec eux leurs connaissances techniques et leur savoir-faire artisanal. La situation privilégiée de la cité, au carrefour d'importantes routes commerciales, ainsi que l'abondance de matières premières indispensables à la pratique des activités artisanales, favorisèrent le développement rapide de la nouvelle cité.

Capitale des Idrisides. C'est ainsi que la ville d'Idris II revendiqua bientôt le statut de capitale du Maroc, tandis que sa réputation de centre économique prospère et de foyer religieux s'imposait dans le monde islamique. De nombreuses années après la mort d'Idris II, Fès affirmera encore son rôle de capitale. Mais au XIᵉ siècle, Marrakech lui ravit ce statut, qu'elle conserva jusqu'en 1250. Au début du XIVᵉ siècle, Fès connut cependant un nouvel essor. Son université bénéficiait d'une renommée mondiale, ses érudits faisant autorité dans leurs disciplines respectives. La ville abritait à l'époque pas moins de 785 mosquées. En 1522, Fès fut

malheureusement victime d'un terrible tremblement de terre, qui provoqua sa destruction partielle. Nombre de monuments devaient être restaurés ou entièrement reconstruits, et, quelques années seulement après la catastrophe, la cité rayonnait à nouveau de son éclat d'antan. Pendant les siècles qui suivront, toutefois, la destinée de la cité ne sera guère placée sous des auspices favorables.

En 1554, Fès fut conquise par la dynastie des Sadiens, qui élisent Marrakech comme capitale. Le pouvoir changera ensuite plusieurs fois de mains. Finalement, en 1833, Moulay Abdallah (Mohammed II) établit sa résidence à Fès. Suite à l'invasion des troupes françaises, la ville fut placée, le 30 mars 1912, sous protectorat français, et Rabat fut promue capitale du Maroc. Fès demeura néanmoins la résidence royale, ainsi que le centre culturel, spirituel, commercial et artisanal du Maroc.

Entre tradition et modernité. Fès compte de nombreuses et prestigieuses mosquées, qui doivent leur réputation mondiale tant à leur architecture qu'aux chefs-d'œuvre artistiques qu'elles recèlent, véritables fleurons de l'art islamique. Soulignons à ce propos que l'accès aux mosquées de Fès est interdit aux non-musulmans. Cette mesure n'a rien à voir avec un précepte du Coran qui serait mis en application par les musulmans marocains. C'est une loi issue du colonialisme français, encore en pratique, qui interdit aux non-musulmans l'accès aux sanctuaires islamiques. Aujourd'hui, Fès conjugue avec succès tradition et modernité. Cette ville arabe moderne demeure le foyer culturel et spirituel du Maroc. L'héritage d'Idris II s'est perpétué dans toute sa gloire jusqu'en ce début de XXIᵉ siècle.

CARTE D'IDENTITÉ

✳ **Nom** : Fès

✳ **Population** :
1 million d'habitants

✳ **Statut** : troisième ville du Maroc

✳ **Religion** : population musulmane à 99 %

✳ **Particularité** : Fès rassemble la plupart des mosquées et écoles coraniques du Maroc

✳ **Étymologie** : le nom Fès est dérivé de l'arabe *Fas*, signifiant pioche. Selon la légende, c'est Idris II qui aurait donné le premier coup de pioche lors de la fondation de la cité

✳ **Le fez** (également dénommé chéchia), répandu jadis en Orient et dans les Balkans, est une coiffure de forme tronconique, en feutre rouge, ornée d'un gland noir. Elle doit son nom à la ville de Fès

TANZANIE
Kilimandjaro

MÊME LORSQUE SES SOMMETS SONT NIMBÉS DE NUAGES, IL IMPOSE SA MASSE IMPRESSIONNANTE. LE KILIMANDJARO, PLUS HAUT MASSIF MONTAGNEUX DU CONTINENT AFRICAIN, SE DRESSE, SOLITAIRE, AU-DESSUS DES PLAINES.

À longueur d'année, le majestueux Kilimandjaro, ou pic Uhuru, dresse sa calotte de glace et de neige au-dessus de la savane d'Afrique orientale, dans le nord de la Tanzanie, à la frontière du Kenya. Il a inspiré à Ernest Hemingway un célèbre roman, datant de 1952, *Les Neiges du Kilimandjaro*. Une centaine d'années auparavant, en 1849, le missionnaire allemand Johannes Rebmann avait été la risée des savants à son retour en Europe, lorsqu'il avait évoqué les gigantesques cimes enneigées de la savane africaine. Pourtant, Rebmann n'avait pas perdu la raison. Il était simplement le premier Européen à avoir vu de ses propres yeux ce qui, pour les scientifiques du XIXᵉ siècle, paraissait totalement inconcevable : une région de glaciers et de neiges éternelles en Afrique, à proximité immédiate de l'équateur.

L'année 1973 fut marquée par la création du parc national du Kilimandjaro, ouvert au public en 1977, avec pour vocation la protection du patrimoine naturel et sa préservation pour les générations à venir. Le parc englobe le massif du Kilimandjaro et ses trois imposants sommets d'origine volcanique : le Kibo, point culminant (5 895 mètres) du continent africain, le Mawenzi (5 149 mètres) et le Shira (3 962 mètres). Le parc national, qui couvre 75 353 hectares, se prolonge par une réserve forestière de 92 906 hectares.

Kilimandjaro

CARTE D'IDENTITÉ

* **Nom** : Kilimandjaro

* **Statut** : volcan

* **Sommets** : trois – Kibo, point culminant (5 895 m) du continent africain, Mawenzi (5 149 m) et Shira (3 962 m)

* **Superficie du parc national** : 75 353 hectares, auxquels s'ajoutent les 92 906 hectares de la réserve forestière

* **Identification** : en l'an 100 par le géographe et astronome grec Ptolémée

* **Première ascension** : le 6 octobre 1889, le géographe et explorateur allemand Hans Meyer et l'alpiniste autrichien Ludwig Purtscheller gravissent le sommet du Kibo (5 895 m)

* **Première descente à skis** : après leur troisième ascension du Kibo, les deux alpinistes Walther Furtwängler et Siegfried König entreprennent sa périlleuse descente à skis

Le sommet rocheux et escarpé du Mawenzi (5 149 mètres), dans le massif du Kilimandjaro. Au premier plan, la « selle », le plus vaste espace de toundra alpine du continent africain.

Les principales formations végétales dominant le massif volcanique du Kilimandjaro sont la forêt de montagne, les marécages et la toundra alpine. Les précipitations varient selon l'altitude. Tandis que dans la zone de la forêt tropicale la moyenne des précipitations atteint 3 000 millimètres, elle tombe au-dessous de 100 millimètres au niveau des sommets. Alors que la savane connaît une température moyenne de 30 °C, le sommet du Kibo enregistre seulement 0 °C.

Différents écosystèmes végétaux se succèdent le long des flancs de la montagne, selon les zones climatiques. D'environ 800 mètres à 1 800 mètres, les sols fertiles, d'origine volcanique, étaient jadis le domaine des arbres et des arbustes. De 1 800 à 2 800 mètres, la forêt tropicale abrite des figuiers, *podocarpus* et *juniperus* (cèdres africains) atteignant jusqu'à 40 mètres de hauteur. La zone comprise entre 2 800 et 4 000 mètres est occupée par une végétation de lande – anémones, lis, chardons du Kenya et gigantesques lobélies, avec des spécimens de 3 mètres de hauteur. Au-dessus, jusqu'à 5 000 mètres d'altitude, s'étend le désert alpin. Passé cette altitude, l'air est si rare que seuls survivent une variété de lichen, poussant au rythme de 1 millimètre par an, et une immortelle particulièrement résistante. Les montagnes du parc national du Kilimandjaro sont le refuge de nombreuses espèces animales : éléphants, lions, léopards, hyènes, sangliers, mais aussi hérons, cigognes et poules d'eau.

Depuis longtemps déjà s'impose une cruelle vérité : le glacier du Kibo fond à une vitesse terrifiante. Depuis 1972, la calotte glaciaire a perdu 95 % de sa masse. Selon les scientifiques, il ne restera plus, en 2020, une trace de glace au sommet du Kilimandjaro. Ce phénomène, qui résulte du réchauffement de la planète, aura des conséquences imprévisibles pour le climat. Les agriculteurs locaux en seront les premières victimes, l'eau provenant du glacier leur permettant d'irriguer les cultures.

CI-DESSUS Deux emblèmes du continent africain – le sommet enneigé du Kilimandjaro, et un éléphant.

CI-CONTRE Le sommet volcanique du Kibo (5 895 mètres). La dernière éruption du Kibo date de 1600, et l'on ignore si le volcan est réellement éteint.

MAROC
Marrakech

MARRAKECH DOIT SON SURNOM DE « VILLE ROUGE » À LA COULEUR DE LA TERRE DE
SES MURAILLES. MÊLANT INFLUENCES ORIENTALES ET OCCIDENTALES, ELLE JUXTAPOSE
DE VIGOUREUX CONTRASTES ET EXERCE SA FASCINATION SUR LE VISITEUR.

Marrakech

Fondée en 1062 par les Almoravides, Marrakech est considérée à juste titre comme la plus belle ville du Maroc. Dans la vieille ville, ou médina, qui attire les touristes du monde entier, continuent à vivre les récits et la culture des Berbères et autres peuples nomades. En été, la chaleur est intense à Marrakech, parfois même insupportable. Commerçants, artisans et ménagères vaquent à leurs occupations dès les premières heures de la matinée sur les marchés de la vieille ville, avant l'appel du muezzin. Plus tard dans la journée, la médina semble s'assoupir dans un calme presque indolent. Les habitants se retirent

à l'ombre dans les allées étroites des souks bariolés, foisonnant de boutiques et d'ateliers, ou à l'intérieur des habitations. C'est seulement dans la soirée, lorsque la chaleur perd un peu de sa virulence, que les rues et les places de la médina reprennent vie.

Au centre de la vieille ville, sur la place Djema'a el-Fna (« assemblée des morts ») où, encore au début du XXe siècle, les têtes des condamnés étaient accrochées et exposées à la vue des passants, commence le spectacle quotidien, riche en couleurs et en animation. Les marchands proposent à la vente les produits les plus variés. Les jongleurs, acrobates, danseurs, charmeurs de serpents et dresseurs de singes se partagent l'espace avec les conteurs, les musiciens et les diseurs de bonne aven-

Emblème architectural de Marrakech, le minaret de la Kutubiyya dresse ses 77 mètres de hauteur au-dessus de la mosquée. Ce fleuron de l'art islamique veille sur la médina et son animation.

AU MILIEU La place Djema'a el-Fna, ou «assemblée des morts», constitue le cœur historique de la ville royale.

EN BAS La somptueuse cour de la madrasa Ben Youssef. L'école coranique, fondée au XIVe siècle, est un chef-d'œuvre d'architecture sacrée.

ture pour présenter leurs spectacles et numéros. Les touristes émerveillés flânent entre les étals ou goûtent aux saveurs des spécialités locales dans les nombreux restaurants qui entourent la place. Le marché des épices, des fruits et des légumes attire les chalands et les badauds qui, au milieu de l'agitation étourdissante, observent avec intérêt les négociations bruyantes et passionnées, et les étalages débordant de denrées exotiques. Les senteurs à la fois douces et puissantes de l'Orient imprègnent l'atmosphère de la pittoresque médina de Marrakech.

À partir de la place Djema'a el-Fna, d'étroites ruelles s'enfoncent dans les souks de la médina. Dans ce dédale inextricable, marchandises et produits artisanaux en tout genre sont proposés à la convoitise des passants, au milieu d'une animation fébrile. Les ateliers des artisans se succèdent le long des venelles – potiers, tisserands, mais aussi maroquiniers, cordonniers et selliers, travaillant le cuir sous toutes ses formes. Dans le quartier des teinturiers, les écheveaux de laine et de soie sèchent, suspendus au-dessus des ruelles. Dans un vacarme assourdissant, les dinandiers martèlent le cuivre pour fabriquer les objets de la vie quotidienne.

À proximité de l'ancien souk des libraires se trouve la mosquée Kutubiyya. Les libraires, dont les boutiques s'alignaient au Moyen Âge au pied de l'édifice, ont donné leur nom à la mosquée et au minaret. L'emblème de Marrakech fut érigé au XIIe siècle. La salle de prière de la mosquée à dix-sept nefs mesure 90 mètres de longueur et 60 mètres de largeur. Jusqu'à 25 000 fidèles s'y pressent tous les vendredis. Fleuron de l'architecture islamique, le minaret, qui fut achevé en 1198, dresse sa silhouette épurée au-dessus des maisons de la vieille ville, serrées les unes contre les autres.

Des ruelles transversales conduisent à la mosquée Ben Youssef et à sa madrasa. Bâtie au XIe siècle par les fondateurs almoravides de la ville, la mosquée fut reconstruite au XVIe siècle, puis remaniée au XIXe siècle. Elle n'est accessible qu'aux musulmans, contrairement à l'école coranique ouverte aux touristes. Fondée au XIVe siècle par les Marinides, la madrasa devint rapidement la principale école coranique de l'ensemble du Maghreb. À son apogée, neuf cents élèves y étudiaient la théologie et le droit islamiques.

ÉGYPTE
Pyramides de Gizeh

LES PYRAMIDES DE GIZEH, SEULS VESTIGES PRÉSERVÉS DES SEPT MERVEILLES DU MONDE
ANTIQUE, COMPTENT PARMI LES PLUS ANCIENS OUVRAGES DE L'HUMANITÉ. DE NOS JOURS
ENCORE, LES GRANDIOSES MONUMENTS DEMEURENT AURÉOLÉS DE MYSTÈRE.

Vers 2900 av. J.-C., les royaumes de Haute et de Basse-Égypte furent unifiés. Les nouveaux souverains, les pharaons, élirent comme capitale Memphis, dans le delta du Nil. La construction des pyramides, initiée pendant la période de l'Ancien Empire (2700-2190 av. J.-C., de la IIIᵉ à la VIᵉ dynastie), atteignit son apogée avec celle des grandes pyramides de Gizeh. Ces édifices impérissables devinrent les symboles du prestige de leurs bâtisseurs, les rois déifiés, les pharaons.

Pyramides de Gizeh

La pyramide la plus grande et la plus connue est celle du pharaon Kheops, qui régna de 2589 à 2566 av. J.-C. À l'origine, elle était habillée de plaques de calcaire blanc poli, dont certains fragments sont encore visibles de nos jours. Le reste du revêtement de la pyramide de Kheops fut cassé et servit à la construction des maisons du Caire.

La pyramide de Khephren, située entre celles de Kheops et de Mykerinus, porte le nom du fils de Kheops. Khephren régna d'environ 2558 à 2532 av. J.-C. Cette pyramide paraît plus élevée que celle de Kheops, car elle est construite 10 mètres plus haut et mesure seulement 3 mètres de moins. La plus petite des trois pyramides est celle du pharaon Mykerinus, fils de Khephren et petit-fils de Kheops, qui gouverna de 2532 à 2503 av. J.-C.

CARTE D'IDENTITÉ

✱ Nom : pyramide de Kheops ou Grande Pyramide

✱ Date de construction : 2589-2566 av. J.-C.

✱ Hauteur : 146,60 m à l'origine, 137 m aujourd'hui

✱ Longueur des côtés : 230 m

✱ Superficie au sol : 52 900 m²

✱ Angle d'inclinaison : 51° 52'

✱ Superficie des côtés : 20 000 m² chacun

✱ Poids : 6,25 millions de tonnes

✱ Nom : pyramide de Khephren

✱ Date de construction : 2558-2532 av. J.-C.

✱ Hauteur : 143,50 m

✱ Longueur des côtés : 215,30 m

✱ Superficie au sol : 46 200 m²

✱ Angle d'inclinaison : 52° 20'

✱ Nom : pyramide de Mykerinus

✱ Date de construction : 2532-2503 av. J.-C.

✱ Hauteur : 62 m

✱ Longueur des côtés : 108 m

✱ Superficie au sol : 11 600 m²

✱ Angle d'inclinaison : 51°

Souvent appelée la « Grande Pyramide », la pyramide de Kheops atteignait à l'origine 146,60 mètres de hauteur. Mais, depuis 1168, elle n'en mesure plus que 137. En effet, suite à un incendie qui ravagea Le Caire, les pierres et les plaques de calcaire furent récupérées pour reconstruire la ville. Les côtés de la pyramide mesurent chacun 230 mètres, et la base de l'édifice couvre une superficie de 52 900 mètres carrés – soit autant que celle des cinq plus grandes églises du monde réunies – la basilique Saint-Pierre, la cathédrale Saint-Paul, l'abbaye de Westminster et les cathédrales de Florence et de Milan.

Ce sont au total 2,5 millions de blocs de pierre pesant en moyenne 2,5 tonnes chacun qui furent posés les uns sur les autres pour ériger la pyramide de Kheops, dont le poids total s'élève à 6,25 millions de tonnes. La préparation du site et la planification de la construction de ce colosse de pierre durèrent dix ans, entreprise à laquelle participèrent environ 4 000 personnes. La construction proprement dite de la pyramide s'étendit ensuite sur une durée de vingt ans, et impliqua la mobilisation de 100 000 ouvriers. Chaque bloc de pierre, qui mesurait entre 0,80 et 1,45 mètre de hauteur, était placé sous la responsabilité de huit ouvriers : ils le prenaient dans la carrière, le chargeaient sur un traîneau en bois monté sur des patins et le faisaient glisser ainsi jusqu'à la rive du Nil. Ils déchargeaient alors le bloc de pierre sur une barque à fond plat construite à cet effet, l'acheminaient jusqu'à l'autre rive, puis sur le site du chantier, où ils hissaient finalement le bloc de pierre le long d'une rampe jusqu'à l'emplacement prévu.

La pyramide de Kheops abrite un véritable labyrinthe de couloirs et de salles. Au centre de l'édifice, la chambre du roi renferme un sarcophage de granit rose. La pyramide servit-elle de lieu de sépulture ? La question, non résolue à ce jour, demeure l'une des grandes énigmes qui entourent la Grande Pyramide.

CI-DESSUS De loin, la pyramide de Khephren paraît plus haute que celle de Kheops, bien qu'elle mesure 3 mètres de moins.

CI-CONTRE La pyramide de Kheops, ou Grande Pyramide, était revêtue jadis de plaques de calcaire blanc. Celles-ci ont été cassées en 1168 et utilisées comme matériaux de construction.

SOUDAN
Pyramides de Méroé

À 200 KILOMÈTRES AU NORD-EST DE KHARTOUM S'ÉTEND LA NÉCROPOLE À PYRAMIDES DE MÉROÉ.
DURANT SEPT CENTS ANS, LA CITÉ DE MÉROÉ FUT LA CAPITALE DU ROYAUME DE KOUSH. DEPUIS
LE MOYEN EMPIRE, DANS L'ÉGYPTE ANCIENNE, KOUSH DÉSIGNAIT LA NUBIE.

Le royaume de Nubie, ou royaume de Koush, s'étirait d'Assouan, en Égypte, jusqu'à l'actuelle Karima, au Soudan, le long du Nil. Les souverains nubiens gouvernèrent tout d'abord leur royaume florissant depuis la capitale Napata, près de Karima. Mais vers le VIe siècle av. J.-C., ils déplacèrent leur capitale à Méroé. Au cours des années suivantes, les liens culturels avec l'Égypte se relâchèrent progressivement, et le royaume de Koush se développa de manière autonome. Au IIIe siècle av. J.-C., les Nubiens élaborèrent leur propre écriture, le méroïtique, qui se présentait sous deux formes : l'une inspirée des hiéro-

glyphes, réservée à l'usage royal ou cultuel ; l'autre, cursive, rappelant le démotique et employée par toutes les couches sociales. De cette brillante période de l'histoire nubienne – c'est l'ère de la XXVe dynastie – témoigne aujourd'hui encore la nécropole située à proximité de la ville de Méroé, rassemblant plus de cinquante pyramides.

Le déplacement de la capitale et du siège du gouvernement de Napata à Méroé marqua le début de la période méroïtique. Depuis le règne d'Ergamène (vers 270 av. J.-C.), les souverains nubiens se faisaient inhumer à Méroé. Ainsi apparurent près de la nouvelle capitale du royaume deux remarquables nécropoles à pyramides. Une quarantaine de rois et reines nubiens

CI-CONTRE La forte inclinaison des pyramides de Méroé était probablement due à des contraintes techniques.

CI-DESSOUS Les pyramides se composent de trois parties – la pyramide, le temple funéraire et les chambres funéraires.

y furent enterrés pendant la période méroïtique. La première pyramide érigée abrita la dépouille d'Ergamène. Les autres servirent de tombeaux aux membres de l'aristocratie. Dans le royaume de Koush, les pyramides n'étaient pas réservées exclusivement aux souverains.

Beaucoup plus modestes par leurs dimensions que les pyramides égyptiennes, celles de Méroé sont agencées en trois parties : la pyramide proprement dite, bâtie en pierre au départ, puis en brique ; le temple funéraire, élevé devant l'entrée de la pyramide et généralement décoré de bas-reliefs ; enfin, les chambres funéraires, creusées sous la pyramide. Les pyramides de l'époque méroïtique ne comportaient jamais de salles. Trois chambres funéraires étaient attribuées aux rois ; deux seulement aux reines.

De toute évidence, ce ne sont pas les pyramides des pharaons égyptiens qui ont servi de modèle à celles de Méroé. Leurs arêtes abruptes et leur proximité les unes des autres laissent supposer que leur construction fut inspirée par celle des pyramides égyptiennes privées, beaucoup plus récentes, telles les petites structures érigées par les roturiers à Abydos et à Thèbes. Mais leur forte inclinaison était probablement due à des contraintes d'ordre technique : les maîtres d'œuvre de Koush utilisaient pour leur construction un engin de levage, un chadouf à balancier. C'est du moins ce qu'atteste une gravure découverte sur un fragment de mur dans les ruines de Méroé. La longueur du balancier déterminait celle des côtés des pyramides ainsi que, par voie de conséquence, l'angle d'inclinaison des édifices, qui reposaient sur une base exiguë.

Pendant les années 25 et 24 av. J.-C., le royaume de Koush fut impliqué dans un conflit militaire avec Rome. Les troupes romaines de l'empereur Auguste attaquèrent l'ancienne capitale Napata, la détruisirent et la pillèrent, avant d'être finalement vaincues et repoussées par les Nubiens. Au cours des années qui suivirent, le royaume de Koush connut une nouvelle prospérité. Ses prodigieuses richesses culturelles et ses fructueux échanges commerciaux avec l'Égypte et l'Arabie, par les routes caravanières de l'époque, contribuèrent une fois de plus à la puissance et au prestige du royaume de Méroé.

Au IIe siècle apr. J.-C., le royaume de Koush amorça son déclin. Les raisons qui participèrent à la chute de ce royaume florissant demeurent toujours objets de spéculation. Les dernières mentions de rois méroïtiques datent de 300 apr. J.-C. Les traces de la brillante civilisation de Koush et des souverains de Méroé se perdent ensuite dans la légende.

CHRONOLOGIE

✳ **vers 2300 av. J.-C. :** fondation du royaume de Koush

✳ **vers 700 av. J.-C. :** conquête de l'Égypte par les Nubiens

✳ **vers 663 av. J.-C. :** le royaume de Koush prend son indépendance par rapport à l'Égypte

✳ **vers VIe av. J.-C. :** déplacement de la capitale de Napata à Méroé

✳ **IIIe siècle av. J.-C. :** invention de l'écriture et de la langue méroïtiques

✳ **vers 270 av. J.-C. :** le roi Ergamène monte sur le trône

✳ **25-24 av. J.-C. :** les troupes romaines envahissent et détruisent l'ancienne capitale Napata

✳ **Ier siècle apr. J.-C. :** nouvelle période florissante pour le royaume de Koush

✳ **IIe siècle :** déclin du royaume de Koush

✳ **vers 300 :** chute du royaume

AFRIQUE DU NORD
Sahara

MENAÇANT, INHOSPITALIER ET VIDE POUR CERTAINS. MYSTÉRIEUX, IMMENSE,
ABSOLU POUR D'AUTRES. DEPUIS TOUJOURS, LE SAHARA FASCINE LES HOMMES
ET HANTE LEUR IMAGINAIRE.

Le Sahara, plus vaste désert du monde, est délimité à l'ouest par l'Atlantique, à l'est par la mer Rouge et la péninsule du Sinaï, au nord par la chaîne de l'Atlas et la mer Méditerranée, au sud par la zone sahélienne et le bassin du Niger. Au fil du temps, ses immenses étendues de sable et ses massifs rocheux ont été le théâtre d'innombrables conflits et affrontements armés, de drames et de tragédies. Plus récemment, ils ont servi de décor à des événements sportifs de grande envergure et à de fastueuses productions hollywoodiennes. S'étirant sur 6 000 kilomètres d'ouest en est et sur 2 000 kilomètres du nord au sud, le Sahara couvre une superficie de plus de 9 millions de kilomètres carrés, soit environ un tiers de celle du continent africain. Seule une petite partie de ce désert est le domaine du sable, la plus grande étant vouée aux rochers, à la caillasse et au gravier. Plus de 200 000 kilomètres carrés sont occupés par de fertiles oasis. Le désert libyen constitue la zone la plus sèche de cette « mer sans eau », selon la dénomination attribuée au Sahara par les Arabes (*Bahr bela ma*). La dépression la plus profonde, celle de Qattara, descend à 133 mètres au-dessous du niveau de la mer. Parmi les points culminants figurent l'Emi Koussi (3 415 mètres), dans le massif du Tibesti, au Tchad, et le Tahat (2 918 mètres), dans le massif du Hoggar, en Algérie.

CI-CONTRE L'oasis du lac salé d'Um-Al-Ma, dans le désert libyen.

CI-DESSOUS Dans le massif du Hoggar, les formations rocheuses escarpées atteignent près de 3 000 mètres de haut.

Onze pays se partagent les étendues désertiques du Sahara : Maroc, Algérie, Tunisie, Libye, Égypte, Sahara occidental, Mauritanie, Mali, Niger, Tchad et Soudan. Les limites du Sahara ne peuvent cependant pas être définies avec précision, car le désert vit et évolue en permanence.

Pendant les derniers millénaires, les changements climatiques, l'exploitation intensive par l'homme de cet écosystème fragile, ainsi que le surpâturage par le bétail, ont contribué à l'avancée du Sahara, au processus de désertification : au sud, au cours des cinquante dernières années, le Sahara s'est étendu d'une superficie équivalant à celle de la Somalie.

Malgré des conditions de vie hostiles, un commerce transsaharien actif et lucratif s'est mis en place vers 1000 av. J.-C. À cette époque, les hommes ont commencé à sillonner courageusement le désert avec des bœufs, des chariots et des chars à deux roues. Au IIIe siècle av. J.-C., les échanges commerciaux se sont développés par l'entremise des Carthaginois. Trois siècles plus tard, ils ont connu un nouvel essor à la suite de l'introduction par les Romains du dromadaire comme bête de somme. À partir du VIIIe siècle apr. J.-C., le commerce transsaharien s'est encore intensifié sous l'influence croissante des Arabes. C'est entre le XIIIe et le XVIe qu'il a atteint son apogée : le Sahara était alors traversé par un réseau de routes caravanières, qui reliaient les centres commerciaux d'Afrique du Nord avec ceux de l'Afrique centrale.

Les régions baignées par la mer Méditerranée avaient besoin de métaux nobles, principalement de l'or, et de main-d'œuvre bon marché. Le commerce des esclaves était à cette époque une activité aussi lucrative que cruelle. Dans le sens inverse, du nord au sud, d'interminables caravanes acheminaient du sel, des cauris (coquillages, principale monnaie alors en usage) et – déjà à l'époque – des armes. Les caravanes transportaient également d'innombrables denrées de luxe : étoffes précieuses, poivre, ivoire, noix de cola, articles de cuir, ainsi que – plus particulièrement au XIXe siècle – plumes d'autruches pour les couturiers et salons mondains d'Europe.

Attirés par le mystère des capitales du désert, les Européens entreprirent bientôt l'exploration du désert. À la fin du XIXe siècle, ils s'installèrent au Maghreb et sur les côtes d'Afrique noire, mettant un terme au commerce transsaharien.

CARTE D'IDENTITÉ

✳ **Nom :** Sahara

✳ **Distance max. est-ouest :** env. 6 000 km

✳ **Distance max. nord-sud :** env. 2 000 km

✳ **Superficie :** plus de 9 millions de km² – soit environ un tiers de celle du continent africain

✳ **Pays riverains :** Maroc, Algérie, Tunisie, Libye, Égypte, Sahara occidental, Mauritanie, Mali, Niger, Tchad et Soudan

✳ **Étymologie :** le nom Sahara est dérivé du terme arabe *Sahhra*, traduction du touareg *Tenere* (désert, sable). Les Romains nommèrent cette région *Terra Deserta* (« terre abandonnée, inhabitée »). Au Moyen Âge, elle s'appelait le Grand Désert. C'est seulement au XIXe siècle que s'imposa le nom Sahara. Les Arabes le dénomment *Bahr bela ma,* ou « mer sans eau »

TANZANIE
Parc national du Serengeti

LE SERENGETI – SON NOM ÉVOQUE UNE NATURE INTACTE, L'UN DES DERNIERS PARADIS NATURELS DE LA TERRE, MAIS AUSSI LE SUPERBE DOCUMENTAIRE *SERENGETI NE DOIT PAS MOURIR* RÉALISÉ PAR MICHAEL ET BERNHARD GRZIMEK, ET RÉCOMPENSÉ PAR UN OSCAR À HOLLYWOOD EN 1959.

Parc national
du Serengeti

Dans la langue des Masai, Serengeti signifie « plaine infinie ». Ce paradis naturel d'une incomparable beauté vit au rythme des alternances des périodes de sécheresse et de pluie. Dans le sud du Serengeti, des steppes herbeuses s'étendent à l'infini. Vers le nord, elles cèdent la place à de douces collines sur lesquelles prospèrent des forêts d'acacias. Au centre de la vaste plaine, la savane est pratiquement dénuée d'arbres. Au sud-est se profile le cratère du Ngorongoro, dans la zone de conservation du même nom, à la limite du Serengeti. Avec une superficie de 14 763 kilomètres carrés, le Serengeti

compte parmi les plus grands parcs nationaux du monde.

La diversité des espèces animales qui le peuplent est impressionnante, notamment autour des quelques points d'eau permanents, où les gnous côtoient zèbres, girafes, gazelles, antilopes et éléphants. De nombreux prédateurs comme les lions, les léopards, les guépards, les chacals et les hyènes sont également attirés vers l'eau. Quant à l'avifaune, sa richesse est également insurpassable – cinq cents espèces d'oiseaux se partagent le territoire du parc national. Les vastes plaines dénuées d'arbres offrent des pâturages de choix aux millions d'herbivores : gnous, gazelles, antilopes et zèbres. Mais les prédateurs sont à l'affût. Les quelque trois mille

Le parc national du Serengeti, en Tanzanie, est le refuge de nombreuses espèces animales. Un million de gnous sillonnent les régions de savane lors des grandes migrations.

CARTE D'IDENTITÉ

* **Nom** : parc national du Serengeti

* **Superficie** : 14 763 km²

* **Statut** : principale réserve naturelle d'Afrique

* **Population** : env. 1 million de gnous, 7 000 girafes, 150 000 gazelles de Thomson, 1 000 éléphants, 3 000 lions, 500 espèces d'oiseaux et de nombreuses autres espèces animales

* **Point culminant** : cratère du Ngorongoro, 2 300 m, diamètre : 27 km

* **Particularité** : Michael Grzimek et son père Bernhard ont été enterrés en 1959 et 1987 au bord du cratère

AU MILIEU Le cratère du Ngorongoro, aux confins du Serengeti, après la saison des pluies. En 1979, la réserve a été classée au patrimoine mondial de l'Unesco pour sa flore et sa faune uniques.

EN BAS La région mérite bien son nom – dans la langue des Masai, Serengeti signifie « plaine infinie ».

lions qui évoluent dans le Serengeti ont largement de quoi satisfaire leur appétit.

Les lions doivent néanmoins affronter de redoutables concurrents : les guépards, qui pourchassent leurs proies à travers la steppe à des vitesses record pouvant atteindre jusqu'à 100 km/h. Les léopards se cachent dans les hautes herbes de la savane. Pendant des années, les élégants félins ont été chassés de manière impitoyable, presque jusqu'à l'extinction, pour leur superbe pelage. Mais grâce à la mise en place de rigoureuses mesures de protection, leurs conditions de vie dans le Serengeti se sont considérablement améliorées.

Les restes des festins des grands fauves sont récupérés par les charognards : hyènes, chacals et vautours. En se partageant le butin, ces animaux remplissent un rôle essentiel : ils nettoient le parc national, le débarrassant des déchets.

Dans les points d'eau de la « plaine infinie », d'importants troupeaux d'hippopotames s'ébattent pour se protéger du soleil brûlant. En effet, leur peau est extrêmement sensible aux coups de soleil. La nuit, ils cherchent leur nourriture, couvrant parfois de longues distances – jusqu'à 10 kilomètres aller-retour – pour trouver des pâturages à leur convenance.

L'existence des rhinocéros est particulièrement menacée dans le parc national, où chasse et braconnage intensifs ont provoqué une diminution considérable de leur population.

Mais les maîtres incontestés du Serengeti, en raison de leur taille impressionnante, sont les éléphants. Un millier de spécimens de cette espèce habituellement inoffensive sillonne par familles entières les savanes et les collines du Serengeti à la recherche de nourriture. Et l'appétit de ces gigantesques herbivores est gargantuesque : la ration quotidienne d'un éléphant adulte peut s'élever à 200 kilos de végétaux.

La crise économique des années 1970 en Tanzanie a eu de graves répercussions sur la vie du parc national. Le braconnage y prit des proportions démesurées. La chasse illégale de l'ivoire réduisit la population des éléphants à une centaine de spécimens. Les conséquences furent encore plus désastreuses pour les rhinocéros, qui furent presque intégralement exterminés. Seuls deux de ces animaux survécurent à l'épouvantable carnage. Mais le parc national s'est en partie remis de ses difficultés à la faveur du redressement économique qu'a connu le pays dans les années 1980. Les populations d'éléphants et de rhinocéros ont pu se reconstituer de manière durable.

ÉGYPTE
Canal de Suez

ENTRE LES VILLES PORTUAIRES ÉGYPTIENNES DE PORT-SAÏD AU NORD, SUR LA MÉDITERRANÉE, ET DE SUEZ AU SUD, SUR LA MER ROUGE, S'ÉTIRE L'UNE DES PLUS REMARQUABLES VOIES NAVIGABLES DU MONDE – LE CANAL DE SUEZ.

Dès l'Antiquité, les pharaons égyptiens avaient entrepris la construction d'un canal destiné à relier la mer Méditerranée et la mer Rouge. Mais c'est seulement au XVIIᵉ siècle que le philosophe et scientifique Gottfried Wilhelm Leibniz (1646-1716) reprit l'idée de créer une voie navigable à travers le désert. En 1798, dans le cadre de l'expédition d'Égypte, Napoléon Bonaparte fit procéder à des rehaussements de terrain pour la construction d'un canal. Il faudra encore attendre plus de cinquante ans avant que Ferdinand de Lesseps, consul de France à Alexandrie, et ami du vice-roi d'Égypte Saïd Pacha, donne l'impulsion à

Canal de Suez

cette gigantesque entreprise. Lesseps s'inspire des plans de l'ingénieur autrichien Alois Negrelli, datant de 1838. En 1858, il fonde la Compagnie universelle du canal maritime de Suez, qu'il charge des travaux et de leur supervision. Enfin, le 25 avril 1859, le premier coup de pioche est donné à Port-Saïd.

Malgré le climat d'euphorie suscité par le projet, Lesseps a conscience, dès le départ, des énormes défis qu'il devra relever. La totalité du matériel nécessaire à la construction doit être acheminée d'Europe, notamment le bois. À ce problème s'ajoute celui du ravitaillement pour les 25 000 ouvriers réquisitionnés sur le gigantesque chantier. En 1862, 1 600 chameaux, sur un total de 1 800, sont affectés au transport quotidien de

* Longueur du canal : 162,5 km

* Largeur : 300-365 m

* Largeur du fond : 180 m

* Profondeur : 21 m

* Date de construction : 1859-1869

* Coût de la construction : 19 millions de livres sterling

* Recettes annuelles : 20 milliards de dollars US (le canal représente l'une des principales sources de revenus pour l'Égypte)

* Capacité : les navires avec jusqu'à 200 000 tonneaux de jauge brute, dénommés « Suezmax », peuvent emprunter le canal

Les navires de guerre empruntent le canal. Au premier plan, le porte-avions américain *George Washington*, à destination du golfe Persique.

l'eau potable. Les coûts atteignent des proportions astronomiques pour l'époque : le transport de l'eau potable s'élève à lui seul à 8 000 francs par jour ! Il faut donc accélérer la construction du canal destiné à l'eau potable ; des travaux qui s'achèvent dès le 29 décembre 1863. Le projet se poursuit, et au terme de dix années de chantier, le canal de Suez est inauguré le 17 novembre 1869 en grande pompe.

Le canal part du port de Port-Saïd, au nord, et progresse vers le sud, traversant le lac Menzaleh, qu'il quitte au kilomètre 45. Il arrive ensuite à El-Kantara, où un pont suspendu permet de le franchir, et se déverse 4 kilomètres plus loin dans le lac Ballah. Après El-Ferdane et El-Guisr, le canal traverse le lac Timsah et passe devant le renflement de terrain appelé Sera-peum. Au kilomètre 95, il atteint un plan d'eau de 220 kilomètres carrés formé par le Grand lac Amer et le Petit lac Amer, entourés d'espaces désertiques. À proximité de l'extrémité sud se font sentir les effets des marées de la mer Rouge, dans laquelle il débouche finalement au kilomètre 156.

Après avoir été fermé à la suite des conflits des années 1960 et 1970 entre les pays riverains, le canal de Suez est aujourd'hui la plus importante voie navigable du monde, avec un trafic annuel de 15 000 navires par an. Ainsi, 15 % du transport annuel mondial de marchandises transite par le canal. La traversée dure quinze heures en convoi, la plus grande partie du trajet étant limitée à une voie unique de circulation. Les superpétroliers ne peuvent emprunter le canal qu'après avoir déposé à Suez une partie de leur chargement, qui est alors transportée par pipelines à Port-Saïd, et de nouveau transvasée à bord. Les économies de temps et de coût sont alors énormes. À compter de 2010, les pétroliers de 22 mètres de tirant d'eau pourront également emprunter le canal.

Ci-DESSUS Ce cargo semble s'être échoué. Mais derrière les dunes se cache le canal de Suez.

Ci-CONTRE Navires dans le canal de Suez. Le passage s'effectue sur une seule voie, en convoi, sur la plus grande partie du parcours.

ÉGYPTE
Vallée des Rois

CAPITALE DES PHARAONS DU NOUVEL EMPIRE, PENDANT PLUS DE QUATRE CENTS ANS, THÈBES FUT
LE FOYER CULTUREL ET RELIGIEUX DE L'ÉGYPTE. ELLE DOIT NOTAMMENT SA RENOMMÉE À SA VASTE
NÉCROPOLE ABRITANT LES HYPOGÉES DE LA VALLÉE DES ROIS ET DE LA VALLÉE DES REINES.

Vallée des Rois

Thèbes a connu son âge d'or pendant le Nouvel Empire (v. 1580-1085 av. J.-C.), sous les XVIIIe, XIXe et XXe dynasties. Pendant cette période de l'histoire égyptienne, les pharaons investirent leur richesse incommensurable dans l'aménagement et l'embellissement de leur ville-résidence située de part et d'autre du Nil. Ils firent ériger des temples et des palais grandioses. Les trouvailles mises au jour au cours des siècles par d'éminents archéologues continuent de soulever de multiples interrogations.

Mythes et réalité se confondent dans le réseau inextricable de récits et de légendes qui entourent la Vallée des Rois. Pendant le Nouvel Empire, la « Thèbes aux cent portes » a acquis un prestige considérable. Ses fantastiques monuments, mondialement connus, ont survécu aux millénaires, témoignant aujourd'hui encore de la grandeur et de la prospérité de la cité et de ses pharaons : sur la rive droite du Nil, ensembles monumentaux de Louqsor, au sud, et de Karnak, au nord – dominé par le temple d'Amon-Rê ; sur la rive gauche, temple d'Hatshepsout à Deir el-Bahari, hypogées royaux et privés de la Vallée des Rois et de la Vallée des Reines. L'essor et l'aménagement de Thèbes, hissée au rang de centre de l'Égypte, avec sa nécropole, la plus vaste du pays, sont intimement liés à la vie du pharaon le plus prestigieux, qui

CI-DESSOUS Le somptueux masque funéraire
du pharaon Toutankhamon. Les trouvailles
découvertes dans sa tombe constituent
un fabuleux trésor archéologique.

gouvernait alors le pays du Nil – Ramsès II. Pendant les soixante-six ans de son règne (1301-1235 av. J.-C.), il marqua la destinée de son pays, comme aucun autre souverain avant ou après lui.

À cette époque, l'Égypte connaît une prospérité économique et culturelle sans précédent, et qui n'aura pas d'équivalent dans le futur. Le talent diplomatique du pharaon Ramsès II garantit au pays un climat de paix avec les peuples voisins qui durera près de cinquante ans. Ramsès peut ainsi consacrer toute son énergie à l'aménagement et à l'embellissement de sa capitale. Son tempérament ambitieux le pousse en outre à léguer à la postérité un héritage unique. Avec son conseiller, il conçoit les plans de son temple funéraire, le Ramesseum. Mais avant d'être lui-même convié au repos éternel, il inhumera de nombreux membres de sa famille dans la plus grande nécropole d'Égypte.

À Karnak, Ramsès II ordonne l'achèvement des travaux entrepris sous Séti Ier pour l'édification du grand temple d'Amon. Une fois terminé, l'édifice s'avérera beaucoup plus somptueux que ce qu'avait osé imaginer le fils de Ramsès Ier. Dans la gigantesque salle hypostyle, cent trente-quatre colonnes de 24 mètres de hauteur soutiennent le plafond. Sa construction aurait duré quatre-vingts ans. Ramsès II entend ainsi témoigner de son pouvoir illimité. Le temple de Louqsor doit lui aussi être érigé comme un symbole de son prestige. Ramsès fait aménager une autre cour, plus grande que la première, pour élargir le site conçu par Aménophis III. Des statues figurant le pharaon décorent la gigantesque place. À Deir el-Bahari, en visitant le temple d'Hatshepsout, qui gouverna l'Égypte deux cents ans avant lui, Ramsès ordonne la suppression de toutes les inscriptions rappelant l'existence de la reine – le pharaon ne pouvait concevoir qu'une femme ait pu être à la tête de l'Égypte.

Vers 1253 av. J.-C., l'épouse favorite de Ramsès, Néfertari, meurt. Ramsès fait ériger pour elle le tombeau le plus somptueux de la Vallée des Reines, qui s'étend au sud de la Vallée des Rois. Le site compte plus de quatre-vingt-dix hypogées abritant les dépouilles des épouses des pharaons. La tombe de Néfertari devant être digne d'une femme de pharaon, ses murs sont rehaussés d'une riche ornementation, contrairement à ceux des autres sépultures.

Lorsque Ramsès II s'éteint à l'âge de quatre-vingt-douze ans, il laisse derrière lui plus de cent enfants, un pays en plein essor et une capitale dont les monuments n'ont rien perdu de leur beauté ni de leur force d'attraction jusqu'à aujourd'hui. L'héritage du plus grand de tous les pharaons continue d'exercer sur tous son pouvoir de fascination.

CHRONOLOGIE

✱ 1506-1494 av. J.-C. : Thoutmosis Ier est le premier pharaon à faire construire sa tombe dans la Vallée des Rois

✱ 1708 : le jésuite Claude Sicard explore la vallée et découvre les sépultures royales

✱ 1739, 1768 et 1792 : Richard Pococke, James Bruce et William George Brown identifient une vingtaine d'hypogées

✱ 1875 : les frères Abd el-Rassoul découvrent à Deir el-Bahari une sépulture contenant les 40 momies de membres de familles royales

✱ 9 mars 1898 : Victor Loret ouvre le tombeau d'Aménophis II et y découvre des momies royales

✱ 4 novembre 1922 : Howard Carter pénètre dans l'hypogée inviolé du pharaon Toutankhamon

✱ 1995 : l'archéologue Kent Weeks met au jour plus de 120 chambres funéraires

✱ Printemps 2006 : découverte de chambres funéraires contenant 7 sarcophages en bois

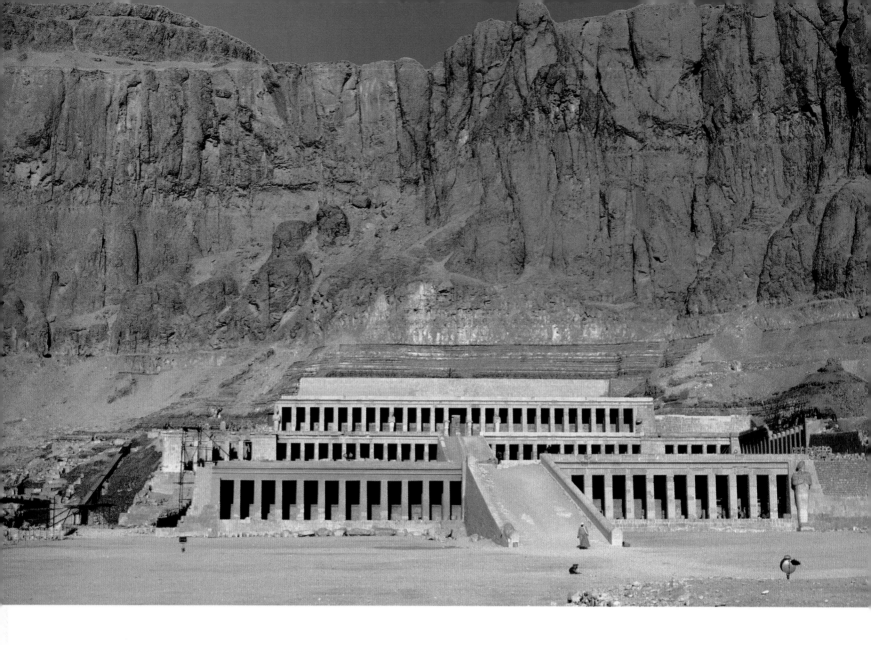

Le temple d'Hatshepsout. Le 17 novembre 1997, un événement tragique a porté ombrage à la renommée de cet imposant monument : soixante personnes ont été victimes d'une attaque terroriste.

Sur la rive occidentale du Nil, la légendaire vallée des souverains défunts, ou Vallée des Rois, est la nécropole la plus connue et la plus vaste d'Égypte. Plus de soixante hypogées y ont été dénombrés à ce jour, construits pour la plupart par les souverains égyptiens du Nouvel Empire. Dès la XVIIIe dynastie, d'innombrables temples funéraires apparurent dans la Vallée des Rois. Les Égyptiens désignaient ces monumentales sépultures sous le nom de « maisons millénaires ».

Les hypogées les plus connus de la Vallée des Rois sont le n° 7 – demeure éternelle de Ramsès II –, le n° 42 – temple funéraire d'Hatshepsout à Deir el-Bahari – et le n° 62, découvert en 1922 seulement et appartenant au célèbre pharaon Toutankhamon. La sépulture la plus récente de la Vallée des Rois est celle du pharaon Ramsès XI (XXe dynastie). Dans la tradition de ses prédécesseurs, il fit élever dans ce site son temple funéraire, mais il n'y fut jamais inhumé. On peut aisément imaginer aujourd'hui la raison de ce choix : à l'époque de Ramsès XI déjà, le pillage des tombes était une activité lucrative et en pleine expansion. Les pilleurs, qui sévissaient par bandes entières, vendaient ensuite le précieux butin à d'obscurs négociants et receleurs.

Pendant des siècles, la Vallée des Rois est demeurée dans l'oubli, cachant ses trésors. C'est seulement en 1708 que le jésuite français Claude Sicard découvrit par hasard les premiers hypogées, initiant ainsi une vague d'expéditions archéologiques. Les scientifiques de nombreux pays du monde se pressèrent vers cette découverte sensationnelle, afin de percer les secrets de la vallée des Rois. C'est l'expédition napoléonienne d'Égypte qui marquera véritablement le début de l'exploration systématique de la vallée.

La sépulture la plus célèbre à ce jour est certainement celle du pharaon Toutankhamon mort à dix-huit ans. Étant donné le faible prestige dont celui-ci jouissait de son vivant, la mise au jour de son tombeau provoqua la stupéfaction du monde scientifique. Les somptueux objets qu'il renfermait, en or massif pour la plupart, ou dorés à la feuille – bijoux, instruments de musique, modèles réduits de bateaux, ainsi que le célèbre masque funéraire du pharaon –, constituent des témoignages uniques de l'extraordinaire savoir-faire des artisans égyptiens, de la fabuleuse richesse et de la grandeur du royaume. Le 4 novembre 1922, l'archéologue britannique Howard Carter (1874-1939) pénétra dans l'hypogée inviolé de Toutankhamon. Le 17 février 1923,

CI-CONTRE Les cours du temple de Karnak étaient reliées par de somptueuses allées.

CI-DESSOUS Les vestiges du Ramesseum, temple funéraire du pharaon Ramsès II.

il découvrit la chambre funéraire du pharaon et ouvrit le somptueux sarcophage en quartzite rouge. Les précieux trésors, parmi lesquels le cercueil en or du pharaon, le masque en or et les bijoux, sont exposés aujourd'hui au Musée égyptien du Caire.

Depuis cette fantastique découverte, des cas de morts plus ou moins mystérieuses, manifestement en étroite liaison avec l'ouverture de la tombe de Toutankhamon, ont été à l'origine de diverses légendes faisant état d'une « malédiction du pharaon ». Qu'en est-il véritablement de cette prétendue malédiction du souverain défunt ? Les nombreuses morts ont-elles pour cause les vapeurs ou gaz mystérieux qui se seraient échappés de la tombe lors de son ouverture ? Les rumeurs concernant la « malédiction du pharaon » prendront-elles fin un jour ?

Au-dessus de l'entrée de la chambre funéraire de Toutankhamon, une tablette d'argile porte l'inscription « La mort n'attendra pas pour celui qui trouble le repos du pharaon ». Si certains prétendent qu'elle n'est pas d'origine, il semble que ce genre d'avertissement existait véritablement dans les temples funéraires. C'est ce qu'attestent des trouvailles provenant d'autres sépultures de la Vallée des Rois. La légendaire « malédiction de la momie » aura au moins eu le mérite de dissuader les pilleurs de tombes trop avides.

Même si, au cours des années qui ont suivi la découverte du tombeau de Toutankhamon, quelques cas de morts surprenantes sont survenus parmi les membres des expéditions, presque tous avaient une explication objective. Parmi la trentaine de victimes, la plupart étaient âgées de soixante-dix à quatre-vingts ans. Lord Carnarvon, le commanditaire des fouilles, mourut par exemple des suites d'une septicémie, provoquée par l'infection d'une piqûre de moustique sur une coupure de rasoir. Née de l'imagination débridée d'un journaliste britannique, la malédiction fatale du pharaon est désormais réfutée avec certitude par la communauté scientifique.

En 1973, les scientifiques pensèrent avoir trouvé une explication rationnelle aux nombreux cas de morts enregistrés parmi les membres des expéditions ayant visité la tombe de Toutankhamon. Ils ont découvert dans la tombe du pharaon des spores du champignon *Aspergillus flavus* dans des concentrations élevées. Or, les produits du métabolisme de ce champignon sont très dangereux pour l'homme. Chez les sujets ayant un système immunitaire faible, *Aspergillus flavus* peut provoquer des réactions allergiques ou attaquer des organes. C'est aujourd'hui la cause vraisemblable, communément admise, de ces décès parmi les membres de l'expédition.

CARTE D'IDENTITÉ

∗ Vallée des Rois : nécropole d'hypogées de 63 pharaons égyptiens (mars 2006). La vallée, située à Thèbes-Ouest, en face de Karnak, a été découverte en 1708 par le jésuite français Claude Sicard

∗ Vallée des Reines : rassemble plus de 90 hypogées contenant les dépouilles des épouses et des membres des familles de pharaons. La plus remarquable sépulture est celle de Néfertari

∗ Ramesseum : tombeau de Ramsès II. Nom officiel : « palais de Ramsès II, uni à Thèbes sous le règne d'Amon »

∗ Karnak : le plus vaste ensemble d'édifices religieux d'Égypte

∗ Grand temple d'Amon : le plus grand édifice sacré du monde

∗ Temple de Louqsor : dédié au dieu Amon, à son épouse Mout et à leur fils, le dieu-Lune Chons, il marque l'aboutissement de l'architecture du Nouvel Empire

ZAMBIE
Chutes Victoria

LES CHUTES VICTORIA, PARMI LES PLUS SPECTACULAIRES DU MONDE, SE FRACASSENT DANS UNE GIGANTESQUE GORGE À LA FRONTIÈRE ENTRE LA ZAMBIE ET LE ZIMBABWE. LA POPULATION LOCALE LES DÉSIGNE SOUS LE NOM DE *MOSI-OA-TUNYA* – « LA FUMÉE QUI GRONDE ».

Chutes Victoria

Le missionnaire et explorateur écossais David Livingstone (1813-1873) fut très impressionné lorsque, le 16 novembre 1855, il découvrit pour la première fois la « fumée qui gronde » du Zambèze. Le fleuve donne en effet l'impression de plonger soudainement dans les entrailles de la Terre, les projections formant un rideau de brume irisé qui s'élève à 300 mètres de hauteur et que l'on peut voir à 20 kilomètres de distance. À ce spectacle s'ajoute le grondement assourdissant des masses d'eau qui se fracassent sur 1 700 mètres de largeur dans un précipice de plus de 100 mètres de profondeur. Pendant la sai-

son des pluies, en février et mars, lorsque le Zambèze est en crue, ce sont 600 millions de litres d'eau qui se déversent à la minute.

Les explorateurs britanniques du XIXe siècle avaient pris pour habitude d'attribuer des noms anglais aux cours d'eau, aux montagnes et à tous les éléments du relief qu'ils découvraient. Livingstone ne suivait généralement pas l'exemple de ses compatriotes. Mais à la vue du spectacle grandiose qui s'offrait à ses yeux, il ne put s'empêcher de baptiser les majestueuses chutes Victoria Falls, ou chutes Victoria, en hommage à sa reine.

Très vite, le scientifique Livingstone comprit comment étaient apparues les chutes. Il nota ses remarques

L'explorateur écossais David Livingstone (1813-1873) fut le premier Européen à découvrir les chutes Mosi-oa-Tunya, auxquelles il donna le nom de Victoria Falls, ou chutes Victoria, en hommage à la reine britannique.

dans son journal de bord : « Les chutes ne sont rien d'autre que le résultat d'une fracture dans le fond de basalte dur, de la rive droite à la rive gauche du Zambèze. Ce spectacle étonnant est dû à un mouvement tectonique, il y a fort longtemps, à la suite duquel une profonde crevasse est apparue dans le fond basaltique. Le fleuve s'engouffre dans cet abîme sur une largeur d'au moins mille pas. »

Les résultats d'études géologiques récentes montrent que le fond basaltique sur lequel le Zambèze effectue sa lente progression en direction du précipice s'est formé il y a 150 millions d'années, au cours du jurassique supérieur. Au fil du temps, des mouvements à l'intérieur de la croûte terrestre ont contraint le Zambèze à modifier son cours, emportant la roche tendre et creusant une succession de gorges en zigzag. Les parois de ces gorges indiquent l'emplacement des sept chutes qui ont précédé l'actuelle cascade, la huitième. Une nouvelle faille en cours d'érosion, orientée nord-sud, annonce la prochaine cascade, qui sera la neuvième. Dans quelques milliers d'années, le gigantesque rideau d'eau, tel qu'il se présente aujourd'hui, aura entièrement disparu.

En 1934 a été créée la réserve frontalière de Mosi-oa-Tunya, déclarée parc naturel en 1972. Les États riverains, la Zambie et le Zimbabwe, s'efforcent de protéger ce site couvrant une superficie de 69 kilomètres carrés. Depuis 1989, le parc est inscrit au patrimoine mondial de l'Unesco. Toutefois, malgré les efforts déployés par les deux gouvernements pour préserver cette merveille naturelle, des conflits apparaissent de manière récurrente concernant l'exploitation de l'énergie hydroélectrique du Zambèze, qui représente un enjeu majeur pour les deux États riverains.

La Zambezi River Authority prévoit la construction d'un barrage sur la gorge de Batoka, à 50 kilomètres en aval des chutes. Ce serait le troisième grand barrage sur le Zambèze, après celui de Kariba, au Zimbabwe, et le barrage de Cabora Bassa, au Mozambique, qui alimente en énergie l'Afrique du Sud, et plus particulièrement la ville de Johannesburg. Les défenseurs de l'environnement du monde entier mettent en garde contre la menace que représenterait ce projet pour la flore et la faune uniques de cette gorge préservée jusqu'alors. La construction d'un barrage si près des chutes porterait gravement atteinte à la beauté du site, et provoquerait en outre des modifications dans la configuration des chutes.

AU MILIEU Bien avant d'atteindre les chutes Victoria, on identifie leur présence avec la « fumée qui gronde ».

EN BAS Les masses d'eau du Zambèze se fracassent dans une gigantesque gorge par un abrupt de 110 mètres de hauteur.

L'Asie, le plus grand continent du monde, regorge de richesses culturelles et de fantastiques curiosités naturelles. Entre Orient et Occident, Istanbul juxtapose de saisissants contrastes, tandis que les spectaculaires réalisations de l'empire du Milieu forcent l'admiration. De prestigieux monuments attestent la grandeur et la ferveur religieuse des cultures anciennes.

ASIE

JAPON
Pont d'Akashi-Kaikyo

LE PONT SUSPENDU D'AKASHI-KAIKYO, LE PLUS LONG DU MONDE,
ENJAMBE LE DÉTROIT D'AKASHI, MER INTÉRIEURE QUI SÉPARE LES ÎLES
JAPONAISES DE HONSHU ET DE SHIKOKU.

Akashi-Kaikyo

Le pont relie Naruto, sur l'île de Shikoku, à Kobe, sur celle de Honshu. Dès le départ, les concepteurs de la gigantesque structure se sont vu confrontés à d'énormes défis. Les conditions n'étaient nullement réunies pour la construction d'un pont à cet endroit : la région est considérée comme l'une des principales zones d'activité sismique de la Terre – les secousses de faible amplitude y font presque partie du quotidien. Les typhons, avec des vents dont la vitesse atteint jusqu'à 290 km/h, ne sont pas rares. À ces risques s'ajoute le fait que le détroit d'Akashi est la voie maritime la plus fréquentée du Japon.

Les travaux ont commencé en mai 1988, avec la construction des deux socles en acier sur lesquels reposent les pylônes. Chaque cylindre d'acier pèse 15 000 tonnes. Les énormes structures vides ont été plongées dans la mer et remplies avec un béton spécial, présentant la particularité de durcir dans l'eau. Le remplissage des socles a duré une année entière. Ensuite ont été réalisées les fondations des ancrages à terre, avec 140 000 m³ (environ 350 000 tonnes) de béton de chaque côté.

Après ces travaux préliminaires ont été érigés les deux gigantesques pylônes auxquels allait être suspendu le tablier. Pour ce dernier, le choix s'est porté sur une poutre en acier à treillis. Les pylônes en acier assurent la stabilité et la solidité nécessaires, tout en offrant

✻ Nom : pont d'Akashi-Kaikyo

✻ Situation : détroit d'Akashi

✻ Début des travaux : mai 1988

✻ Achèvement des travaux : avril 1998

✻ Longueur totale : 3 911 m

✻ Portée centrale : 1 991 m

✻ Hauteur maximale : 283 m

✻ Largeur entre les câbles porteurs : 35,5 m

✻ Largeur du tablier : 46,5 m

✻ Hauteur du tablier au-dessus de la surface de l'eau : 71 m

✻ Longueur des câbles porteurs : env. 4 000 m chacun

✻ Diamètre des câbles porteurs : plus de 1 m

✻ Poids du tablier : plus de 120 000 t

Le port de la métropole grouillante de Kobe, sur l'île de Honshu.

davantage de souplesse que des piliers en béton. Ils peuvent résister à un séisme de magnitude inférieure à 8,5 sur l'échelle de Richter. Chaque pylône se compose de 90 segments d'acier de 160 tonnes chacun, qui ont été posés les uns sur les autres comme dans un jeu de cubes. Dans chaque pilier sont intégrés 20 amortisseurs de vibrations, destinés à atténuer les effets des séismes et des typhons. Les gigantesques structures peuvent osciller dans toutes les directions, équilibrant instantanément les mouvements du pont et garantissant la stabilité de la construction. Les pylônes mesurent chacun 333 mètres de haut.

L'ingénieuse construction des pylônes a révélé son efficacité dès la période des travaux. Le 17 janvier 1995, un terrible tremblement de terre de magnitude 7,2 a frappé la métropole grouillante de Kobe. Plus de 6 500 personnes y ont trouvé la mort, plus de 27 000 ont été blessées, dont certaines gravement, et environ 200 000 bâtiments ont été complètement détruits. Le pont d'Akashi-Kaikyo, alors en construction, a résisté au tremblement de terre, dont l'épicentre se situait pourtant entre les deux pylônes !

Les câbles d'acier du pont d'Akashi-Kaikyo sont eux aussi impressionnants. Avec une longueur de près de 4 000 mètres et un diamètre supérieur à 1 mètre, ces câbles porteurs constituent un record mondial à tous

égards. Ils totalisent 290 câbles torsadés, ou torons. Chacun de ces derniers se compose de 127 fils fabriqués dans un acier particulièrement solide. Chaque câble porteur réunit ainsi 36 830 fils d'acier. Placés les uns à la suite des autres, ces fils d'acier feraient sept fois le tour de l'équateur !

La charge que supportent les deux câbles du pont est véritablement colossale : 120 000 tonnes réparties entre les deux rives, soutenues par les deux pylônes. Ce sont au total 261 000 tonnes d'acier qui ont servi à la construction du plus long pont du monde.

Ci-dessus En 1995, un terrible tremblement de terre a détruit en partie la ville de Kobe, mais le pont d'Akashi-Kaikyo a résisté à la violence de la nature.

Ci-contre Le pont d'Akashi-Kaikyo, de nuit. Malgré son apparence fragile et délicate, l'audacieuse structure est conçue de manière à supporter une charge colossale.

CAMBODGE
Angkor

ANGKOR, MYSTÉRIEUX ENSEMBLE DE TEMPLES NICHÉ DANS LA JUNGLE DU CAMBODGE,
OFFRE UN TÉMOIGNAGE EXTRAORDINAIRE DE LA CULTURE DES KHMERS. UNE MYRIADE
DE SOMPTUEUX MONUMENTS ATTESTE LA GRANDEUR DE L'ANCIEN ROYAUME KHMER.

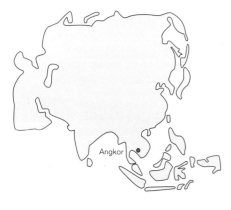

Angkor

Au centre du site, le temple d'Angkor Vat doit sa renommée mondiale à ses dimensions colossales, qui en font le plus grand complexe sacré du monde. Chaque souverain khmer, sorte de roi déifié, fut à l'origine d'un temple dédié à une divinité, avec laquelle il souhaitait s'unir après la mort. L'imposante architecture des temples d'Angkor illustre cette tradition hindouiste.

Le roi khmer Suryavarman II, surnommé le « protégé du dieu Soleil », fit édifier celui d'Angkor Vat au XIIᵉ siècle en hommage au prestigieux Vishnou, maître de l'Univers. Le temple d'Angkor Vat reflète la vision du monde khmère, reposant sur la cosmogonie hindoue. Le plus vaste et le mieux conservé des monuments d'Angkor, le temple d'Angkor Vat, cristallise les principes matériels et spirituels qui soustendaient la culture khmère. D'un point de vue tant architectonique qu'artistique, le « temple-montagne » d'Angkor Vat représente l'aboutissement de la créativité khmère.

Le Palais céleste, au cœur du complexe, est entouré d'une douve de près de 200 mètres de largeur, emblème de la mer primitive qui encercle la Terre peuplée par les hommes. Pour Suryavarman II, à l'origine de la construction de la « ville pagode », le temple d'Angkor Vat devait être le symbole du mont Meru, montagne

Les tours du temple d'Angkor Vat. La tour principale se dresse à 65 mètres de hauteur au-dessus du complexe.

AU MILIEU De superbes bas-reliefs représentant les apsaras et les devatas, ravissantes nymphes célestes, rehaussent les murs du temple.

EN BAS Le prestigieux temple d'Angkor Vat est le plus grand édifice sacré du monde.

mythique représentant le centre de l'Univers. Mais le souverain khmer entendait également affirmer son statut de roi tout-puissant : dans une galerie, une gigantesque statue de Vishnou porte les traits de Suryavarman II.

Les temples-montagnes, comme celui d'Angkor Vat, sont conçus selon une rigoureuse géométrie, sous la forme de pyramides à trois gradins ceinturés de galeries, l'ensemble étant couronné par cinq tours. La tour centrale, la plus haute, était dédiée à la divinité.

Le temple d'Angkor Vat doit notamment sa renommée aux sculptures foisonnantes, mais délicates, qui ornent ses murs. De nombreux bas-reliefs mettent en scène les apsaras et les devatas, ravissantes nymphes célestes chargées de préparer les joies du paradis pour les divinités, et de veiller à l'harmonie de l'Univers. Ces figures féminines sont représentées torse nu, le bas du corps étant recouvert d'une longue étoffe. Coiffées de tiares et de diadèmes sophistiqués, elles ont les bras et le cou parés de bijoux. Plus de mille cinq cent représentations de ce type ont été dénombrées à Angkor Vat, chaque figurine constituant un chef-d'œuvre artistique unique. Les danseuses sont toutes différentes les unes des autres ; chaque visage a sa beauté et sa propre expression, chaque mouvement est différent. « Leur corps élancé, gracieux, resplendissant, que recouvrent les plus beaux et les plus fastueux habits, surpasse par leur éclat toute la beauté du dieu de l'Amour, et réjouit la Terre comme le croissant de Lune qui grandit » – telle est la description que l'on peut déchiffrer sur le temple d'Angkor Vat.

Les apsaras, qui animent de nombreux bas-reliefs du temple d'Angkor Vat, sont plus particulièrement présentes sur celui illustrant le barattage de la mer de lait, l'un des principaux thèmes de la mythologie hindoue. Les apsaras seraient sorties de la mer de lait alors que les devas (dieux) et les asuras (anti-dieux) le barattaient pour en tirer l'élixir d'immortalité.

Une mention particulière revient aux immenses bas-reliefs à sujets mythologiques et historiques qui occupent le fond de la galerie du premier étage. Ils se déroulent sur plus de 800 mètres de longueur, couvrant une superficie de 2 000 mètres carrés.

Les cinq tours rose doré d'Angkor Vat, le plus célèbre et le plus imposant des monuments d'Angkor, sont devenues l'emblème de tous les gouvernements successifs du Cambodge.

THAÏLANDE
Ayuthia

AYUTHIA, « LA VILLE BÉNIE DES ANGES ET DES ROIS », A VU LE JOUR AU MILIEU
DU XIVᵉ SIÈCLE AU NORD DE BANGKOK, SUR LES FONDATIONS D'UNE ANCIENNE
CITÉ KHMÈRE. RAMADHIPATI EN FIT LA CAPITALE DE SON ROYAUME.

Dans l'actuelle Thaïlande, la ville d'Ayuthia (ou Ayutthaya) évoque le décor du film de John Cromwell *Anna et le roi de Siam*. Des chedi – sortes de stupas –, de somptueux temples et d'imposantes statues du Bouddha atteignant jusqu'à 80 mètres de haut balisent le paysage urbain. C'est depuis ce site prestigieux que, pendant plus de quatre cents ans, les souverains d'Ayuthia – trente-cinq au total – ont conquis et gouverné de vastes régions du Siam. Au fil du temps, la ville d'Ayuthia s'est forgé une solide réputation, s'affirmant comme l'une des métropoles les plus importantes et les plus prospères du Sud-Est asiatique. À son apogée, au XVᵉ siècle, elle était peuplée d'environ 1 million d'habitants. Mais, au XVIIIᵉ siècle, la conquête d'Ayuthia par les troupes birmanes entraîna sa destruction et la déportation de sa population, signant la fin de la brillante capitale. Aujourd'hui, environ 65 000 personnes vivent dans ce chef-lieu de province.

C'est au déclin de la capitale Sukhothai que la ville d'Ayuthia doit son essor au XIVᵉ siècle. En 1351, Ramadhipati déplace le siège de son gouvernement dans l'ancienne cité khmère, sur une île située au confluent du Ménam (Chao Phraya), des rivières Pasak et Lopburi, à environ 70 kilomètres au nord de Bangkok. La fertilité de la plaine et les abondantes récoltes,

associées à un judicieux système fiscal, contribuèrent à la richesse et à la prospérité d'Ayuthia et de ses habitants. La ville entretint bientôt des relations commerciales régulières et florissantes avec des pays étrangers – la Chine, Java, la Malaisie, l'Inde, Ceylan, le Japon, la Perse, mais aussi la France, le Portugal, la Hollande et l'Angleterre. Des temples, des palais et de gigantesques statues du Bouddha surgirent alors dans la cité, la rehaussant de leurs somptueuses ornementations. L'opulente décoration des stupas mérite une mention particulière – ces tours étaient entièrement recouvertes de feuilles d'or.

Mais au cours du XVIIᵉ siècle, la grandeur de la ville commence à être ébranlée. Les souverains du royaume d'Ayuthia sont impliqués dans une succession de guerres avec leurs voisins birmans. La ville, entourée et protégée depuis le XVIᵉ siècle par une muraille massive en brique, parvient à résister à de nombreuses incursions des troupes birmanes – sauf à celle du 7 avril

1767. Les Birmans prennent alors possession de la magnifique cité qu'ils détruisent en partie, pillant les trésors contenus dans les temples. Selon la tradition, après la chute d'Ayuthia, des larmes coulaient des yeux d'une gigantesque statue du Bouddha…

Ayuthia fut totalement dévastée. Quelques tentatives timides de reconstruction échouèrent. À la suite de la chute d'Ayuthia, la capitale est transférée en 1772 à Thonburi par le roi Taksin. En 1782, son successeur l'établit à Bangkok.

Peu de vestiges témoignent aujourd'hui de la splendeur et du prestige passés de la cité. Toutefois, les chedi, imposantes tours en forme de cloches, les somptueux temples et monastères laissent encore imaginer la richesse et la puissance de l'ancienne cité. Les chedi et les temples abritaient les reliques des saints ainsi que les dépouilles des rois et de leurs familles. Celle du Bouddha historique aurait reposé dans la tour du temple Mahathat.

À son apogée, Ayuthia comptait 3 palais royaux, 375 temples, 94 portes et 29 structures défensives. Le plus beau temple de la cité est indéniablement celui de Wat Phra Si Sanphet. Ses trois chedi du XVᵉ siècle, dans lesquels sont conservées les reliques du roi Ramadhipati II ainsi que celles de son père, pointent vers le ciel leur élégante silhouette.

Les ruines d'Ayuthia offrent un précieux témoignage d'une brillante culture – remarquable syncrétisme artistique et architectural, issu de la fusion de traditions khmères avec des influences en provenance d'Inde et de Ceylan.

CHRONOLOGIE

* **1350-1767** : royaume d'Ayuthia (cinq dynasties)

* **1350** : capitale et résidence du roi Ramadhipati

* **1350-1488** : apogée de l'art d'Ayuthia

* **1492-1532** : construction des chedi du Wat Phra Si Sanphet

* **1569** : construction du chedi du Phe Kao Thong, de 80 m de haut

* **1590-1605** : roi Naresuen

* **1656-1688** : roi Narai

* **7 avril 1767** : destruction de la cité par les Birmans

* **1956** : premiers travaux de restauration

* **1958** : redécouverte des trésors artistiques du Wat Ratchaburana

* **1971** : restauration du Wat Putthai Sawan

* **1991** : inscription au patrimoine mondial de l'Unesco

IRAQ
Babylone

ANCIENNE CAPITALE PRESTIGIEUSE D'UN VASTE TERRITOIRE, BABYLONE S'ÉTENDAIT À
90 KILOMÈTRES AU SUD DE BAGDAD, SUR LES RIVES DE L'EUPHRATE, DANS L'ACTUEL IRAQ.
DE FABULEUX ÉDIFICES REHAUSSAIENT ALORS LA VILLE.

Babylone

Célébrés depuis la plus haute Antiquité, les jardins suspendus de Sémiramis – reine légendaire d'Assyrie à qui l'on attribue également la fondation de Babylone – comptent parmi les Sept Merveilles du monde antique. Mais à qui revient véritablement leur construction ? Comment un magnifique jardin, foisonnant d'arbres et de fleurs, aurait-il pu surgir dans un environnement aussi chaud et aride ? D'ailleurs, les jardins suspendus de Sémiramis ont-ils réellement existé ? Cette question demeure un sujet de controverse parmi les archéologues et les historiens. La création des jardins est généralement attribuée au prestigieux roi Nabuchodonosor II (605-562 av. J.-C.), qui propulsa Babylone au faîte de sa gloire.

Selon certains spécialistes, la dénomination « jardins suspendus » serait due à une erreur de traduction ancienne. La construction du site sur un soubassement voûté apparaît comme l'hypothèse la plus vraisemblable. On suppose que les jardins suspendus de Sémiramis reposaient sur une gigantesque voûte carrée de 120 mètres de côté – dimensions qui varient cependant selon les sources.

Pour assurer pleinement sa fonction, la voûte portante devait obligatoirement être protégée de l'humidité. C'est à cette fin, sans doute, que furent superposés plusieurs matériaux – plomb, goudron et carreaux de

UNE MERVEILLE ÉNIGMATIQUE

✱ À ce jour, les historiens et les archéologues ne sont pas parvenus à fournir des preuves claires et irréfutables quant à l'existence réelle des jardins suspendus. C'est pourquoi ils poursuivent leurs recherches et continuent à fouiller le site. Néanmoins, jusqu'à ce que les scientifiques et autres spécialistes soient en mesure d'apporter des éléments satisfaisants prouvant l'existence des jardins suspendus de Sémiramis, ceux-ci demeureront ce qu'ils sont depuis des millénaires : la deuxième des Sept Merveilles du monde antique

Les légendaires jardins suspendus de Sémiramis étaient-ils tels que les représente cette gravure ancienne ?

terre cuite. La question de l'humidité peut paraître incongrue étant donné les conditions climatiques qui prévalaient dans le désert mésopotamien. Une réalité s'imposait néanmoins : les jardins suspendus devaient être irrigués.

De la terre fut déposée sur la couche isolante, ce qui devait représenter une charge colossale pour la structure portante. Selon la légende, le roi Nabuchodonosor ordonna de planter des arbres dans les jardins. Il chargea ses généraux de rapporter des échantillons de végétaux de leurs campagnes et expéditions. Le souverain légendaire aurait-il créé, au cœur du désert, le premier jardin botanique de l'humanité ?

Le défi le plus important, toutefois, fut probablement celui de l'irrigation des jardins. Dans le climat désertique, chaud et sec, de la Mésopotamie, l'évaporation devait être considérable. D'énormes quantités d'eau étaient donc nécessaires pour assurer la survie des végétaux.

L'eau provenait du fleuve voisin, l'Euphrate. Mais comment était-elle acheminée jusqu'aux jardins ? Certains prétendent qu'elle était transportée dans de grands récipients, sur une sorte de tapis roulant, jusqu'à la terrasse supérieure, et qu'elle était ensuite redistribuée sur les différentes terrasses par un judicieux réseau de tuyaux ou de canaux. Selon une autre théorie, l'eau nécessaire aux végétaux était fournie par un système d'irrigation. Les fouilles archéologiques ont révélé des traces de puits, creusés à proximité de l'Euphrate, et de dispositifs dans la maçonnerie, permettant à l'eau de s'écouler en cascade. Quant à la source d'énergie nécessaire au fonctionnement du mécanisme roulant, elle ne peut être que sujet de spéculations ; la réponse à la question paraît néanmoins évidente : à l'époque, l'énergie était fournie par les bêtes de somme et les esclaves.

CI-DESSUS De fastueux cortèges et processions religieuses empruntaient jadis la Voie processionnelle de Babylone.

CI-CONTRE Les travaux de fouilles ont mis au jour les fondations du palais du roi Nabuchodonosor II. Si l'on en croit les chercheurs, il pourrait être le fondateur des jardins suspendus de Sémiramis.

BIRMANIE
Pagan

RICHE DE PLUS DE 2000 TEMPLES ET PAGODES EN BRIQUE, L'ANCIENNE VILLE ROYALE
DE PAGAN, EN BIRMANIE, COMPTE PARMI LES SITES ARCHÉOLOGIQUES LES PLUS IMPORTANTS
ET LES PLUS REMARQUABLES DE L'ASIE DU SUD-EST.

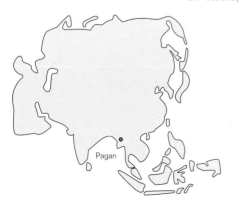

Les souverains de Pagan fondèrent jadis leur autorité sur un subtil équilibre entre pouvoir temporel et pouvoir religieux. Dès le milieu du IXᵉ siècle, Pagan devint le centre économique et politique de la Birmanie, et la cité atteignit son apogée entre 1044 et 1112. À cette époque régnèrent le roi Anawratha et – à partir de 1084 – son fils Kyanzittha. Les deux souverains imposèrent la foi bouddhiste tant comme religion unique que comme instrument de pouvoir. Converti au bouddhisme par un moine, Anawrahta chassa en 1056 de sa capitale Pagan les représentants du culte dominant du Serpent.

Sous les rois Anawrahta et Kyanzittha, Pagan gagna progressivement en grandeur et en suprématie. Pendant cette période florissante, sa superficie, supérieure à 40 kilomètres carrés, en fit l'une des plus grandes villes du monde – environ quinze fois plus vaste que Londres au Moyen Âge. Entre le milieu du IXᵉ siècle et le début du XIIᵉ siècle, le climat de paix qui régna sur Pagan favorisa son développement. Sur un total de 6000 édifices sacrés érigés en deux cent cinquante ans dans un élan de ferveur religieuse, environ 2000 pagodes et temples ont été préservés jusqu'à ce jour. En 1975, de nombreux monuments ont été gravement endommagés, sinon détruits, par un terrible tremblement de terre. Mais les travaux de restauration

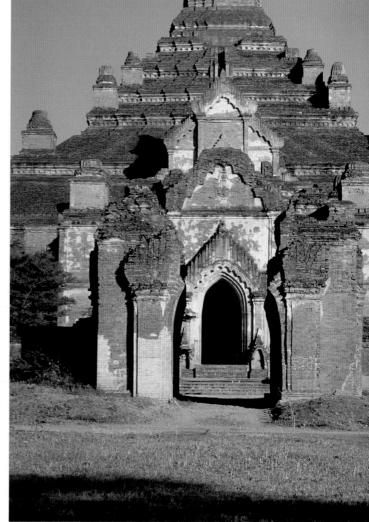

Le plus grand temple de Pagan, celui de Dhamm-yan-gyi-Pahto, fut édifié au XIIe siècle.

qui s'imposaient ont été aussitôt entrepris et sont désormais achevés.

Après une ère de paix et de prospérité, Pagan amorça son déclin. La prodigieuse floraison architecturale vida en partie les caisses du royaume. Temples et monastères étaient, selon un décret royal, exemptés d'impôts. En outre, les administrateurs des provinces et régions conquises refusaient d'obéir aux souverains de Pagan et de s'acquitter de leurs impôts. Cette crise financière affaiblit considérablement l'armée et, par voie de conséquence, la capacité de défense de Pagan. En 1287, le redoutable chef mongol Kubilay Khan fit son entrée à Pagan, contraignant le roi à s'enfuir. Le mythe de Pagan s'effondra, et le royaume se scinda en de nombreux petits États.

Aujourd'hui, plus de sept cents ans après, Pagan occupe une place de choix parmi les sites archéologiques les plus remarquables de l'Asie du Sud-Est. Outre les grandioses témoignages architecturaux que constituent les pagodes, la cité abrite, sur ses murailles, les plus anciennes fresques de cette région du monde – datant du XIe au XIIe siècle.

L'un des plus prestigieux temples de Pagan, celui d'Ananda, a fait l'objet d'une restauration complète, à la suite du séisme de 1975. Le plus célèbre des temples dits « à noyau central » fut édifié par le roi Kyanzittha vers 1105, au début de la période transitoire. Il est notamment connu pour les quatre statues colossales en bois du Bouddha. Les guides se plaisent à faire remarquer aux visiteurs que, sur deux d'entre elles, l'expression du Bouddha se modifie à mesure qu'ils avancent dans sa direction. Le plus grand temple de Pagan, celui de Dhamm-yan-gyi-Pahto, fut érigé en forme de pyramide pendant le règne de Kalagya Min, au XIIe siècle. Le gigantesque monument en brique présente la particularité d'avoir été construit sans mortier. Selon la légende, le roi Kalagya Min donna l'ordre de poser les briques en les serrant de manière à ne pouvoir glisser une aiguille entre elles. Les ouvriers qui dérogeaient à cette instruction royale avaient les mains coupées.

De tous les édifices sacrés sauvegardés à ce jour à Pagan, le plus renommé est sans conteste la grande pagode Shwezigon. Cette construction, couronnée par un majestueux dôme entièrement recouvert de feuilles d'or, fut entreprise sous le roi Anawratha et achevée après sa mort, pendant le règne de son fils Kyanzittha, au début du XIIe siècle.

AU MILIEU La pagode Shwezigon, l'édifice sacré le plus célèbre de Pagan, marque la limite septentrionale de la cité.

EN BAS Le temple Ananda, gravement endommagé par le tremblement de terre de 1975, a été entièrement restauré.

PHILIPPINES
Rizières de Banaue

SUR L'ÎLE DE LUÇON, DANS LE NORD DES PHILIPPINES, LES RIZIÈRES EN TERRASSES DE BANAUE
COMPOSENT DES PAYSAGES IRRÉSISTIBLES. ELLES SONT DUES À L'INGÉNIOSITÉ ET AU LABEUR
DES PAYSANS INDONÉSIENS, QUI LES ONT AMÉNAGÉES IL Y A PLUS DE DEUX MILLE ANS.

De quelque côté que se porte le regard, des rizières s'étendent à l'infini. Telles des « marches montant vers le ciel », elles s'étagent en amont des vallées, délimitées par des murets, parfois jusqu'à 1 500 mètres d'altitude. Il y a plus de deux mille ans, des paysans, probablement originaires d'Indonésie, ont aménagé ces terrasses rizicoles dans les montagnes de l'île de Luçon, au nord des Philippines. C'est un travail véritablement prodigieux qu'ils ont accompli : si l'on alignait la totalité des murets de pierre et des remblais de terre, leur longueur équivaudrait à la moitié de la circonférence de la Terre. Dans cette région

difficile d'accès, les cultures en terrasses, qui épousent les contours des montagnes, composent un spectacle majestueux, véritable chef-d'œuvre créé par la main de l'homme, tant du point de vue de la construction proprement dite que de l'aménagement du système d'irrigation. Les terrasses, ouvrage le plus ancien des Philippines, méritent une place parmi les grandes merveilles du monde.

Selon la tradition, les hommes peupleraient les flancs escarpés de ces cordillères depuis des temps immémoriaux. La légende raconte qu'un chasseur découvrit sur son chemin une étrange plante. Il sema les graines et les arrosa, donnant naissance aux rizières… mais la réalité est tout à fait autre.

Paysans au travail dans les rizières de Banaue. La culture du riz, très laborieuse, ne rapporte plus que de faibles récoltes.

Avec leurs seules mains et des outils rudimentaires, les Ifugao ont construit ces rizières en escalier sur les pentes abruptes des montagnes. À la difficulté majeure que présentait leur forte inclinaison s'ajoutait la nature rocheuse du sous-sol. Les Ifugao parvinrent à surmonter ces obstacles, bâtissant leurs terrasses à des altitudes de plus en plus élevées – jusqu'à 1 500 mètres. Pour aménager les parcelles, ils tirèrent parti au mieux du relief hostile. Ils exploitèrent le moindre mètre carré afin d'extraire du sol aride leur précieux aliment de base. La superficie de nombreuses parcelles ne dépasse guère quelques mètres carrés.

Mais la culture du riz exige d'énormes quantités d'eau. Les terrasses ne doivent jamais s'assécher, pour éviter la perte des maigres récoltes. C'est grâce à un système d'irrigation élaboré que les plants de riz sont alimentés en eau en permanence. Un réseau de canaux et conduits de bambou achemine tout d'abord l'eau des montagnes sur les terrasses les plus élevées. Lorsqu'un niveau de terrasses est inondé jusqu'au haut des murets qui les délimitent, l'eau tombe en cascade à l'étage inférieur à travers de petites ouvertures. Grâce à ce système, toutes les terrasses sont alimentées en eau les unes après les autres.

Le travail dans les rizières est laborieux, les bénéfices tirés des récoltes suffisant à peine à subvenir aux besoins élémentaires des familles. Ces derniers envisageaient jadis la culture du riz comme une œuvre commune entre les dieux et les hommes. Pendant deux millénaires, l'existence des habitants de la région a dépendu entièrement de celle des rizières en terrasses, qui ont forgé leur identité. Aujourd'hui, la culture du riz dans le nord des Philippines perd de plus en plus sa signification ancienne. Les jeunes quittent la région pour s'établir dans les grandes villes. De plus en plus de rizières sont abandonnées, les terrasses s'écroulent. L'avenir des rizières en terrasses est gravement menacé.

CI-DESSUS La modeste habitation d'un paysan de Banaue.

CI-CONTRE Les rizières en terrasses, remontant à plus de deux mille ans, sont classées depuis 1995 au patrimoine mondial de l'Unesco.

INDONÉSIE
Temple de Barabudur

AU CŒUR DE LA JUNGLE JAVANAISE, LE TEMPLE DE BARABUDUR, PLUS GRAND MONUMENT SACRÉ
DU SUD-EST ASIATIQUE, DEMEURE MYSTÉRIEUX. QUELS MOBILES ONT PU GUIDER LA CONSTRUCTION
D'UN SANCTUAIRE BOUDDHIQUE D'UNE TELLE ENVERGURE DANS UN LIEU AUSSI RETIRÉ ?

Nombre de questions concernant le temple de Barabudur (ou Borobudur) n'ont toujours pas trouvé de réponses. Quelle a pu être la fonction de ce gigantesque temple ? Après être resté à l'abandon pendant des siècles, le prestigieux monument n'a été redécouvert qu'au XIXᵉ siècle. C'est aujourd'hui un important lieu de pèlerinage pour les bouddhistes et une destination de choix pour les touristes. Ce haut lieu du bouddhisme, d'où émane une impression de paix et de sérénité, semble imprégné du souffle du Bouddha.

La construction du temple remonte probablement à la dynastie bouddhique des Çaylendra (750-850), vers 800. Les spécialistes ne disposent d'aucune information précise à ce sujet, sinon que les disciples du Bouddha auraient élevé la « montagne aux mille sculptures » sur les fondations d'un édifice abandonné. Quel mobile a pu être à l'origine de cette initiative ? Cette question reste un sujet de controverse parmi les scientifiques. En revanche, la date d'achèvement des travaux – l'année 830 – fait l'unanimité. Jusqu'en 919, le temple fut le foyer bouddhique de l'île de Java. Après quoi les sanctuaires du centre de Java tombèrent dans l'oubli. La plupart furent victimes du délabrement. Celui de Barabudur n'a pas échappé à cette destinée : des éruptions volcaniques ont porté gravement atteinte au monument, et les par-

Barabudur

Le monument bouddhique de Barabudur compte de nombreux stupas et représentations du Bouddha.

AU MILIEU Plus de cinq cents statues du Bouddha rehaussent le temple.

EN BAS Sur les parois des galeries en étages, de superbes bas-reliefs se déroulent sur une longueur totale de 5 kilomètres.

ties épargnées par ces catastrophes naturelles sont devenues, au fil des ans, la proie des végétaux.

En 1814, une expédition menée par le gouverneur de Java, sir Thomas Stamford Raffles, découvre le site en haut d'une colline, au cœur de la jungle. Mais il se contente de faire dresser une carte de la région. C'est seulement en 1835 que sera entrepris le déblaiement du site. Les archéologues et autres spécialistes dépêchés sur les lieux prennent la mesure de la valeur du trésor, victime des éruptions volcaniques et envahi par la végétation foisonnante de la jungle. Ils mettent tout en œuvre de manière à pouvoir fouiller l'ensemble du site et le restaurer. Mais de longues négociations diplomatiques seront nécessaires avant que, en 1955, le gouvernement indonésien et l'Unesco parviennent à un accord pour mettre au jour et restaurer l'intégralité du monument de Barabudur. Les travaux, menés avec des moyens très modernes sous l'égide de l'Unesco, s'achèveront en 1983 : Barabudur rayonne alors de nouveau dans sa gloire passée. L'esprit du Bouddha semble revenu à jamais.

Le temple de Barabudur est conçu en forme de pyramide : sur une base presque carrée d'environ 15 000 mètres carrés se superposent quatre étages de galeries, également carrées, qui rapetissent vers le haut ; au-dessus, trois terrasses concentriques portent soixante-douze stupas ; enfin, au centre, se dresse le stupa central, une pagode de près de 11 mètres de diamètre. Les galeries sont décorées de bas-reliefs figuratifs, représentant la vie et l'œuvre du Bouddha et se déroulant sur une longueur totale de plus de 5 kilomètres.

Le temple de Barabudur, symbole du bouddhisme, reproduit la forme d'un mandala, représentation de l'Univers. La cosmogonie bouddhique partage l'Univers en trois parties. Kamadhatu, le monde des hommes, est aussi celui des désirs. Rupadhadu, la sphère transitoire, est celle dans laquelle les hommes sont libérés de leur corps et des réalités terrestres. Enfin, Arupadhatu, le monde des dieux, est celui de la perfection et de l'Éveil. Le plan de Barabudur est agencé selon cette cosmogonie. Chacune des trois grandes parties qui structurent le monument correspond à l'un de ces trois mondes.

Les autorités déploient actuellement tous les efforts nécessaires pour que ce haut lieu du bouddhisme puisse être sauvegardé pour les générations à venir. Ainsi, depuis 1995, des mesures ont été prises pour guider les flots de visiteurs et assurer la préservation de ce monument d'une valeur inestimable.

JAPON
Fuji-Yama

EMBLÈME DU JAPON, LE FUJI-YAMA DÉCORE LES BILLETS DE BANQUE, LES TIMBRES-POSTE, ET IL A ÉTÉ DE TOUT TEMPS UNE SOURCE D'INSPIRATION POUR LES ARTISTES. RÉSIDENCE DES DIVINITÉS SHINTOÏSTES, IL EST ÉGALEMENT LA MONTAGNE SACRÉE DES JAPONAIS.

L e Fuji-Yama, mont Fuji, ou Fuji-san comme l'appellent respectueusement les Japonais, est l'un des volcans les plus connus du monde et la montagne la plus élevée du Japon. Le cône presque parfait du volcan se dresse à 3 776 mètres d'altitude sur l'île de Honshu, dans le parc national de Fuji-Hakone-Izu, à une centaine de kilomètres de Tokyo, capitale du Japon. Une légende japonaise raconte que l'énorme masse volcanique aurait surgi en une nuit à la suite d'un tremblement de terre. Le Fuji-Yama revêt une importance toute particulière aux yeux des Japonais, qui considèrent les montagnes comme sacrées.

Situé à la jonction des plaques eurasienne, nord-américaine et philippine, le Fuji-Yama est un strato-volcan caractéristique de la ceinture de feu du Pacifique. Les vulcanologues le classent comme un volcan actif, présentant un faible risque d'éruptions. Depuis l'an 781, seize éruptions ont été enregistrées au total. La dernière a eu lieu il y a trois cents ans, pendant la période d'Edo (1616-1867). Entre le 24 novembre 1707 et le 22 janvier 1708, le volcan a craché du feu, de la lave et des fumerolles depuis un deuxième cratère qui était apparu à mi-pente et qui forme dorénavant le second sommet du volcan, le Hoei-zan. Cette éruption fut si violente que les rues et les maisons d'Edo, l'actuelle Tokyo, pourtant éloignée, furent recouvertes

Ci-CONTRE Rencontre de la tradition et de la modernité – un train ultrarapide au pied de la montagne sacrée des Japonais.

Ci-DESSOUS Les pèlerins shintoïstes, munis de lampes torches, se rendent dans les sanctuaires qui jalonnent les flancs du Fuji-Yama.

par une épaisse couche de cendres. Selon les scientifiques, le Fuji-Yama serait né il y a plusieurs centaines de milliers d'années, et il se présenterait sous sa forme actuelle depuis environ dix mille ans.

Montagne sacrée des shintoïstes, le Fuji-Yama est, pour les adeptes de la religion japonaise, la résidence des dieux. Ils vénèrent notamment sur son sommet la déese du Soleil Amaterasu. Les versants du volcan sont constellés de temples et autres sanctuaires où viennent se recueillir des dizaines de milliers de fidèles pendant la période des pèlerinages, aux mois d'août et de juillet.

La première ascension du Fuji-Yama a été effectuée en 663 par un moine anonyme. Depuis, ce sont environ deux millions de touristes, randonneurs et pèlerins qui gravissent chaque année les pentes du Fuji-Yama. Mais ils sont beaucoup moins nombreux à atteindre le sommet principal – deux cent mille seulement – et à oser plonger le regard dans le cratère de

200 mètres de profondeur. L'ascension du Fuji-Yama est relativement facile, en raison de sa forme régulière, comparée à d'autres montagnes de hauteur équivalente. Un vieux proverbe japonais met néanmoins en garde contre les risques qu'elle comporte : « Seuls les fous gravissent deux fois le Fuji-Yama. » Trois itinéraires conduisent au sommet du volcan. Jusqu'à trois mille personnes y montent les jours de beau temps, en juillet et en août. Ils se mettent en route dès les premières heures de la journée pour découvrir, du point culminant du Japon, un prodigieux spectacle – le lever du soleil sur le Pacifique. Jusqu'à l'ère Meiji (1868-1912), l'ascension du sommet de la montagne sainte était interdite aux femmes.

C'est à la forme presque parfaite de son cône que le Fuji-Yama doit de compter parmi les plus belles montagnes du monde. Pour les artistes du pays du Soleil-Levant, il a été de tout temps un sujet de prédilection. Au Japon, aucun thème n'est autant photographié, peint ou dessiné que la montagne sacrée. Le peintre, dessinateur et graveur Katsushika Hokusai (1760-1849) lui a consacré des séries d'estampes, parmi lesquelles *Trente-Six Vues du mont Fuji* et *Cent Vues du mont Fuji*. Ces œuvres offrent une merveilleuse illustration de l'art japonais de l'estampe, le *ukiyo-e*. En dehors des arts figuratifs, le Fuji-Yama a également inspiré des œuvres littéraires et lyriques. Il sert de décor à de nombreux romans et nouvelles, et c'est l'un des thèmes favoris de la poésie japonaise.

CARTE D'IDENTITÉ

✳ **Nom** : Fuji-Yama, mont Fuji, ou Fuji-san

✳ **Hauteur** : 3 776 m

✳ **Statut** : stratovolcan actif présentant un faible risque d'éruptions

✳ **Situation** : île d'Honshu, à env. 100 km à l'ouest de Tokyo

✳ **Naissance** : il y a plusieurs centaines de milliers d'années ; forme actuelle depuis environ 10 000 ans

✳ **Première ascension** : en 663 par un moine anonyme

✳ **Éruptions** : 16 depuis 781

✳ **Dernière éruption** : du 24 novembre 1707 au 22 janvier 1708

CHINE
Grande Muraille de Chine

S'ÉTIRANT D'OUEST EN EST SUR PLUS DE 6 000 KILOMÈTRES À TRAVERS LE NORD DE LA CHINE, LA GRANDE MURAILLE, VÉRITABLE PROUESSE ARCHITECTURALE, EST L'OUVRAGE LE PLUS GIGANTESQUE JAMAIS RÉALISÉ PAR LA MAIN DE L'HOMME.

Grande Muraille
de Chine

Depuis des millénaires, la Chine, le mystérieux « empire du Milieu », a inspiré nombre de légendes, de mythes et de récits. Depuis les temps les plus reculés, sa culture, ses grands hommes et ses monuments exercent leur fascination sur le reste du monde.

Les réalisations des Chinois forcent l'admiration : délicats objets en porcelaine, peintures sur soie raffinées, mais aussi palais grandioses, constructions monumentales, sans oublier l'ouvrage le plus impressionnant du monde : la Grande Muraille de Chine. Aujourd'hui comme hier – à l'époque des grandes dynasties –, la Chine

affiche ses contradictions : à la fois ouverte sur le monde et repliée sur elle-même, tournée vers l'avenir et fidèle à la tradition, habile diplomate et redoutable impérialiste, pacifique et belliqueuse. Il y a plus de deux mille deux cents ans, elle a initié la construction de la Grande Muraille pour se protéger contre les incursions barbares venues du nord, pour défendre sa culture et sa civilisation.

La tradition des murailles est très ancienne en Chine. Avant l'ère chrétienne, déjà, les paysans construisaient des murs avec des pierres simplement posées les unes sur les autres pour abriter du vent leurs cultures et leurs pâturages, et repousser les animaux sauvages. À cette époque, les villes chinoises étaient

* **Longueur :**
6 000-6 500 km

* **Largeur :** 6-7 m

* **Hauteur de la muraille :**
env. 8 m

* **Hauteur des tours :**
env. 12 m

* **Nombre de tours :**
20 000-25 000

* **Durée de la construction :**
env. 200 ans

La Grande Muraille ondule à travers montagnes et vallées dans la Chine du Nord. Sa construction, qui dura plus de deux cents ans, coûta la vie à des centaines de milliers de travailleurs.

toujours entourées de remparts, à l'intérieur desquels maisons et jardins étaient eux-mêmes ceinturés de murs et de murets. Pendant la période dite des « Royaumes combattants » (Vᵉ-IIIᵉ siècle av. J.-C.), les généraux des États du Nord firent ériger des murs défensifs pour s'assurer les régions conquises. Vers 220 av. J.-C., le premier empereur chinois, Qin Shi Huangdi (221-210 av. J.-C.), ordonna la construction d'une muraille le long de la frontière septentrionale de l'empire. Qin Shi Huangdi sentait, en effet, son territoire menacé par les incursions des nomades mongols, en provenance du nord.

Mais c'étaient surtout les hordes sauvages des Huns que redoutaient l'empereur et ses ministres. C'est pourquoi Qin Shi Huangdi donna l'ordre de prolonger les murs existants et de les réunir afin de former une longue muraille. Malgré l'ampleur de l'ouvrage, il ne s'agissait pas encore de la Grande Muraille telle que nous la connaissons aujourd'hui. La construction de cette structure à base de remblais de terre, de blocs de roche et de palissades s'étendit néanmoins sur une période de dix ans. Au cours des siècles qui suivirent, elle fut encore agrandie et consolidée par divers souverains, avant d'être assaillie au XIIIᵉ siècle par les cavaliers du redoutable prince mongol Gengis Khan. En

446 apr. J.-C., trois cent mille travailleurs furent mobilisés pour la construction d'un nouveau tronçon. En 555, l'empereur Tianbao ordonna à près de deux millions de paysans de participer à l'ouvrage. À partir de 607, sous la dynastie Sui, la muraille fit l'objet de nouveaux aménagements. Pendant cette phase de travaux, deux millions d'ouvriers auraient été réquisitionnés et la moitié d'entre eux auraient péri.

C'est sous la dynastie des Ming (1368-1644) que la Grande Muraille a pris sa physionomie actuelle, après que les descendants du chef mongol Gengis Khan

CI-DESSUS L'une des 25 000 tours qui jalonnaient jadis la muraille. Ces postes de guet offraient le refuge à une cinquantaine de soldats.

CI-CONTRE La Terrasse des Nuages, à la passe de Juyongguan. Les inscriptions anciennes gravées en différentes langues sur les parois témoignent de la coexistence pacifique de plusieurs cultures.

Près de Badaling, à environ 90 kilomètres au nord de Pékin, la Grande Muraille attire tout au long de l'année des milliers de touristes. À cet endroit, elle est entièrement préservée ou restaurée.

eurent été expulsés du nord du pays sous la conduite de Zhu Yuanzhang (dit Hongwu). Depuis, la Grande Muraille de Chine déroule ses quelque 6 000 kilomètres à travers le nord de la Chine. Sa longueur n'a jamais pu être déterminée avec exactitude, étant donné qu'elle comporte par endroits plusieurs murs élevés parallèlement et de nombreux embranchements. Elle demeure néanmoins la construction la plus gigantesque du monde et la seule qui soit identifiable de l'espace à vue d'œil – lorsque les conditions atmosphériques le permettent.

Les souverains de la dynastie Ming, auxquels on doit la forme définitive de la Grande Muraille de Chine, avaient en mémoire l'histoire récente – l'assaut de la muraille, qui n'était pas alors suffisamment consolidée, par les troupes mongoles dirigées par Gengis Khan, et leur conquête de vastes régions du pays. De telles catastrophes ne devaient plus se reproduire à l'avenir. Le chantier des Ming fut le plus grand de tous les temps. La construction de la Grande Muraille de Chine dura exactement deux cents ans. Un nombre considérable de travailleurs fut mobilisé pour le gigantesque projet : soldats en service commandé, détenus et paysans condamnés aux travaux forcés.

La Grande Muraille se compose de deux murs massifs, maçonnés, faits de briques ou de moellons (petites pierres grossièrement taillées), disposés parallèlement sur toute la longueur et espacés de 6 ou 7 mètres. L'espace séparant les deux murailles a été rempli de matériaux divers : sable, caillasse, blocs de roche et troncs d'arbres qui se trouvaient sur le parcours – auxquels se sont ajoutés les corps des ouvriers qui ont péri sur le chantier. La construction de la Grande Muraille de Chine a coûté la mort à des centaines de milliers de travailleurs.

La partie supérieure du mur a été recouverte de trois à quatre épaisseurs de briques, les joints ont été soigneusement remplis de chaux, et un système de gouttières très élaboré a été aménagé pour l'écoulement des eaux de pluie. Ainsi a vu le jour un chemin de ronde sur lequel les soldats pouvaient se déplacer facilement – sa largeur, de 5 à 6 mètres, permettait à cinq cavaliers ou à dix fantassins d'avancer côte à côte. Pour assurer la protection des soldats, des créneaux de 2 mètres de hauteur furent installés sur le côté nord de la muraille, orienté vers l'extérieur ; sur le côté sud, orienté vers l'intérieur du pays, les créneaux ne dépassent pas 1 mètre de hauteur.

La muraille se compose de deux murs massifs de briques ou de moellons, disposés parallèlement, sur toute la longueur, à 6 ou 7 mètres de distance.

Les souverains Ming n'entendaient pas ériger un simple rempart. Leur objectif était avant tout de bâtir une puissante fortification entre leur empire et la Mongolie et de mettre en place un système de communication efficace : sur le chemin de ronde, cavaliers et fantassins avançaient plus rapidement que dans le relief montagneux.

Des tours de guet furent également construites à intervalles réguliers, séparées de quelques centaines de mètres. Elles se dressaient à environ 12 mètres de hauteur, dominant la muraille, de sorte que les signaux, émis avec des drapeaux ou sous la forme de fumée, puissent être transmis de l'une à l'autre. Bâties sur des hauteurs, en des points stratégiques, les tours étaient consolidées par des murs supplémentaires et offraient le refuge à une cinquantaine de soldats.

Au fil des siècles, la Grande Muraille a été sérieusement endommagée en divers endroits. Le long de certains tronçons, elle s'est complètement écroulée avec le temps, tandis que sur d'autres, les populations locales, démunies, se sont approprié les précieux matériaux de construction.

À la hauteur de la passe de Juyongguan, à proximité de Pékin, l'une des sections les plus anciennes de la Grande Muraille a été préservée jusqu'à ce jour :

la Terrasse des Nuages. La porte fut construite par des lamas bouddhistes à l'époque de la dynastie Yuan. Les maximes, enseignements et prières gravés sur les parois en diverses langues – sanscrit, tibétain, mongol, ouïgour, chinois et tangout – témoignent de la coexistence pacifique de plusieurs cultures à l'époque. La Terrasse des Nuages était consacrée à une divinité qui devait la protéger, le « roi du Ciel ».

Ouvrage le plus impressionnant jamais réalisé par l'homme, la Grande Muraille de Chine est inscrite depuis 1987 au patrimoine mondial de l'Unesco.

Ci-DESSUS **Des murs à perte de vue ! Personne ne connaît la longueur exacte de la Grande Muraille – entre 6 000 et 6 500 km.**

Ci-CONTRE **La largeur du chemin de ronde permettait aux soldats de se déplacer rapidement. Dix fantassins ou cinq cavaliers pouvaient avancer côte à côte sans se gêner.**

CHINE
Formations de Guilin

AU NORD DE LA PROVINCE DU GUANGXI, DANS LA CHINE DU SUD, LA VILLE DE GUILIN,
ARROSÉE PAR LA RIVIÈRE LI, DOIT SA RENOMMÉE À SES FORMATIONS ROCHEUSES
AUX ÉTRANGES SILHOUETTES.

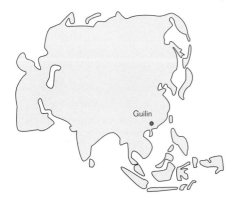

Guilin

Guilin doit son nom, qui signifie «forêt des Osmanthes», à l'arbre qui y prospère et dont le parfum suave envahit les rues en automne. La ville possède un riche passé. Elle aurait été bâtie en 214 av. J.-C., durant le règne de Qin Shi Huangdi, premier empereur de la Chine unifiée, dans un relief unique datant de plus de 200 millions d'années. Suite à d'importants mouvements tectoniques et à la formation de failles dans le fond marin, la mer primitive se retira, laissant apparaître de singulières éminences, les pains de sucre karstiques.

Les paysages karstiques sont la conséquence de longs processus d'érosion. Ils se caractérisent par des formes de surface, comme les pains de sucre, et des formes souterraines, les grottes. Le sous-sol de ces régions se compose principalement de gypse ou de calcaire. Au fil du temps, la surface de la roche est progressivement érodée et évacuée par les précipitations. En s'écoulant le long des flancs des rochers, les eaux de ruissellement creusent des sillons et des fissures. Elles s'infiltrent dans la roche poreuse, sculptant des réseaux de galeries et de cavités. Ainsi apparaissent des grottes composées de salles gigantesques évoquant des cathédrales. Parmi les formes caractéristiques des paysages karstiques dans les contrées tropicales et subtropicales chaudes et humides figurent les pains de sucre et les tourelles, identifiables à des kilomètres à la ronde.

Stalactites et stalagmites dans la célèbre grotte de la Flûte de roseau, à Guilin.

CI-DESSOUS La colline de la Trompe de l'Éléphant (Xiangbishan) évoque un éléphant qui boit de l'eau dans la rivière avec sa trompe.

Les paysages arrosés par la rivière Li (Li Jiang), près de Guilin, sont connus et appréciés des touristes pour leurs rochers aux silhouettes fantastiques, leurs eaux cristallines et leurs labyrinthes de grottes. Les formations karstiques de Guilin comptent parmi les plus remarquables du genre, ce qui explique que, de tout temps, la région ait été une source d'inspiration pour les poètes et peintres chinois. « Les paysages des environs de Guilin sont les plus beaux qui puissent exister sous le ciel », prétendent les Chinois.

Au confluent du Yang Jiang et du Li Jiang, l'emblème de la ville de Guilin, la colline de la Trompe de l'Éléphant (Xiangbishan) se reflète dans les eaux limpides des deux cours d'eau. La formation rocheuse doit son nom à sa ressemblance avec un éléphant qui, dans l'eau jusqu'aux genoux, la puise avec sa trompe. À l'est du centre-ville, s'étend le parc des Sept Étoiles (Qixingyan), couvrant une superficie de 40 hectares. Cet espace de verdure est dominé par sept collines dont la disposition évoque la configuration de la Grande Ourse. La grotte des Sept Étoiles, la colline du Chameau (Luotuoshan), le pont des Fleurs, la forêt des Pierres commémoratives et le rocher de Longying figurent parmi les principales curiosités naturelles du parc.

De toutes les grottes qui participent à la réputation de Guilin, la plus grande et la plus impressionnante est sans conteste celle de la Flûte de roseau (Ludiyan). La remarquable caverne, creusée à 240 mètres de profondeur dans la colline de la Lumière (Guangming), au nord-ouest de la ville, est célèbre pour les innombrables stalagmites et stalactites qu'elle abrite. La plus vaste salle de la grotte, le palais de Cristal du roi Dragon, peut accueillir jusqu'à un millier de visiteurs. La grotte de la Flûte de roseau doit son nom à la profusion de roseaux qui poussent à l'entrée et qui, aujourd'hui encore, servent à la fabrication des pipeaux traditionnels de la région.

Au milieu de la ville animée de Guilin, le pic de la Beauté solitaire (Du Xiu Feng) pointe sa silhouette au-dessus des toits. Plus de trois cents marches, taillées dans la roche, permettent d'accéder à son sommet, à 152 mètres de hauteur. Le pic de la Beauté solitaire se dresse sur le site de Wang Chen, l'ancien palais des Ming. Seules les ruines de la muraille défensive et des quatre portes témoignent encore de l'existence du palais.

Les formations karstiques de la colline des Écheveaux de soie (Die Cai Shan) sont agencées tel un enchevêtrement de fils de soie. Sur son sommet, cinq caractères chinois ont été gravés dans le calcaire pendant la dynastie des Ming : *Jiang Shan Hui Jing Chu* – c'est-à-dire « le point de rencontre des paysages fantastiques ».

CARTE D'IDENTITÉ

✳ **Relief :** paysage karstique hérissé de pains de sucre et creusé de grottes

✳ **Région :** Chine du Sud

✳ **Âge :** env. 200 millions d'années

✳ **Curiosités :** grotte de la Flûte de roseau, colline de la Trompe de l'Éléphant, pic de la Beauté solitaire, pic du Briseur de vagues, colline des Couleurs accumulées

VIETNAM
Baie d'Along

DANS LA BAIE D'ALONG, AU NORD DU VIETNAM, LA NATURE A MODELÉ L'UN DES RELIEFS KARSTIQUES LES PLUS ÉTONNANTS DU MONDE. PRÈS DE DEUX MILLE ÎLES ET ÎLOTS Y COMPOSENT UN PAYSAGE AUSSI GRANDIOSE QUE SINGULIER.

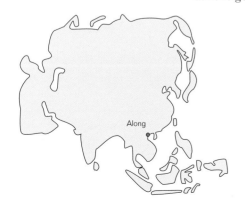

Along

C'est en des termes fort poétiques qu'un roi vietnamien célébra, au XVᵉ siècle, l'univers insulaire de la baie d'Along (ou Halong), dans le golfe du Tonkin : « Des centaines de cours d'eau encerclent les pitons rocheux – îles éparpillées parmi les flots telles les cases d'un échiquier sous la voûte céleste. » Dans le nord du Vietnam, les forces de la nature ont sculpté l'un des paysages insulaires les plus fascinants de la Terre. Il y a plus de trois cents millions d'années, deux mille îlots de calcaire ont surgi de la mer, formant sur une superficie de 1 500 kilomètres carrés un labyrinthe de grottes et de chenaux.

La légende rapporte que, un jour, le dragon Along (littéralement « le dragon qui descend ») fut dépêché par les dieux pour défendre les habitants de la région contre les ennemis venus du nord. Along pourchassa les intrus parmi les îles de la baie en leur infligeant de violents coups de queue. Ainsi seraient apparues des formations rocheuses aux curieuses silhouettes et des myriades de grottes. Les ennemis furent expulsés à jamais, mais les rochers et les grottes sont restés à leur place. En signe de reconnaissance, la population locale a baptisé la baie du nom du bienveillant dragon. D'aucuns prétendent que le dragon poursuit son existence non loin dans la mer et continue à veiller au bien-être des habitants de la baie.

De gigantesques concrétions calcaires sont apparues un peu partout dans les formations rocheuses. Ici, vue depuis l'intérieur de la grotte de Hang-Trong sur les embarcations des pêcheurs, dans la baie.

CARTE D'IDENTITÉ

✳ Nom : baie d'Along

✳ Situation : golfe du Tonkin, Vietnam

✳ Particularité : env. 2 000 îlots de calcaire

✳ Superficie : env. 1 500 km²

✳ Formation : il y a 300 millions d'années

✳ Patrimoine mondial de l'Unesco : depuis 1994

Si tel est le cas, le dragon Along doit protéger les trois cents familles de pêcheurs qui peuplent la baie. Les villages des pêcheurs, très particuliers, ne comportent ni rues ni places. Les pêcheurs vietnamiens vivent sur l'eau, dans des villages flottants, regroupant de petites maisons aux toits de bambou, auxquelles ils amarrent leurs embarcations. Jamais ils ne quittent « leur » baie. Les pêcheurs de la baie d'Along passent leur existence entière sur l'eau – mode de vie qui se transmet de génération en génération, rythmé par les mouvements réguliers de la mer et par le travail quotidien sur les jonques, au milieu des pitons rocheux.

Leur cadre de vie, au cœur de la baie, leur offre les provisions de bouche, le logis et la protection. Si des vents violents en provenance de la mer de Chine méridionale s'engouffrent dans la baie, ils cherchent le refuge dans l'une des innombrables grottes creusées dans la roche. Des tunnels conduisent à des lacs paisibles, dans les profondeurs des formations rocheuses, généralement inhabitées. Au cours des millénaires, d'étranges concrétions calcaires sont apparues dans l'obscurité des grottes. Les stalactites pendent des majestueuses voûtes, les stalagmites s'élèvent en colonnes sur les berges des lacs.

Depuis 1994, date de l'inscription de la baie d'Along au patrimoine mondial de l'Unesco, une loi interdit de s'établir sur les îles. Seuls les pêcheurs et leurs familles ont le droit d'y vivre officiellement, car ils veillent à la préservation de ce site naturel d'une beauté incomparable, gravement menacé par l'essor touristique. Jusqu'à présent, l'écosystème de la baie d'Along a été en partie sauvegardé. La flore et la faune, autant sous l'eau qu'à la surface, sont surprenantes de richesse. Les îles offrent notamment un habitat de choix à de nombreuses espèces d'oiseaux terrestres et marins. Les hérons et les aigles de mer survolent les eaux qui abondent de poissons. Les perroquets peuplent de nombreuses îles. Au pied des pains de sucre, l'univers sous-marin foisonne de poissons, de crustacés et de coraux. Plus de cent cinquante espèces de coraux ont pu être identifiées à ce jour dans la baie d'Along, et plus d'un millier d'espèces de poissons se partagent les récifs coralliens. Les langoustes, les crevettes géantes et les crabes cherchent le refuge dans les grottes et les failles des récifs sous-marins.

Mais le paradis naturel de la baie d'Along est aujourd'hui menacé, et l'Unesco soutient les efforts déployés par le gouvernement vietnamien pour le protéger.

AU MILIEU Les pêcheurs vietnamiens sont autorisés à exercer leur activité dans la réserve naturelle. En contrepartie, ils veillent à la sauvegarde du site, menacé par l'essor touristique.

EN BAS Plus de 300 familles de pêcheurs vivent en permanence dans la baie d'Along dans des maisons flottantes.

INDE
Hawa Mahall

LE HAWA MAHALL, OU PALAIS DES VENTS, EST LA PRINCIPALE CURIOSITÉ DE LA VILLE DE JAIPUR, FOYER DE LA CIVILISATION RAJPUT, À 300 KILOMÈTRES AU SUD-OUEST DE DELHI. BIEN QUE RÉDUIT À UNE SIMPLE FAÇADE, LE PALAIS IMPOSE SA PRÉSENCE DANS LA CÉLÈBRE VILLE ROSE.

La somptueuse façade de grès rose, à cinq étages, du Hawa Mahall, paraît magique sous les rayons du soleil couchant. La vieille ville de Jaipur baigne tout entière dans un camaïeu de tons roses, qui a valu à la capitale du Rajasthan le ravissant surnom de « ville rose ». Chez les Rajput, la couleur rose symbolisait l'hospitalité. Le cœur historique de la métropole, datant de 1727 seulement, est une pure merveille architecturale. L'ensemble des maisons a été construit avec des briques de couleur brun-rouge – imposantes demeures laissant imaginer le faste dans lequel vivaient jadis les Rajput.

Dominant la rue principale de la cité ancienne, le palais des Vents offre une merveilleuse illustration du savoir-faire des bâtisseurs rajput, qui excellèrent notamment dans l'architecture palatiale. Le Hawa Mahall présente l'étonnante particularité de se réduire à une seule façade, sa profondeur n'excédant pas celle d'une pièce.

En 1799, le maharaja Pratap Singh II ordonna la construction du Hawa Mahall, qui devait constituer l'extension est de son légendaire palais. Ses cinq étages se superposent selon une rigoureuse symétrie, exploitant la répétition d'un motif structurel simple – parti pris architectural qui engendre une magnifique impression d'harmonie. La façade se compose de centaines de

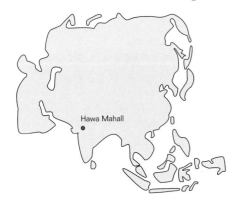

Hawa Mahall

✱ Nom : Hawa Mahall,
ou palais des Vents

✱ Situation : vieille ville
de Jaipur, Rajasthan, Inde

✱ Commanditaire : le
maharaja Pratap Singh II

✱ Architecte : l'astrologue
Lad Chand Usta

✱ Date de construction :
1799

✱ Fonction : palais du harem

✱ Particularité : loggias et
fenêtres (953) sur la façade

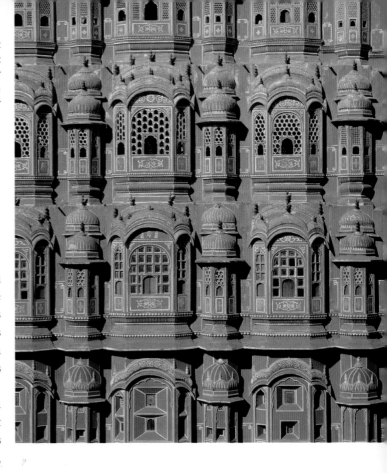

Les femmes du harem se cachaient derrière les fenêtres délicatement ouvragées du palais pour contempler le spectacle de la rue sans être importunées par le regard des passants.

loggias en encorbellement et de multiples fenêtres à écrans de pierre ajourée qui remplissaient une double fonction : laisser passer les brises rafraîchissantes en été – d'où le nom de Hawa Mahall, ou «palais des Vents» –, mais aussi permettre aux femmes du harem du maharaja de contempler le spectacle de la rue sans être vues.

Cachées derrière les dentelles de pierre qui garnissent les niches, les dames du harem pouvaient observer à loisir l'animation de la rue, notamment les fastueux cortèges, riches en couleurs, qui y défilaient, sans être pour le moins importunées par le regard indiscret des passants.

Dans la même logique, la magnifique façade du palais ne comportait aucune porte : ainsi, le Hawa Mahall n'était accessible que de l'arrière, depuis le palais du maharaja. Le nombre impressionnant de fenêtres – neuf cent cinquante-trois au total – donne la mesure des goûts exubérants et dispendieux du souverain de Jaipur.

Nombre de légendes entourent le mystérieux palais des Vents. L'une d'elles a pour sujet le plus grand et le plus précieux trésor d'Inde, les joyaux de la cou-

ronne du maharaja Sawai Jai Singh, qui serait scellé dans les fondations du Hawa Mahall.

Pour protéger le trésor, l'architecte de Pratap Singh II, le célèbre astrologue Lad Chand Usta, responsable des plans du Hawa Mahall, aurait caché à proximité du palais un serpent venimeux. Selon la légende, le souffle fatal du serpent suffisait à jeter les intrus dans l'au-delà. C'est peut-être la raison pour laquelle de nombreux charmeurs de serpents se livrent à leur activité favorite dans la rue, au pied du palais des Vents.

CI-DESSUS Une colonie de singes peuple aujourd'hui l'ancien harem du palais du maharaja de Jaipur.

CI-CONTRE Cinq étages se superposent sur la façade du Hawa Mahall, percée de plus de neuf cent cinquante fenêtres.

TURQUIE
Trésors d'Istanbul

LA VILLE D'ISTANBUL, À CHEVAL SUR DEUX CONTINENTS, REGORGE DE MAGNIFIQUES RICHESSES ARCHITECTURALES. CERTAINS SE PLAISENT ENCORE À L'APPELER BYZANCE, D'AUTRES CONSTANTINOPLE.

Qu'on lui préfère ou pas son nom actuel d'Istanbul, la métropole baignée par le Bosphore n'a rien perdu de son pouvoir de fascination. Pourtant, Istanbul a vécu de nombreuses et profondes mutations au cours des siècles. La colonie grecque de Byzance fut fondée au VIIe siècle av. J.-C. En 324 apr. J.-C., la ville de Constantinople, capitale de l'Empire byzantin, est construite sur le site de Byzance par l'empereur romain Constantin Ier. La prestigieuse capitale s'impose comme le centre politique, religieux, intellectuel et économique du monde byzantin. Succédant à Constantinople, en 1453, Istanbul, à la fois

turque et musulmane, devient la capitale de l'Empire ottoman. De cette histoire riche et tourmentée est issue une fascinante ville, remarquable creuset de cultures, où se mêlent influences orientales et occidentales, où la tradition côtoie la modernité.

Istanbul s'étire de part et d'autre du Bosphore, à cheval sur deux continents. Ici finit l'Europe, là commence l'Asie. Deux gigantesques ponts suspendus jetés sur le détroit relient l'Istanbul asiatique à l'Istanbul européenne, participant à la cohésion culturelle et architecturale de la métropole, qui compte aujourd'hui plus de dix millions d'habitants.

Selon la légende, c'est sur les indications de l'oracle de Delphes que Byzas de Megara aurait fondé Byzance

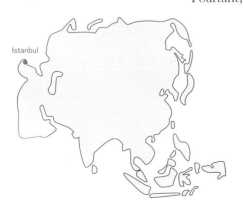

Istanbul

CI-CONTRE Sainte-Sophie (Haghia Sophia), dédiée à l'origine à la « Sagesse divine », est un chef-d'œuvre d'architecture byzantine.

CI-DESSOUS Vue de la nef de Sainte-Sophie.

vers 658 av. J.-C. La colonie grecque voit le jour sur les rives du célèbre détroit qui relie la mer de Marmara à la mer Noire. Elle affirme bientôt sa vocation commerciale, suscitant l'intérêt des Romains.

En 330, l'empereur romain Constantin Ier le Grand, véritable symbole de la chrétienté orthodoxe, y déplace le siège de son gouvernement jusqu'alors installé à Rome. Il construit sur neuf collines la nouvelle Rome, « Nova Roma », qui a pris par la suite le nom de Constantinople. Comme Rome, la ville est dotée d'un capitole, d'un forum et d'un Sénat. Au VIe siècle, Justinien Ier – empereur byzantin de 527 à 565 – fait ériger sur les fondations d'un ancien sanctuaire la monumentale basilique Haghia Sophia, ou Sainte-Sophie, dédiée à la « divine Sagesse ». La construction de ce remarquable édifice sacré, fleuron de l'architecture byzantine, n'a duré que cinq ans.

L'année 1204 est une année sombre pour la « perle du Bosphore ». Les croisés envahissent la ville et la mettent à sac, la plongeant dans un affreux bain de sang qui fait des centaines de milliers de victimes parmi la population. Des œuvres d'art d'une valeur inestimable sont détruites et perdues à jamais. La cité jadis florissante ne se remet que difficilement de ce terrible coup du destin. Confrontée à des difficultés économiques et démographiques, déchirée par des conflits religieux, Constantinople tombe finalement aux mains des Ottomans. En 1453, le sultan Mehmed II s'empare de la ville. La chute de Constantinople signe l'effondrement de l'Empire byzantin.

Commence alors une ère nouvelle pour la ville qui prend le nom d'Istanbul. Sous la domination ottomane, les richesses s'accumulent, l'art et l'architecture atteignent leur apogée. Durant près de cinq cents ans, jusqu'à l'aube du XXe siècle, les Ottomans infléchissent la destinée de l'ancienne Constantinople et forgent sa nouvelle identité.

L'un des joyaux d'Istanbul, la basilique Sainte-Sophie, chef-d'œuvre d'architecture sacrée, fut érigée entre 532 et 537 sous les ordres de l'empereur Justinien Ier, qui contribua grandement au dynamisme intellectuel de la ville. Dès le début des travaux, celui-ci s'investit personnellement dans le projet. Il ne se passait pas un seul jour sans qu'il ne se rendît sur le chantier pour suivre sa progression. Dix mille ouvriers y travaillèrent sous les ordres d'une centaine de chefs de chantier. L'empereur avait fait appel à deux maîtres d'œuvre de renom : Isidore de Milet et Anthémios de Tralles.

Nombreuses furent les difficultés auxquelles se virent confronter les constructeurs : les murs de l'édifice s'écroulèrent à plusieurs reprises suite à des tremble-

CARTE D'IDENTITÉ

✱ Patrimoine mondial de l'Unesco : le cœur historique de la ville et ses monuments célèbres, notamment la basilique Sainte-Sophie, la mosquée Bleue et le palais de Topkapi, ont été inscrits en 1985 au patrimoine mondial de l'Unesco

✱ En signe de soumission : en haut de la porte ouest de la mosquée Bleue (ou mosquée du Sultan Ahmet) était suspendue une chaîne en fer, qui obligeait le sultan à baisser la tête, lorsqu'il franchissait la porte. Ce geste de soumission et de respect lui était imposé chaque fois qu'il pénétrait dans un lieu de culte islamique

Façade de la somptueuse mosquée Bleue : ce lieu de culte musulman doit son surnom aux splendides carreaux de faïence bleu et blanc qui recouvrent la coupole et la partie supérieure des murs.

ments de terre, et le mortier posé entre les briques n'avait pas le temps de durcir suffisamment, étant donné la cadence infernale à laquelle devaient être menés les travaux. Les maîtres d'œuvre parvinrent néanmoins à venir à bout du projet, créant un splendide édifice. L'élément phare de la basilique Sainte-Sophie est sans conteste sa somptueuse coupole de 32 mètres de diamètre et 56 mètres de hauteur, qui couronne la nef. La lumière qui filtre à travers les quarante fenêtres de la coupole confère grâce et légèreté à l'aménagement intérieur de l'imposante construction. Les mosaïques, colonnes et galeries participent au caractère grandiose de l'édifice, qui doit l'une de ses particularités à la présence de quatre minarets. Ces derniers furent ajoutés ultérieurement par les souverains ottomans, qui convertirent en mosquée la basilique, lieu de culte des orthodoxes byzantins jusqu'en 1453. Sainte-Sophie resta la principale mosquée de la ville jusqu'en 1932. C'est à l'initiative du président Mustafa Kemal, ou Atatürk, qu'elle a été convertie en musée.

Sur la presqu'île qui s'avance dans le Bosphore, les Ottomans érigent, au XVᵉ siècle, la ville des sultans, qui devient dès lors, pendant près de cinq cents ans,

leur lieu de résidence et le siège de leur gouvernement. Le centre du site est occupé par le palais de Topkapi, qui doit notamment son renom à son harem auréolé de mystère. Couvrant une superficie d'environ 70 hectares, il formait une véritable ville dans la ville, peuplée, à certaines périodes, de plus de quarante mille personnes. Les plans et la construction du palais de Topkapi sont attribués au maître d'œuvre le plus réputé de l'Empire ottoman, Mimar Sinan, qui perfectionna la technique byzantine de la coupole. Le palais de Topkapi marque pour ainsi dire l'aboutissement de son travail d'architecte.

Il n'est guère d'autres souverains que les sultans de l'Empire ottoman qui, dans l'histoire, aient été à l'origine de tant de spéculations concernant leur vie privée. On peut néanmoins affirmer avec certitude que dans le « lieu interdit » qu'était le harem, les jeunes filles et les femmes s'initiaient à la musique, à la danse, à la pratique des arts en général. Seules les favorites, les élues, étaient supposées assurer la progéniture du sultan. La concurrence était grande, le sultan n'ayant que l'embarras du choix. Jusqu'à deux mille femmes et jeunes filles vivaient dans le harem, sous la protection d'une armée d'eunuques.

CI-CONTRE Jusqu'à deux mille femmes et jeunes filles vivaient jadis dans le célèbre harem des sultans ottomans.

CI-DESSOUS Le palais de Topkapi, couvrant une superficie de 70 hectares, abritait parfois quarante mille personnes.

Autant que l'architecture, l'agencement intérieur du palais témoigne de la prodigieuse richesse des sultans ottomans. Les matériaux les plus nobles furent sélectionnés, le mobilier le plus précieux, les tapis les plus onéreux, les tentures les plus délicates. Une incroyable quantité d'or servit à la réalisation des opulentes ornementations. Mais une mention particulière revient à la décoration des murs, notamment dans les appartements du harem, ornés de magnifiques carreaux de faïence d'Iznik.

Au début du XVIIᵉ siècle, le sultan charge Aga, disciple de Mimar Sinan, de la construction d'une somptueuse mosquée, qui doit être érigée en face de Sainte-Sophie. Ce lieu de culte musulman doit son surnom de mosquée Bleue aux superbes carreaux de faïence bleu et blanc qui rehaussent la coupole et la partie supérieure des murs. Néanmoins, d'un point de vue historique, ceux qui habillent la partie inférieure des murs ont beaucoup plus de valeur. Ils remontent en effet à l'apogée des faïences d'Iznik, marquée par l'invention du célèbre « rouge d'Iznik ».

Six minarets – un de moins seulement qu'à la Grande Mosquée de La Mecque – attestent l'importance que revêtait à l'époque la mosquée Bleue dans la communauté religieuse musulmane. Si l'on en croit le chroniqueur de la cour, les six minarets sont dus à un malentendu entre le sultan et son architecte : le sultan aurait demandé de recouvrir de feuilles d'or les flèches des minarets. Mais le coût des feuilles d'or aurait largement dépassé le budget disponible. C'est pourquoi Mehmet Aga prétendit avoir mal entendu et transforma le mot turc *altin* (or) en *alti* (six). Le chroniqueur ne précise pas si ce « malentendu » eut des répercussions sur la carrière du judicieux architecte.

Jusqu'à la fin du XIXᵉ siècle, Istanbul demeurera la capitale florissante de l'Empire ottoman. Puis, peu à peu, elle sera victime des faiblesses et des erreurs commises par les sultans. Les souverains ottomans n'ont pas saisi l'occasion qui se présentait à eux de s'ouvrir à l'industrialisation. Dès lors, l'Empire ottoman amorce son déclin et voit bientôt sa fin consacrée par la banqueroute.

En 1923, Istanbul perd son statut de capitale du pays, qui revient à Ankara. Une république est instaurée, sous l'égide du président Mustafa Kemal, qui prend le nom d'Atatürk (« Père des Turcs »). Le sultanat et le califat sont abolis, l'écriture arabe est remplacée par l'alphabet latin.

Aujourd'hui encore, la métropole baignée par le Bosphore, entre Europe et Asie, affirme sa vocation culturelle et économique. Elle est le moteur de l'ouverture de la Turquie sur l'Europe.

JAPON
Sanctuaire d'Itsukushima

LA RELIGION TRADITIONNELLE DU JAPON, LE SHINTO, OU « VOIE DES DIEUX », ASSOCIE LE CULTE DES ANCÊTRES À CELUI DES DIVINITÉS. APRÈS LA MORT, CHAQUE ÊTRE HUMAIN DEVIENT UN *KAMI*, OU ESPRIT DIVIN. LA VÉNÉRATION DES *KAMI* FIGURE AU CENTRE DU SHINTOÏSME.

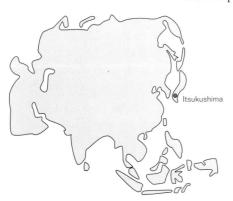

Présents un peu partout – dans les montagnes, les rochers, les arbres –, les *kami* sont vénérés dans des sanctuaires érigés à leur intention. Les lieux habités par les *kami* étant considérés comme sacrés et inviolables, les êtres humains ne devraient pas y pénétrer, estiment les prêtres shintoïstes. Parmi ces lieux sacrés figure le sanctuaire shintoïste de l'île d'Itsukushima, ou de Miyajima (littéralement « île sanctuaire »), situé dans le cadre idyllique de la mer Intérieure de Seto, à proximité de la ville d'Hiroshima.

Pendant des siècles, l'accès à l'île, résidence de nombreux *kami*, fut interdit aux hommes. Érigé au VIᵉ siècle, le sanctuaire destiné au culte des *kami* fut donc construit dans l'eau, sur des pilotis, devant l'île. Il n'est accessible qu'en barque, à marée haute.

Lorsque le visiteur approche la construction en bois, légère et élégante, rythmée par des colonnes rouges, il a l'impression de la voir flotter à la surface de l'eau. Les fidèles, qui n'osaient pas pénétrer sur l'île d'Itsukushima, ont érigé le sanctuaire à deux pas, en le montant sur des pilotis enfoncés dans la vase, à la manière d'un appontement. L'accès au sanctuaire s'effectue par une grande porte, appelée *torii*, élevée également dans l'eau, devant le sanctuaire. Le *torii*, qui mesure 16 mètres de hauteur, est à moitié dans l'eau à

Une porte de 16 mètres de hauteur, appelée *torii*, marque l'entrée du sanctuaire. Elle délimite la frontière entre le monde terrestre et l'univers sacré. Le torii d'Itsukushima est l'un des emblèmes du Japon.

CHRONOLOGIE

∗ 592-628 : règne de l'impératrice Suiko

∗ 593 : fondation présumée du sanctuaire

∗ 806 : le moine bouddhiste Kukai gravit le mont Misen, sur l'île

∗ 881 : première mention du sanctuaire

∗ 1118-1181 : Taira-no-Kiyomori

∗ 1164 : construction du sanctuaire principal. Taira-no-Kiyomori fait don de 33 sutra bouddhiques

∗ 1207 et 1223 : destruction du sanctuaire par un incendie

∗ 1325 : dégâts provoqués par un cyclone

∗ 1571 : construction du sanctuaire actuel

∗ 1587 : construction de la salle des sutras

∗ 1874-1875 : huitième reconstruction du *torii*

∗ 1996 : inscription du sanctuaire au patrimoine mondial de l'Unesco

AU MILIEU Le sanctuaire d'Itsukushima à marée haute. L'élégante construction, ouverte sur les côtés, semble flotter sur l'eau.

EN BAS Le sanctuaire shintoïste, monté sur des pilotis et rythmé par des colonnes rouges, dégage une impression de légèreté mêlée d'élégance.

marée haute ; à marée basse, on peut le franchir à pied. Le *torii* du sanctuaire shintoïste d'Itsukushima, l'un des emblèmes du Japon, est aussi l'un des sujets de prédilection des photographes.

Si la fondation du sanctuaire remonte vraisemblablement au VIᵉ siècle, son aspect actuel date d'environ 1168. Sa construction fut financée au XIIᵉ siècle par le célèbre et redoutable guerrier Taira-no-Kiyomori, gouverneur de la province d'Aki et chef du clan Heike qui fréquentait assidûment le sanctuaire. La structure à colonnes ne comporte pas de murs. Ainsi, l'espace intérieur s'ouvre de tous côtés sur la divine nature, et les *kami* peuvent évoluer en toute liberté.

Ce qui était interdit aux shintoïstes – l'accès à l'île d'Itsukushima – prit la forme d'un défi pour les bouddhistes. Le bouddhisme zen, deuxième grande religion du Japon, a été de tout temps en concurrence avec le shintoïsme. Selon la légende, en l'an 806, le moine bouddhiste Kukai arriva un jour sur l'île d'Itsukushima, alors qu'il se rendait à Kyoto, l'ancienne ville impériale. D'un pas résolu, le disciple du Bouddha entreprit l'ascension du point culminant de l'île, le mont Misen, accédant ainsi au symbole même du shintoïsme. Mais en gravissant la colline, Kukai n'avait pas conscience de commettre un sacrilège. Sur le sommet, il alluma un feu et fit bouillir de l'eau dans un récipient en fer. Depuis lors, depuis mille deux cents ans, un moine bouddhiste veille, en haut du mont Misen, à ce que le feu allumé par Kukai ne s'éteigne jamais, et qu'il y ait toujours suffisamment d'eau bouillante dans le récipient en fer.

Nul ne sait si le comportement incongru du moine bouddhiste suscita la colère des shintoïstes. La tradition ne rapporte pas non plus si son maître, Bouddha, réagit à cet acte provocateur de son disciple et s'il le rappela à l'ordre. Une chose est sûre, toutefois : jusqu'à aujourd'hui, shintoïstes et bouddhistes zen se sont partagé l'île en bonne intelligence, se livrant les uns et les autres à la pratique de leurs cérémonies et rituels respectifs dans un climat de parfaite sérénité.

Les sanctuaires shintoïstes sont conçus de sorte qu'une sensation de vide émane de l'espace. Les fidèles, en pénétrant à l'intérieur, se retrouvent face à eux-mêmes. Au contraire, dans les temples bouddhiques, ils se prosternent en signe de soumission devant l'effigie du Bouddha.

ISRAËL
Jérusalem

JÉRUSALEM, CITÉ SAINTE POUR LES RELIGIONS JUIVE, CHRÉTIENNE ET MUSULMANE,
REVENDIQUE UNE LONGUE ET RICHE HISTOIRE DEPUIS SA FONDATION AU XVIIIᵉ SIÈCLE AV. J.-C.
SON NOM, D'ORIGINE HÉBRAÏQUE, SIGNIFIE « LA PAIX APPARAÎTRA ».

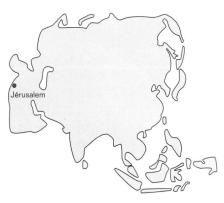

Jérusalem

Pour les chrétiens, la vieille ville de Jérusalem, étroitement liée aux grands épisodes de la vie de Jésus – la passion, la crucifixion et la résurrection –, est une cité sainte. Elle l'est aussi pour les juifs, en tant que capitale du premier royaume d'Israël. Elle l'est encore pour les musulmans, qui l'associent au voyage nocturne et à l'ascension céleste du prophète Mahomet. Depuis des siècles, la ville est le centre de tensions, de guerres et d'affrontements violents entre les religions, les gouvernements et leurs dirigeants.

Au cours de sa longue histoire, Jérusalem, ville chargée d'une grande puissance symbolique partout dans le monde, n'a connu que de brefs intermèdes de paix. Pourtant, les religions et les hommes ne semblent pas si éloignés les uns des autres – le mot « paix » se traduit par *shalom* en hébreu, par *salam* en arabe.

Peuplée en permanence depuis plusieurs millénaires, Jérusalem compte parmi les plus anciennes villes de l'humanité. Son existence depuis le XVIIIᵉ siècle av. J.-C. est attestée par des sources égyptiennes, faisant état d'une ville importante, aux imposantes fortifications. En 997 av. J.-C., le légendaire roi David, deuxième roi hébreu (1010-970 av. J.-C.), s'en rend maître et en fait la capitale du royaume d'Israël. Depuis lors, Jérusalem est considérée comme le centre reli-

CI-CONTRE Six confessions chrétiennes
se partagent le Saint-Sépulcre,
principal sanctuaire de la chrétienté.

CI-DESSOUS Le mur des Lamentations,
ou mur Occidental, est un lieu de
recueillement pour les fidèles juifs.

gieux et culturel du judaïsme. Le roi Salomon (970-930 av. J.-C.), fils et successeur de David, y fait ériger sur une colline un temple dédié à Yahvé.

Le Temple est profané et détruit à plusieurs reprises au cours des siècles suivants, notamment par Nabuchodonosor, roi de Babylone, qui le détruisit en 586 av. J.-C. En 70 apr. J.-C., le second Temple, élevé par Hérode le Grand, est anéanti par l'empereur romain Titus. En 638, Jérusalem tombe aux mains des Arabes qui édifient la Coupole du Rocher à l'emplacement du Temple.

En 1099, les croisés, sous la conduite de Godefroi de Bouillon, duc de Basse-Lorraine, envahissent la ville après un long siège, déclenchant un véritable bain de sang dans la population civile : vingt mille personnes sont massacrées en trois jours. En 1187, le sultan d'Égypte Saladin s'empare de Jérusalem. Entre 1229 et 1244, la ville est sous la domination de l'empereur germanique Frédéric II.

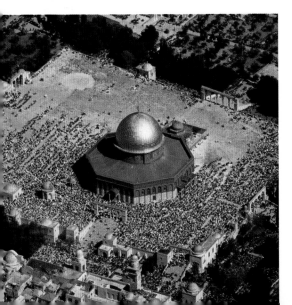

Par la suite, jusqu'en 1517, les Mamelouks, Tartares, Mongols et Ayyubides se disputent tour à tour l'hégémonie de Jérusalem. La ville, peuplée de seulement dix mille habitants, perd alors son prestige. Les droits civiques sont octroyés exclusivement aux musulmans.

En 1516, les Ottomans établissent leur suprématie sur la ville, qui connaît quelques années de prospérité. En 1535, le sultan Soliman le Magnifique fait ériger des murailles autour de la ville pour la protéger. C'est de cette époque que date la physionomie actuelle de la vieille ville de Jérusalem. Les conflits entre musulmans d'un côté, juifs et chrétiens de l'autre, s'intensifient à partir de la moitié du XIXᵉ siècle – vers 1860 –, à mesure que les juifs s'établissent dans la ville, dans les nouveaux quartiers construits à l'extérieur de l'enceinte de la vieille ville. Pendant la Première Guerre mondiale, Jérusalem est placée sous mandat britannique (1917). La question, toujours non résolue, du statut de Jérusalem exercebe les tensions entre les communautés religieuses.

La tentative de conciliation lancée par les Nations unies en 1947 – visant à internationaliser la ville – se solde par un échec. En 1950, le nouvel État d'Israël, proclamé deux ans auparavant, passe à l'offensive et déclare Jérusalem sa capitale. À quelques exceptions près, la communauté internationale ne reconnaît pas cet état de fait. Jérusalem devient un enjeu politique mettant aux prises Israéliens et Palestiniens sur le terrain et dans l'arène internationale.

En 1967, pendant la guerre des Six-Jours, l'armée israélienne s'empare des quartiers arabes qui constituaient la vieille ville de Jérusalem, opération pendant

CHRONOLOGIE

* **vers 1000 av. J.-C. :** conquête de la citadelle de Sion par David

* **587 av. J.-C. :** conquête de Jérusalem par Nabuchodonosor et destruction du Temple

* **164 av. J.-C. :** conquête de la colline du Temple par les Maccabées

* **66 apr. J.-C. :** révolte juive contre les Romains

* **70 :** destruction du second Temple

* **135 :** Jérusalem est rasée par l'empereur Hadrien

* **335 :** consécration du Saint-Sépulcre

* **527-656 :** âge d'or de la Jérusalem byzantine

* **1187 :** conquête par l'armée de Saladin

* **1538-1539 :** construction de la porte de Jaffa, restauration de la porte des Lions

* **1887 :** construction de la Porte neuve permettant l'accès au quartier chrétien

La mosquée d'al-Aqsa se dresse sur la colline du Temple, dans le prolongement de la Coupole du Rocher. C'était à l'origine une église chrétienne, que le souverain musulman al-Walid Ier fit couronner par un dôme. Principal sanctuaire islamique après la Kaba de La Mecque et la mosquée du prophète Mahomet à Médine, elle demeure aujourd'hui un sujet de tensions entre les communautés religieuses.

laquelle les parachutistes enregistrent de lourdes pertes – 183 morts, sur un total de 800 soldats. Pour la première fois depuis la création de l'État d'Israël, les croyants juifs peuvent de nouveau prier sur le mur des Lamentations. Cette annexion *de facto* de la partie orientale de Jérusalem n'est pas entérinée par les Nations unies. Néanmoins, Israël campe sur ses positions. Depuis la guerre de 1967, Jérusalem est le siège du gouvernement israélien, du Parlement – la Knesset – et le lieu de résidence du président. Elle a été proclamée capitale de l'État d'Israël par la Knesset en 1980.

L'annexion de Jérusalem-Est et la question du statut de la ville constituent les principales pierres d'achoppement sur le chemin de la compréhension et de la paix entre juifs et musulmans de l'État d'Israël et de l'Autorité nationale palestinienne. Depuis longtemps, un grand nombre de religions et de mouvements religieux coexistent à Jérusalem. Des influences chrétiennes, juives et islamiques ont façonné le visage de la ville au fil des siècles, comme en témoignent les vestiges et chefs-d'œuvre de l'architecture religieuse. Nombre d'édifices revendiquent une place de choix au niveau mondial par leur importance religieuse ou artistique.

La vieille ville est dominée par l'ensemble du Saint-Sépulcre, que l'Église orthodoxe désigne sous le nom d'église de la Résurrection. Elle a été élevée à l'endroit où Jésus-Christ aurait été enseveli et où il aurait ressuscité. L'autel du Saint-Sépulcre est placé juste au-dessus de la cavité rocheuse dans laquelle, selon la tradition chrétienne, reposait le corps de Jésus. Six confessions chrétiennes se partagent aujourd'hui l'ensemble du Saint-Sépulcre et y célèbrent leur culte : grecs orthodoxes, catholiques latins, arméniens, syriens orthodoxes, coptes et éthiopiens. Les accords qui régissent le partage de ce lieu saint de la chrétienté ont souvent été sources de tensions entre les différentes confessions.

Bâtie entre 687 et 691, la Coupole du Rocher (Qubbat al-Sakhra) est le plus ancien monument de la religion islamique. Ce sanctuaire, parfois appelé mosquée d'Umar, fut élevé sur le rocher sacré associé, selon la tradition, au sacrifice d'Abraham et au voyage céleste du prophète Mahomet. L'édifice, qui constitue le plus ancien témoignage d'architecture islamique, compte parmi les principaux emblèmes de Jérusalem, troisième cité sainte de l'islam après La Mecque et Médine. De plan octogonal, il mesure 55 mètres de dia-

CI-CONTRE La Coupole du Rocher est le monument islamique le plus ancien du monde.

CI-DESSOUS Le célèbre mont des Oliviers aux portes de Jérusalem.

mètre. La somptueuse coupole est recouverte de feuilles d'or, et l'intérieur du sanctuaire est décoré de splendides mosaïques.

Le mur Occidental – c'est ainsi que les juifs désignent les vestiges du second Temple, érigé par Hérode le Grand et détruit en 70 apr. J.-C. par les Romains. Depuis la guerre des Six-Jours, le mur est, pour les fidèles juifs, un lieu de prière et de pèlerinage, notamment à l'occasion des grandes fêtes du calendrier – Pessah (Pâque), Yom Kippour, Rosh ha-Shana et Soukkot. Certains glissent dans les fentes du mur de petits morceaux de papier sur lesquels sont écrites des prières. Pour la plupart des juifs, le mur Occidental est le symbole du lien indestructible entre Dieu et le peuple élu. Les chrétiens lui ont donné le nom de mur des Lamentations.

Édifiée sur la colline du Temple, dans la vieille ville de Jérusalem, la mosquée d'al-Aqsa est le principal sanctuaire islamique après la Kaba de La Mecque et

la mosquée du prophète Mahomet à Médine, en Arabie saoudite. Le monument a vu le jour une trentaine d'années après l'achèvement de la Coupole du Rocher. En 711, le souverain musulman en place, al-Walid Ier (705-715), fit couronner par une coupole l'église Sainte-Marie, convertissant ainsi la basilique chrétienne en sanctuaire islamique. Cette initiative, ainsi que le choix de la colline du Temple comme site pour la Coupole du Rocher, figure parmi les sujets à l'origine des conflits entre les communautés religieuses, à Jérusalem comme ailleurs.

Une construction moderne commémore les cruels événements de l'histoire récente – Yad Vashem, le Mémorial national du souvenir des martyrs et des héros de la Shoah. Créé en 1953 sur les hauteurs de Jérusalem-Ouest par une loi de la Knesset, Yad Vashem comprend plusieurs monuments commémoratifs, un musée historique et un centre d'archives et de recherches sur la Shoah. Une allée plantée d'arbres en l'honneur d'hommes et de femmes ayant sauvé des juifs – les Justes – mène au Sanctuaire du Souvenir (Ohel Yizkor). Là, les noms des camps d'extermination et camps de concentration d'Europe centrale et orientale sont gravés dans le sol de basalte noir. Devant une flamme commémorative, une crypte abrite des cendres de victimes. Le mémorial doit son nom au verset 56:5 du Livre d'Isaïe : « Et je leur donnerai dans ma demeure et dans mes murs un monument… un nom éternel (Yad Vashem) qui ne périra point. »

CHRONOLOGIE

✱ **1926** : l'église du Saint-Sépulcre est endommagée par un tremblement de terre

✱ **1947** : internationalisation de Jérusalem

✱ **1948** : destruction partielle du quartier juif par une attaque jordanienne

✱ **1948-1967** : la vieille ville et Jérusalem-Est sont administrés par la Jordanie

✱ **1967** : réunification de la ville par les Israéliens

✱ **1981** : inscription au patrimoine mondial de l'Unesco

TURQUIE
Cappadoce

AU FIL DES MILLÉNAIRES, L'ACTIVITÉ VOLCANIQUE, L'EAU ET LE VENT ONT SCULPTÉ LES ÉTRANGES
FORMATIONS ROCHEUSES DE LA CAPPADOCE, AU CŒUR DE L'ANATOLIE CENTRALE. AUJOURD'HUI
ENCORE, LES ÉLÉMENTS CONTINUENT À MODELER CETTE ÉTONNANTE ŒUVRE D'ART.

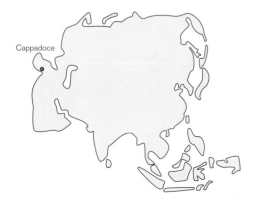

Cappadoce

Les fantastiques paysages rupestres de la Cappadoce n'ont pas d'équivalent dans le monde. Il y a des millions d'années, l'activité volcanique était intense dans la région. Les éruptions des volcans Erciyes et Hasan ont déposé des couches poreuses de tuf qui ont fini par se solidifier. Des éruptions plus récentes ont laissé derrière elles une mince couche solide de lave basaltique. Puis, un jour, les volcans se sont éteints, et la contrée a été livrée à l'action du vent et de la pluie.

Au fil du temps, les précipitations ont érodé les rochers, les eaux de ruissellement ont creusé les roches tendres. Les roches dures, en revanche, ont résisté aux éléments. Peu à peu sont apparus de gigantesques champignons, des colonnes et des pitons rocheux qui semblent coiffés d'un chapeau. *Peri bacalar,* ou « cheminées de fées » – c'est ainsi que les Turcs nomment ces fabuleuses formations rocheuses. Sur une superficie d'environ 95 kilomètres carrés, les forces de la nature ont créé un univers fantasmagorique, véritable musée en plein air de sculptures de pierre en perpétuel devenir. Chaque jour, l'érosion modèle cette œuvre d'art à part entière – comme si, jamais satisfaite d'elle-même, elle cherchait toujours à parfaire sa création.

Un jour, l'homme découvrit la Cappadoce et il décida de s'établir dans ce décor féerique. Les premières

Peri bacalar, ou les « cheminées de fées » – c'est ainsi que les Turcs nomment les fantastiques formations rocheuses de la Cappadoce.

traces de peuplement humain dans la région remontent au néolithique. Les hommes qui y ont vécu à l'époque, ont commencé à façonner le visage de la Cappadoce. Dans l'Antiquité, la Cappadoce passait pour une terre inhospitalière, peuplée d'hommes sauvages et cruels.

La population locale a creusé, peu à peu, les paysages avec art et adresse. Les outils rudimentaires dont elle disposait lui permettaient de travailler relativement facilement le tuf qui dominait le relief. Ainsi sont apparus des villages souterrains, véritables labyrinthes de grottes. Les habitations, creusées sur plusieurs niveaux, offraient la protection contre les attaques des peuplades étrangères, mais aussi contre les intempéries. En été, une agréable fraîcheur régnait à l'intérieur des grottes, tandis que pendant les hivers rudes, typiques du plateau de l'Anatolie centrale, les températures oscillaient entre 10 et 15 °C.

Les Hittites, les Phrygiens, les Perses et les Romains se sont établis tour à tour dans la région, qu'ils ont marquée de leur présence. La Cappadoce est considérée comme l'un des berceaux du christianisme. Pendant des siècles, jusqu'en 1071, la région fut sous la domination de l'Empire byzantin. Plus d'un millier d'églises taillées dans le rocher témoignent de la vague de christianisation dans la Cappadoce. À l'intérieur, des fresques aux

couleurs éclatantes décorent les parois et les voûtes. Des colonnes, piliers et arches structurent l'espace avec élégance. Dans ces lieux de culte, souvent gigantesques, les premiers chrétiens pouvaient cultiver leur foi en toute tranquillité, cachés dans les profondeurs de la roche, les entrées se réduisant généralement à de minuscules ouvertures. Ces témoignages uniques d'un passé tourmenté attestent l'ingéniosité des hommes qui peuplèrent autrefois la Cappadoce.

Aujourd'hui, cette curiosité géologique chargée d'histoire attire les touristes en grand nombre.

CI-DESSUS Le village d'Uchisar. On distingue au premier plan, taillées dans le tuf, les entrées conduisant aux habitations souterraines et aux églises.

CI-CONTRE Dans la Cappadoce, l'érosion a créé un univers fantasmagorique.

INDE
Khajuraho

AU CŒUR DE L'INDE, DANS L'ACTUEL MADHYA PRADESH, LE SITE ARCHÉOLOGIQUE DE KHAJURAHO
DOIT SA RENOMMÉE À LA BEAUTÉ ARCHITECTURALE ET À LA RICHESSE ORNEMENTALE DE
SES TEMPLES, ŒUVRE DE LA DYNASTIE DES CANDELLA.

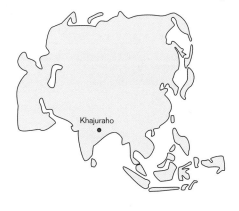

Des quatre-vingt-cinq édifices qui furent bâtis à Khajuraho, ancienne capitale religieuse des Candella, vingt-cinq demeurent aujourd'hui bien préservés et sont soigneusement entretenus par le service archéologique de l'Inde. Autant leur remarquable architecture que la profusion de leur décoration sculptée témoignent de la grandeur de la dynastie. Construits entre 950 et 1150, ces temples abondamment ornés sont tout à fait représentatifs de l'art médiéval de l'Inde centrale et septentrionale.

Les temples de Khajuraho sont regroupés en trois vastes ensembles situés à l'ouest, à l'est et au sud de la localité actuelle. Extérieurement, ils apparaissent comme une succession de tours, ou sikhara, de tailles variées disposées de façon symétrique autour du sikhara principal qui couronne le sanctuaire. À l'intérieur, les temples sont généralement conçus selon un plan ressemblant à une croix de Lorraine, avec de nombreux décrochements. Le visiteur y pénètre par un prévestibule, *ardhamandapa*, conduisant à un vestibule, *mandapa*, percé de fenêtres. Ensuite, une salle carrée, *mahamandapa*, donne accès au sanctuaire, *garbhagriha*, qui abrite la divinité à laquelle est dédié le temple. Un couloir, *pradakshina*, permet d'effectuer le rituel de la circumambulation autour du sanctuaire.

Détail de sculptures représentant, sur le mur extérieur du temple Parshvanatha, l'étreinte entre le dieu Vishnou (à gauche) et la déesse Lakshmi.

PANTHÉON HINDOU

✳ Principales divinités hindoues : Brahma, créateur de toutes choses et dieu de la Sagesse ; Shiva, destructeur et dieu de la Fertilité ; Vishnou, préservateur et sauveteur

AU MILIEU Scène érotique sur la façade du temple Kandariya-Mahadewa.

EN BAS Les temples de Khajuraho, à l'architecture caractéristique, ont été érigés sous la dynastie Candella, pendant une période de grande floraison artistique.

Les temples sont presque tous alignés d'est en ouest, l'entrée faisant face à l'est, et dédiés aux trois principales divinités du panthéon hindou : Brahma, Shiva et Vishnou.

Les temples doivent également leur réputation à leur foisonnante décoration sculptée, qui rehausse les murs extérieurs mais aussi les encadrements de portes, piliers, balcons, plafonds et soubassements. Sculptés dans un style typique de l'art indien, ces hauts-reliefs figurent la vie indienne de l'époque dans ses aspects les plus divers – dieux et déesses, guerriers et musiciens, animaux réels et fantastiques. Cependant, les deux thèmes ressortant plus particulièrement sont les femmes et la sexualité – ce dernier thème étant présent dès les prémices de l'art indien.

L'abondance des scènes érotiques qui décorent les temples de Khajuraho ne manque pas d'étonner les visiteurs et soulève de nombreuses interrogations. Il faut certainement les interpréter dans le contexte de la philosophie hindoue, et plus particulièrement de la vision tantrique. Dans le tantrisme, en effet, l'acte sexuel ne se réduit pas à une union charnelle entre l'homme et la femme ; il représente également la conjonction des principes masculin et féminin. La sexualité est reconnue d'essence divine comme la source d'une énergie vitale capable d'agir avec une force considérable sur l'état physio-psychique, puis à un niveau cosmique supérieur. L'être humain réalisé est homme et femme réunis en un tout. C'est sans doute cette quête de l'absolu, du divin que, dans une explosion d'énergie créatrice, les sculpteurs de la dynastie Candella ont cherché à exprimer.

Le plus grand temple de Khajuraho, celui de Kandariya-Mahadewa, dédié à Shiva, est aussi le plus abouti du point de vue artistique et architectural. Sa principale tour mesure 31 mètres de hauteur. Plus de huit cents statues en grès de Kaimur, qui se prête particulièrement au travail des détails, décorent ses parois. Le porche, sculpté dans un seul bloc de grès, est très impressionnant. À l'intérieur, les rosaces en granit qui ornent les plafonds méritent également une mention.

MALDIVES
Maldives

« LES ÎLES AU SOLEIL », AUCUN AUTRE ENDROIT AU MONDE NE MÉRITE MIEUX CE QUALIFICATIF
QUE LES MALDIVES. SITUÉ AU MILIEU DE L'OCÉAN INDIEN, CET ARCHIPEL, CONSTITUÉ
DE VINGT ATOLLS ET DEUX MILLE ÎLES, COMPOSE UN VÉRITABLE PARADIS INSULAIRE.

L'État insulaire des Maldives – du sanscrit *mala*, « guirlande » et *dvipa*, « îles » – s'étend à 500 kilomètres au sud-ouest du subcontinent indien et à 700 kilomètres au sud-ouest du Sri Lanka. Il se compose de vingt atolls coralliens qui égrènent leurs îles sur 800 kilomètres de distance du nord au sud. La plus méridionale d'entre elles ne se situe qu'à quelques kilomètres au nord de l'équateur. Le territoire de l'État des Maldives est constitué à 90 % d'eau. Des deux mille îles qui le composent, deux cents sont habitées par la population autochtone et quatre-vingt-sept sont exclusivement réservées aux touristes.

Les amateurs de sports nautiques viennent du monde entier goûter aux charmes des plages des Maldives, à la beauté et à la richesse de leurs fonds marins.

Des étendues de sable blanc qui s'étirent à l'infini, bordées de cocotiers et d'eaux cristallines, un ciel bleu azur, du soleil à longueur d'année – tous les ingrédients sont réunis pour les catalogues des agences de voyages. En quelques années, les Maldives sont devenues une destination touristique de choix, comme en atteste la capacité d'accueil des hôtels, qui a quadruplé entre 1990 et 2005. Ce paradis ne manque pas d'atouts, notamment sous l'eau : autour des récifs coralliens multicolores, les eaux abondent en poissons, offrant des sites de plongées d'une beauté extraordinaire. À peu près

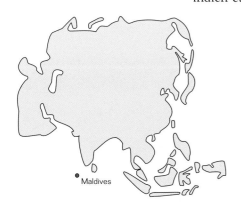
Maldives

CI-CONTRE Un requin-baleine évolue dans les sites de plongée les plus extraordinaires du monde.

CI-DESSOUS Les Maldives – des plages de rêve bordées de cocotiers, des eaux cristallines et du soleil à longueur d'année.

toutes les espèces des eaux tropicales chaudes y sont représentées, la température de cet univers marin descendant rarement au-dessous de 27 °C. La température moyenne de l'air oscille entre 25 °C pendant les mois de mousson – mousson nord-est de novembre à mars, mousson sud-ouest de juin à fin août – et plus de 30 °C. Néanmoins, les merveilles naturelles et les curiosités touristiques qui attirent les touristes aux Maldives ne doivent pas faire oublier le passé – et le présent – tourmenté de cette république insulaire.

Dès le Vᵉ siècle av. J.-C., des pêcheurs de confession bouddhiste, originaires d'Inde et de Ceylan (Sri Lanka) peuplent l'archipel. Au XIIᵉ siècle apr. J.-C., des négociants arabes y établissent un sultanat et imposent l'islam comme religion d'État. De 1558 à 1573, les Portugais s'établissent à Malé. Au XVIIᵉ siècle, l'État insulaire passe sous la domination des Hollandais, puis sous celle des Britanniques. De 1887 à 1965, les Maldives sont sous protectorat britannique. Après la proclamation de la république en 1953, un référendum rétablit le sultanat l'année suivante avec Mohammed Farid Didi.

Le 26 juillet 1965, l'indépendance est proclamée, et les Maldives deviennent membres de l'ONU. En 1968, une nouvelle constitution transforme le sultanat en république. Amir Ibrahim Nassir est élu président, et il s'octroie bientôt les pleins pouvoirs. Depuis, les Maldives sont une république présidentielle sans partis politiques. L'islam – plus précisément la branche sunnite – est la religion d'État. Depuis plusieurs années, les organisations internationales de défense des droits de l'homme reprochent aux dirigeants certaines violations des droits fondamentaux.

Aujourd'hui, malgré une industrie touristique en plein essor, les Maldives comptent parmi les pays les plus pauvres du monde. De nombreux emplois, dans le secteur du tourisme, sont occupés par des étrangers, faute de personnel qualifié dans la population autochtone. Dans le secteur de la restauration et de l'hôtellerie, les travailleurs viennent du Sri Lanka, d'Indonésie, d'Inde, parmi d'autres pays, et ils ne sont pas de confession musulmane. En effet, les habitants des Maldives, en tant que musulmans, ne sont pas autorisés à servir ni à vendre de l'alcool.

Outre les difficultés économiques, l'État insulaire des Maldives doit faire face actuellement à un problème écologique de taille. L'effet de serre et les changements climatiques qui l'accompagnent menacent gravement le paradis insulaire de l'océan Indien. Si le réchauffement de la planète se poursuit au rythme actuel, les atolls des Maldives pourraient être victimes d'une terrible catastrophe – l'archipel risquerait de disparaître de la carte du monde.

CARTE D'IDENTITÉ

✳ Nom : république des Maldives

✳ Superficie et composition : 298 km² ; 20 atolls coralliens, 2 000 îles, dont 200 occupées par la population autochtone et 87 réservées aux touristes

✳ Population : env. 350 000 habitants

✳ Capitale : Malé (env. 77 000 habitants)

✳ Régime gouvernemental : république présidentielle

✳ Religion d'État : islam (branche sunnite)

✳ Principale activité économique : tourisme

ARABIE SAOUDITE
La Mecque

BERCEAU DU PROPHÈTE MAHOMET ET PRINCIPAL CENTRE RELIGIEUX DU MONDE MUSULMAN,
LA MECQUE ATTIRE CHAQUE ANNÉE DES MILLIONS DE PÈLERINS VENUS DU MONDE ENTIER
POUR SE RECUEILLIR DANS SON MONUMENT EMBLÉMATIQUE, LA GRANDE MOSQUÉE.

La Mecque, *al-Makka* en arabe, s'étend dans un bassin d'effondrement désertique de la province du Hedjaz, entre la plaine côtière baignée par la mer Rouge et les escarpements occidentaux de la péninsule Arabique. Lieu de naissance du prophète Mahomet (vers 570), la première ville sainte de l'islam accueille chaque année le plus grand pèlerinage du monde musulman. De tous les endroits du monde, les fidèles affluent en masse vers la Grande Mosquée, principal lieu de culte des musulmans qui doivent accomplir ce pèlerinage, appelé *hadj*, au moins une fois dans leur vie, s'ils en ont les moyens.

Le but du pèlerinage est la Kaba, qui signifie « dé à jouer » en arabe. Principal sanctuaire de l'islam, la Kaba est située dans l'immense cour intérieure de la Grande Mosquée de La Mecque. Les musulmans apparentent à la « maison de Dieu » (*Bayt Allah*) cet édifice de pierre grise et de forme cubique, aux dimensions de 12 x 10 x 15 mètres. La Kaba est recouverte en permanence de la *kiswa*, chape de brocart noir, rehaussée de versets du Coran brodés de fils d'or, que l'on renouvelle chaque année après le pèlerinage. Dans l'angle oriental de la Kaba, des fragments de la Pierre noire (*al-Hadschar al-Aswad*) sont scellés dans le mur. C'est l'ange Gabriel qui, selon la tradition, aurait fait don de la pierre à Abraham pendant la construction de la

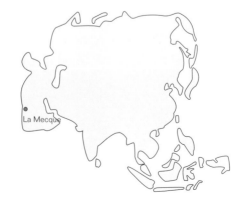

La Mecque

Pèlerins musulmans devant
la porte de la Kaba. Le sanctuaire
est recouvert en permanence d'une
chape de brocart noir, rehaussée de
versets du Coran brodés de fils d'or.

CARTE D'IDENTITÉ

✽ Nom : La Mecque
(al-Makka)

✽ Sanctuaire : la Kaba est
située dans la cour intérieure
de la Grande Mosquée,
principal lieu de culte
islamique du monde

✽ Fonction : but de
pèlerinage des musulmans

✽ Population :
env. 1,2 million ; plus
de 3 millions pendant
le pèlerinage

✽ Particularité : lieu de
naissance du prophète
Mahomet (vers 570),
fondateur de l'islam

Kaba. Quant aux scientifiques, ils pensent qu'il s'agirait d'une météorite – simple conjecture, toutefois, car la célèbre Pierre noire n'a jamais fait l'objet d'investigations scientifiques.

Pendant le hadj, les pèlerins effectuent sept fois le tour de la Kaba dans le sens inverse des aiguilles d'une montre, en rendant hommage à Allah. Tout en exécutant ces circumambulations, qui portent le nom de *tawaf*, les fidèles s'efforcent de baiser ou de toucher la Pierre noire. La Kaba définit la direction (*qibla*) dans laquelle doivent se tourner tous les musulmans de la Terre pendant leurs prières quotidiennes.

La Kaba est considérée comme le premier lieu de culte qui aurait été érigé par le premier homme, Adam. Mais elle fut bientôt abandonnée et tomba en ruine au fil des siècles. Selon la tradition, c'est le prophète Abraham et son fils Ismaël qui la découvrirent et la reconstruisirent.

Sanctuaire islamique depuis 632, la Kaba a souvent été un sujet de discorde parmi les musulmans. En 931, la Pierre noire est enlevée par les membres d'une secte et emportée à Bahreïn. Ce n'est que vingt ans après qu'elle regagne La Mecque, au terme de longues négociations diplomatiques. Au XIIIᵉ siècle, les Égyptiens envahissent La Mecque, et à partir du XVIᵉ siècle,

la ville est sous domination turque. En 1630, le sultan ottoman Murad IV ordonne la construction d'un nouveau monument. En 1916, le chérif Husayn Ibn Ali finit par se libérer du joug turc. En 1924, l'émir du Nadjd, Abd al-Aziz III ibn Saud, dit Ibn Séoud, s'empare de La Mecque. Il en fait le centre religieux de l'Arabie saoudite et de la communauté musulmane. Aujourd'hui, la métropole musulmane de La Mecque compte plus de 1,2 million d'habitants, population qui, pendant le pèlerinage, dépasse 3 millions de personnes.

CI-DESSUS Miniature du milieu du XIXᵉ siècle représentant la Kaba et la Grande Mosquée de La Mecque.

CI-CONTRE Les minarets de la Grande Mosquée de La Mecque, la plus grande du monde. Elle abrite la Kaba dans la cour intérieure.

NÉPAL
Mont Everest

LE MONT EVEREST POINTE VERS LE CIEL SA CIME DE 8 848 MÈTRES À LA FRONTIÈRE ENTRE LA CHINE ET LE NÉPAL. LE SOMMET MYTHIQUE, OBJECTIF SUPRÊME DES ALPINISTES CHEVRONNÉS, A ÉTÉ LE THÉÂTRE DE NOMBREUX EXPLOITS, MAIS AUSSI DE TRAGÉDIES.

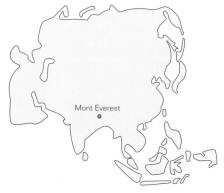

Mont Everest

Le plus haut sommet du monde doit son nom au géodésien britannique George Everest qui, au milieu du XIXᵉ siècle, fut chargé par la Couronne britannique de cartographier l'Inde et l'Himalaya. Le mont Everest a été conquis pour la première fois par l'homme le 29 mai 1953 : ce jour-là, l'alpiniste néo-zélandais Edmund Hillary et le sherpa Tenzing Norgay ont atteint son sommet. La fascination qu'exerce sur l'homme la plus haute montagne du monde ne se dément pas. Chaque année, des milliers d'alpinistes tentent de vaincre *Chomo Lungma* – nom tibétain du mont signifiant « Déesse mère du Monde ».

Longtemps avant que la montagne ait reçu son nom actuel, elle jouait un rôle majeur dans la religion bouddhiste. Ses adeptes vénèrent dans l'Himalaya cinq déesses, les « cinq sœurs de la longue vie », qui habiteraient sur ses cimes. Chomo Lungma est la résidence des déesses Chomo Miyo Langsangma et Tashi Tseringma. Celles-ci contiennent les puissances maléfiques de la montagne, démons et esprits, à condition qu'elles reçoivent de l'homme le respect qui leur est dû. Ainsi, une cérémonie d'offrandes appelée *Puja* prélude à toutes les expéditions au mont Everest. Seul celui qui dépose des offrandes en signe de soumission sera en mesure de vaincre la montagne et reviendra sain et sauf. Divers symboles bouddhiques jalonnent le

La Chomo Lungma et ses deux frères, le Nuptse (7 879 mètres) et le Lhotse (8 501 mètres).

AU MILIEU La vue sur le plus haut sommet du monde n'est pas toujours aussi dégagée que sur cette photo.

EN BAS Le point le plus élevé du globe – le sommet du mont Everest (8 848 mètres).

chemin conduisant au camp de base, sur le col, à 5 400 mètres d'altitude : pierres *mani* gravées de sutras, un stupa sur lequel flottent des drapeaux de prières, un cimetière, rassemblement de cairns sur lesquels les passants déposent une pierre à la mémoire de ceux qui ont disparu dans la montagne. On y dénombre actuellement deux cents cairns.

Lorsque, le matin du 29 mai 1953, sir Edmund Hillary et le sherpa Tenzing Norgay arrivèrent au sommet du mont Everest, ils n'avaient certainement pas la moindre idée du mouvement qu'allait initier leur exploit d'alpinistes. Ils venaient de relever le troisième grand défi de la planète Terre, la conquête du « troisième pôle ». La nouvelle de la première ascension de l'Everest se répandit comme une traînée de poudre à travers le monde. De tous les pays, les alpinistes lancèrent des expéditions pour rivaliser avec Hillary et Norgay. Malgré un climat politique instable dans la région de l'Himalaya et les longues négociations diplomatiques qu'exigeaient les demandes d'autorisation pour les expéditions, la course au mont Everest avait commencé.

Sept ans plus tard seulement, une expédition chinoise effectue la première ascension du sommet par l'arête nord-est. En 1963, une équipe d'alpinistes américains accomplit la première traversée (montée par l'arête ouest, descente par l'arête sud-est). En 1975, une expédition britannique gravit le sommet par la périlleuse face sud-ouest. Le 8 mai 1978, les Autrichiens Reinhold Messner et Petzer Habeler conquièrent le sommet sans oxygène. En 1979, des alpinistes yougoslaves empruntent la voie la plus difficile par l'arête ouest. En 1980, une cordée polonaise réussit la première ascension hivernale par le col sud.

Les années 1980 voient le développement d'un véritable « tourisme » dans l'Everest. Moyennant des sommes d'argent considérables, des alpinistes amateurs, plus ou moins préparés, tentent la conquête de l'Everest. Une aventure dont l'issue n'est jamais certaine. Beaucoup sous-estiment la « montagne des montagnes » et surestiment leurs forces. Le manque d'oxygène, les conditions météorologiques extrêmes, notamment au-dessus de 7 500 mètres – dans la « zone de mort » –, ainsi que l'effort physique colossal exigé par l'épreuve, s'accompagnent de leur lot de victimes. On estime à deux cents le nombre d'alpinistes, hommes et femmes, qui auraient péri en tentant l'ascension de l'Everest.

TURQUIE
Nemrut Dağ

AU SUD-EST DE LA TURQUIE, LE NEMRUT DAĞ DRESSE SON IMPOSANTE MASSE
AU-DESSUS DES CHAÎNES DU TAURUS. À PROXIMITÉ DU SOMMET SE CACHENT
LES VESTIGES D'UN MYSTÉRIEUX MONUMENT FUNÉRAIRE DATANT DE L'ANTIQUITÉ.

Situé dans la province d'Adiyaman, au sud-est de Malatya, le Nemrut Dağ, qui culmine à 2 300 mètres, compte parmi les plus hauts sommets de la Turquie méridionale. Pendant des siècles, le mont a dissimulé un secret, qui ne fut découvert qu'à la fin du XIXᵉ siècle par l'ingénieur allemand Karl Sester : les impressionnants vestiges du sanctuaire d'Antiochos Iᵉʳ de Commagène.

Le monument, qui faisait office à la fois de tombeau et de sanctuaire, a livré son existence au beau milieu des éboulis. Cette remarquable découverte est inscrite depuis 1987 au patrimoine mondial de l'Unesco. Le tumulus, construit à environ 150 mètres du sommet du Nemrut Dağ, servit de sépulture aux souverains de la Commagène, un petit royaume hellénistique qui s'étendait sur le versant sud du Taurus, sur les rives de l'Euphrate. Le roi Antiochos Iᵉʳ de Commagène (69-36 av. J.-C.), sous lequel le royaume connut son apogée, ordonna la construction d'un gigantesque tombeau. Celui-ci devait également remplir la fonction de sanctuaire destiné à la pratique de la nouvelle religion fondée par le commanditaire. Ce n'est pas sans raison qu'Antiochos Iᵉʳ choisit pour site le Nemrut Dağ : en effet, le sanctuaire funéraire devait se trouver le plus près possible de l'univers des dieux.

CARTE D'IDENTITÉ

✱ Commagène : après avoir été un royaume indépendant aux IXᵉ et VIIIᵉ siècles av. J.-C., la Commagène devint une province de l'Empire assyrien en 708 av. J.-C., et fit ensuite partie de l'Arménie. Le principal roi fut Antiochos Iᵉʳ (69-36 av. J.-C.). Après la mort d'Antiochos IV, le royaume de Commagène fut intégré dans l'Empire romain, en 72 apr. J.-C.

La tête de la statue du roi Antiochos Iᵉʳ, auquel est attribuée la construction du sanctuaire funéraire. Antiochos fit ériger le monument à une altitude élevée, sur le Nemrut Dağ, pour se rapprocher de l'univers des dieux.

Les maîtres d'œuvre choisis par Antiochos furent confrontés à un défi de taille. En effet, ils durent en premier lieu aménager l'espace nécessaire à la construction. À cette fin, plus de 200 000 mètres cubes de roche furent déblayés. Le monument fut ensuite érigé sur la plate-forme créée artificiellement. Le tumulus, qui mesure 150 mètres de diamètre et 50 mètres de hauteur, est entouré de trois terrasses orientées au nord, à l'ouest et à l'est.

La terrasse nord servait de lieu d'accueil pour les pèlerins. Ces derniers étaient ensuite séparés selon leurs origines sociales et invités à suivre des itinéraires différents : les aristocrates étaient dirigés vers la terrasse occidentale, les membres du peuple allaient vers la terrasse orientale. Sur la terrasse occidentale, le commanditaire du monument, le roi Antiochos Iᵉʳ, fit ériger une statue à son effigie. De 9 mètres de hauteur, celle-ci représente le roi déifié assis, entouré des dieux grecs Tyché, Zeus, Apollon et Héraclès. Les statues ont été malheureusement décapitées par plusieurs séismes de forte amplitude. Les têtes du roi et des divinités se sont détachées de leur torse et gisent désormais à leurs pieds.

Sur la terrasse orientale, qui était recouverte de dalles de pierre blanche, se dressent également des statues colossales, l'une d'elles figurant vraisemblablement le roi Mithridate Iᵉʳ Kallinikos (109-69 av. J.-C.), père d'Antiochos. Devant la statue se trouvent les vestiges d'un autel à incinération.

Sur les deux terrasses, orientées vers le couchant et le levant, des fragments de bas-reliefs retracent la généalogie d'Antiochos Iᵉʳ, et deux lions constituent les plus anciennes représentations d'horoscopes du monde. Ils portent un croissant de lune sur le poitrail, et la stèle sur laquelle ils reposent est constellée d'étoiles.

Ci-dessus et ci-contre Au fil des siècles, les statues du roi et des divinités ont été décapitées à la suite de violents tremblements de terre.

TURQUIE
Pamukkale

LES VASQUES DE TRAVERTIN DE PAMUKKALE SONT L'UNE DES CURIOSITÉS
NATURELLES LES PLUS IMPRESSIONNANTES DE TURQUIE. ELLES COMPOSENT
UN DÉCOR FÉERIQUE, D'UN BLANC IMMACULÉ.

Ce sont les eaux des sources chaudes, chargées de sels minéraux, qui ont engendré ces étonnantes concrétions calcaires. Elles furent aussi à l'origine de la fondation de l'ancienne Hiérapolis, devenue Pamukkale – la « Ville sacrée », centre du culte de Cybèle, divinité phrygienne équivalant à la Grande Mère. À son apogée, la cité comptait près de 100 000 habitants. La prospérité de la population forgea l'identité de la ville, comme en témoignent la gigantesque fontaine d'où jaillissaient les précieuses eaux thermales ou le magnifique théâtre, qui offrait une capacité d'accueil de 15 000 spectateurs.

La situation de Pamukkale dans une faille tectonique explique que l'eau y sourde en permanence des entrailles de la terre. Elle arrive à la surface à une température de 36 °C. Sur son chemin depuis les profondeurs souterraines, elle se charge de sels minéraux qui, au contact de l'air, réagissent avec l'oxygène, provoquant la libération de dioxyde de carbone et la précipitation de carbonate de calcium. Le calcaire se dépose partout, à chaque instant, recouvrant la moindre pierre, le moindre rocher. Le travertin s'accumule ainsi au fil du temps, aux abords des sources. La nature se pétrifie, rivalisant de blancheur avec le duvet des champs de coton qui font la prospérité de la ville agricole de Denizli, à proximité. *Pamuk* signifie

Pamukkale

CI-CONTRE Les vasques de travertin de Pamukkale prennent des couleurs irréelles sous les rayons du soleil couchant.

CI-DESSOUS Les ruines de Hiérapolis, renommée dans l'Antiquité pour ses sources chaudes.

« coton » en turc, et *kale*, « château ». « Le château de coton » – les vasques de Pamukkale évoquent bel et bien une ancienne fortification.

Des origines et de l'histoire de Hiérapolis, on sait peu de chose, sinon que sa fondation est due à l'existence des sources chaudes. Les habitants de la cité antique connaissaient les vertus curatives des eaux thermales, comme en témoignent les vestiges du splendide nymphée.

Depuis plus de cent ans, archéologues et scientifiques s'efforcent de percer les mystères de l'ancienne ville thermale. Mais, la plupart des édifices étant recouverts d'une couche de calcaire de plus de 5 mètres d'épaisseur, les travaux de fouilles ne progressent que lentement. La cité antique ne livre ses secrets que progressivement. Centrée à l'origine sur le culte de Cybèle, elle donna naissance au IIe siècle à une ville thermale dont la renommée se répandit dans toute l'Asie Mineure.

Les vestiges du nymphée et du théâtre antiques, au centre de la ville, retiennent particulièrement l'attention. Le théâtre, dédié à la déesse Artémis, fut bâti par les empereurs Hadrien et Septime Sévère. La scène, les frises et les gradins, parfaitement préservés, attestent la grandeur passée de l'édifice. La scène est agencée sur deux niveaux qui permettaient d'accueillir respectivement l'orchestre et les acteurs. Les splendides bas-reliefs qui la rehaussent figurent la vie de la déesse Artémis. Sur les colonnes, à droite de la scène, des épisodes de la vie d'Apollon, frère d'Artémis, sont sculptés dans la pierre.

Jusqu'au IVe siècle, Hiérapolis connut vraisemblablement une activité économique intense, due notamment au commerce florissant de la laine de mouton. Les eaux chaudes offraient en effet certaines propriétés qui permettaient de la teinter dans les tonalités les plus variées et les plus délicates. Les échanges commerciaux s'effectuaient principalement avec Rome. C'est à ses nombreux charmes et atouts que Hiérapolis dut bientôt son caractère cosmopolite, attirant une population très variée, tant du point de vue des origines que de la confession.

Mais, au cours du IVe siècle, la prospérité de Hiérapolis commença à être ébranlée. Byzance suspendit le commerce avec Rome. Les établissements thermaux furent convertis en lieux de culte. Des églises virent le jour. Cette période de déclin fut marquée par la construction de l'église commémorative de l'apôtre Philippe, crucifié en 87 à Hiérapolis. Dans les environs immédiats, d'innombrables sarcophages et tombeaux font de la région la plus importante nécropole d'Asie Mineure.

CHRONOLOGIE

❋ **188-50 av. J.-C. :** fondation de Hiérapolis par le roi de Pergame Eumenês II

❋ **133 av. J.-C. :** Attalos III lègue à sa mort son royaume aux Romains, qui en feront une partie de la province d'Asie

❋ **60 :** destruction de Hiérapolis par un séisme

❋ **87 :** mort présumée de l'apôtre Philippe

❋ **193-217 :** apogée de Hiérapolis sous les empereurs romains Septime Sévère et Caracalla

❋ **vers 900 :** mention de Hiérapolis comme site d'un évêché par Léon VI le Sage

❋ **1887 :** fouilles archéologiques allemandes

❋ **depuis 1957 :** fouilles archéologiques italiennes

❋ **depuis 1988 :** inscription de Hiérapolis-Pamukkale au patrimoine mondial de l'Unesco

JORDANIE
Pétra

LA VILLE RUPESTRE DE PÉTRA CACHE SES MYSTÈRES AU MILIEU DU DÉSERT JORDANIEN.
LES RUINES DE L'ANCIENNE CITÉ MARCHANDE TÉMOIGNENT DE L'ÉPOQUE OÙ LES NABATÉENS
COMPTAIENT PARMI LES PEUPLES LES PLUS PUISSANTS DU PROCHE-ORIENT.

C'est au carrefour de plusieurs routes caravanières, qui reliaient l'Égypte, la Syrie et le sud de l'Arabie avec les villes marchandes du bassin méditerranéen, que Pétra s'est imposée comme un important centre de négoce et de commerce entre le Vᵉ siècle av. J.-C. et le IIIᵉ siècle de notre ère. Tous les produits de luxe en usage à l'époque – notamment les aromates et pierres précieuses – étaient entreposés dans la ville rupestre. C'est sans doute à sa situation géographique très particulière que la cité devait cette vocation. En effet, aujourd'hui encore, elle n'est accessible que par une gorge qui se termine

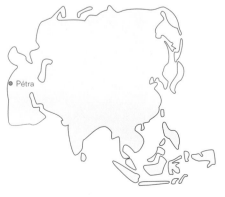

par un étroit défilé, le Siq. N'excédant pas par endroits 2 mètres de largeur, ce passage est flanqué d'imposantes parois de grès qui se dressent, presque verticalement, à 100 mètres de hauteur, laissant difficilement filtrer la lumière.

Une fois que les caravanes avaient franchi ce défilé étroit et menaçant, elles étaient accueillies par un spectacle prodigieux. Elles découvraient soudain la colossale façade rocheuse du Khazné, le « trésor du pharaon », qui mesurait 40 mètres de hauteur et 28 mètres de largeur. Pendant longtemps, on supposa que les monuments taillés dans le roc avaient fait office de palais. En réalité, les frontons élaborés et colonnes à chapiteau corinthien des édifices rupestres forment

C'est par l'étroit défilé du Siq que l'on accède
à la ville rupestre de Pétra. Les visiteurs
sont invités à suivre les conseils avisés d'un
vénérable guide bédouin : « Mets-toi en route
de bonne heure le matin, car la traversée
de la gorge est longue et fatigante. C'est
aux premières heures du jour que le Trésor se
révélera à ton regard dans toute sa beauté... »

Au milieu Le temple
funéraire du Deir est
le plus important
monument de Pétra.

En bas Le Khazné,
« trésor du pharaon »,
avec sa façade de
40 mètres de hauteur.

la façade de tombeaux royaux, simples chambres funéraires qui se cachent derrière ces impressionnantes
œuvres d'art.

La ville rupestre de Pétra connut son apogée
entre le Ier siècle av. J.-C. et le Ier siècle de notre ère. Le
roi nabatéen Arétas III Philhellène (87-62 av. J.-C.)
prit possession de Damas et occupa Jérusalem, déclenchant un conflit avec Rome. Après la mort du roi,
Pétra devint vassale de Rome, ce qui ne l'empêcha
pas de continuer à prospérer. Les temples et palais
prirent alors des dimensions de plus en plus monumentales. Pendant la première moitié du Ier siècle de notre
ère, Arétas IV fit ériger le principal temple au centre de
Pétra, qui était peuplée à l'époque d'environ quarante
mille habitants.

Mais, pendant ce temps, le conflit avec Rome s'intensifia. Les Romains fermèrent les routes caravanières, mettant un terme à la prospérité de Pétra. En
106, l'empereur romain Trajan remporta la victoire
sur les Nabatéens et les soumit à Rome. La légendaire
cité de Pétra perdit son prestige et amorça son déclin.
Lorsque les Arabes envahirent la région en 663, les
derniers habitants quittèrent la ville. Au fil des siècles,
le désert prit possession des temples et des palais. Pétra
sombra alors dans l'oubli et tomba en ruine.

En août 1812, l'explorateur suisse Johann Ludwig
Burckhardt, dépêché en mission par la Société africaine
de Londres, mit au point un subterfuge pour s'introduire dans la cité rupestre abandonnée. Habillé selon
les coutumes locales, il prétendit vouloir se recueillir,
en tant que croyant musulman, sur la tombe d'Aaron.
Des Bédouins familiers des lieux le guidèrent jusqu'à
Pétra *via* le Siq. Burckhardt fut le premier Occidental
des temps modernes à découvrir le site sur lequel Moïse
aurait fait jaillir de l'eau d'un rocher avec un bâton,
lorsqu'il conduisit le peuple hébreu d'Égypte jusqu'à la
Terre promise.

Le Khazné, le trésor du pharaon, en réalité un tombeau rupestre, a été entièrement restauré. Le théâtre
romain, datant du Ier siècle, qui offrait à l'époque une
capacité d'accueil de cinq mille personnes, a été rénové.
Le temple funéraire du Deir figure, notamment en raison de ses dimensions colossales, parmi les édifices les
plus remarquables de Pétra. L'urne qui couronne la partie centrale de la prestigieuse façade mesure à elle seule
9 mètres de hauteur. Le Deir compte parmi les fleurons
de l'architecture nabatéenne.

MALAISIE
Tours jumelles Petronas

JUSQU'EN 2003, LES TOURS JUMELLES PETRONAS, À KUALA LUMPUR, ÉTAIENT LES PLUS ÉLEVÉES DU MONDE, AVEC LEURS 452 MÈTRES DE HAUTEUR. CE GIGANTESQUE ENSEMBLE ABRITE LE SIÈGE DU GÉANT PÉTROLIER MALAIS PETRONAS.

Petronas

La construction des tours jumelles Petronas fut une monumentale opération de prestige orchestrée par le Premier ministre mégalomane Mahathir bin Mohamad. Le nouvel emblème architectural de la Malaisie devait, selon lui, s'inscrire dans la tradition malaise tout en intégrant des éléments de style résolument islamiques. Pour répondre à cet objectif, l'architecte Cesar Antonio Pelli a conçu un plan octogonal en forme d'étoile – symbole d'ordre et d'harmonie dans l'islam –, qu'il a prolongé par des demi-cercles afin d'agrandir la surface utilisable. Ce plan ouvrait au spécialiste de la statique Charles

Thornton des perspectives insoupçonnées, qui devaient suffire à faire des tours jumelles Petronas le bâtiment le plus haut du monde.

Mais les constructeurs ne furent pas épargnés par les difficultés. Peu de temps après la pose de la première pierre, en 1992, les travaux sont arrêtés : l'emplacement prévu initialement s'avère inapproprié. La roche, trop friable, ne peut, en effet, pas supporter le poids des tours. Thornton tente alors l'impossible : il déplace le gratte-ciel de 60 mètres et l'élève sur un terrain meuble. Chaque tour est placée sur un énorme socle de béton, qui doit être soutenu par plusieurs piliers massifs descendant à 120 mètres de profondeur – ce sont les fondations les plus profondes du

Détail du Tadj Mahall : les murs sont habillés de marbre blanc, mais construits en brique.

AU MILIEU Après avoir franchi le grandiose porche d'entrée qui mène au site du Tadj Mahall, le visiteur est saisi par l'harmonieuse impression d'équilibre qui en émane.

EN BAS La gigantesque coupole en forme de bulbe du Tadj Mahall, véritable chef-d'œuvre architectural, mesure 59 mètres de hauteur.

l'extérieur, de sorte que, en cas de tremblement de terre, ils ne s'effondrent pas sur le tombeau.

Le caractère grandiose de l'architecture du Tadj Mahall n'a d'égal que le raffinement de son ornementation. Pour décorer la dernière demeure de son épouse Mumtaz Mahall (littéralement, « l'Élue du Palais »), Chah Djahan fit appel à des spécialistes venus d'Europe, le Français Austin de Bordeaux et le Vénitien Geronimo Veroneo. Tous deux orchestrèrent la création des splendides incrustations qui participent à la renommée du Tadj Mahall. Réalisées selon une technique connue sous le nom de *pietra dura*, avec des pierres précieuses et semi-précieuses, elles composent de délicats motifs floraux ou calligraphiques reprenant des versets du Coran. Le soin et la précision avec lesquels furent exécutées ces incrustations forcent l'admiration.

Pour construire ce monument qui devait être d'une beauté insurpassable, l'empereur moghol donna libre cours à sa fantaisie, dépensant sans compter. Il aurait même envisagé de faire bâtir pour lui un mausolée de marbre noir, de la même envergure, à proximité immédiate du Tadj Mahall. Mais Chah Djahan n'eut pas le temps de concrétiser son rêve : il fut déposé par son fils Aurangzeb, qui craignait sans doute une banqueroute de l'État consécutive au comportement dispendieux de son père. Celui-ci passa les huit dernières années de sa vie enfermé dans le fort d'Agra, le regard tourné vers le grandiose édifice où sa femme reposait à jamais. À sa mort, en 1666, Chah Djahan la rejoignit dans le Tadj Mahall.

Le monde entier eut bientôt connaissance de l'existence du Tadj Mahall, qui devint rapidement un lieu de pèlerinage. Les uns étaient subjugués par les merveilleuses incrustations de pierres précieuses dans le marbre, qu'ils considéraient comme une preuve d'amour colossal. D'autres se laissaient ensorceler par la parfaite harmonie qui émane du monument. D'autres encore voyaient dans le Tadj Mahall le sanctuaire d'une martyre. Quant au poète indien Rabindranath Tagore, il a comparé le Tadj Mahall, dans l'un de ses poèmes, à « une larme solitaire sur la joue de l'éternité ».

Mais une menace pèse actuellement sur ce chef-d'œuvre architectural et ornemental, classé en 1983 au patrimoine de l'Unesco. Les usines implantées à proximité dégagent dans l'atmosphère des fumées et des gaz toxiques qui risquent de porter gravement atteinte à la beauté de cette merveille. Les défenseurs de l'environnement se sont mobilisés, et le gouvernement a pris des mesures visant à sauvegarder ce joyau.

CHINE

Tian'anmen

LA PLACE TIAN'ANMEN, OU PLACE DE LA « PORTE DE LA PAIX CÉLESTE », S'ÉTEND AU CŒUR
DE PÉKIN. C'EST SEULEMENT À LA CHUTE DU RÉGIME IMPÉRIAL, EN 1911, QUE CET ENDROIT
EST DEVENU ACCESSIBLE AU PUBLIC.

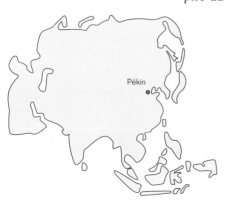

Pékin

La place Tian'anmen est une création de la Chine moderne. En effet, jadis, les grandes places publiques n'avaient pas cours dans l'empire du Milieu. C'est seulement après l'effondrement du régime impérial, en 1911, que le nouveau gouvernement a envisagé l'idée de construire des esplanades destinées aux rassemblements publics. La place Tian'anmen s'étend au cœur de Pékin. Du côté nord se dresse la porte de la Paix céleste, qui marque l'entrée de la Cité interdite. C'est de cette porte que, le 1er octobre 1949, Mao Zedong proclama la République populaire de Chine.

En face de la porte se trouve le mausolée qui abrite la dépouille momifiée de Mao Zedong. Sur le côté est de la place a été édifié en 1959 le musée d'Histoire de Chine, auquel fait face, à l'ouest, le palais de l'Assemblée populaire. La place est dominée en son centre par le monument aux Héros du peuple – un obélisque de 40 mètres de hauteur, sur lequel sont gravées des citations de Mao Zedong et de Zhou Enlai. La place Tian'anmen, couvrant une superficie de plus de 40 hectares et pouvant accueillir un million de personnes, est actuellement la plus grande place du monde.

« Le lieu des manifestations », c'est ainsi que les habitants de Pékin désignent la place centrale de la capitale chinoise. En effet, depuis que son accès a été

CI-CONTRE Avec une superficie de plus de 40 hectares, la place Tian'anmen est la plus grande place du monde.

CI-DESSOUS Le palais de l'Assemblée populaire, à l'ouest de la place.

rendu public, elle a été le théâtre de nombreux événements, dont certains ont jeté la consternation dans le monde entier.

La première grande manifestation sur la place Tian'anmen se déroule le 4 mai 1919. Elle prend la forme d'une insurrection déclenchée par les accords du traité de Versailles. Étudiants et intellectuels dénoncent, outre le traité, le poids de la tradition et l'oppression des femmes, réclamant davantage de démocratie et une ouverture à la modernité. De cet événement naît le mouvement du 4 mai qui, pendant longtemps, aura une influence déterminante sur la vie intellectuelle chinoise.

Le 1er octobre 1949, Mao Zedong proclame la République populaire de Chine sur la place Tian'anmen, justifiant l'hégémonie du parti communiste de Chine, toujours d'actualité.

Le 4 avril 1976, jour de la fête des morts en Chine, la place Tian'anmen est le théâtre d'un nouvel évé-

nement historique. La population afflue vers la place pour commémorer la mort du Premier ministre Zhou Enlai – au mois de janvier de la même année – et déposer des couronnes et des fleurs en son hommage. Sur l'ordre du gouvernement, les forces de police évacuent les fleurs pendant la nuit. Le lendemain, des milliers de Chinois manifestent contre ce sacrilège. La police et l'armée réagissent brutalement et procèdent à de nombreuses arrestations.

L'événement le plus tragique à ce jour reste cependant le massacre qui a eu lieu dans la nuit du 3 au 4 juin 1989, pendant le « printemps de Pékin ». Juchés sur des chars et équipés d'armes lourdes, les militaires avancent vers les manifestants qui, depuis le milieu du mois d'avril, occupent pacifiquement la place Tian'anmen, réclamant la démocratie et dénonçant la corruption du régime. Selon les organisations internationales, plus de trois mille manifestants auraient été tués par les troupes de l'Armée populaire. L'intervention militaire contre les manifestants pacifistes sur la place a fait l'objet de commentaires très contradictoires de la part des autorités chinoises et des instances internationales.

À la suite de ces événements, toutes les manifestations furent interdites sur la place Tian'anmen. Seuls y sont autorisés les rassemblements officiels. Le 1er octobre 1999, les représentants du pouvoir ont célébré le cinquantenaire de la naissance de la République populaire par une gigantesque parade militaire et une manifestation de masse orchestrée par leurs soins. Plus d'un million de personnes ont été conviées à se rendre sur la place pour participer à cette cérémonie d'anniversaire largement médiatisée.

CARTE D'IDENTITÉ

* **Nom** : place Tian'anmen

* **Situation** : Pékin, Chine

* **Superficie** : 40 hectares

* **Particularité** : plus grande place du monde

CHRONOLOGIE

* **1911** : la place Tian'anmen s'ouvre au public

* **4 mai 1919** : manifestations d'étudiants et d'intellectuels (mouvement du 4 mai)

* **1er octobre 1949** : Mao Zedong proclame la République populaire de Chine sur la place Tian'anmen

* **4 avril 1976** : la police expulse les manifestants lors d'un rassemblement le jour de la fête des morts

* **3-4 juin 1989** : l'Armée populaire réprime dans un bain de sang la manifestation pacifique des étudiants ; 3 000 morts

* **1er octobre 1999** : cinquantenaire de la naissance de la République populaire de Chine

CHINE
Cité interdite

AU CŒUR DE PÉKIN S'ÉTEND LE SYMBOLE LE PLUS IMPRESSIONNANT DE LA PUISSANCE
DES EMPEREURS CHINOIS : LA CITÉ INTERDITE. CE GIGANTESQUE COMPLEXE TÉMOIGNE
DE LA GRANDEUR QUI FUT CELLE DE LA CHINE PENDANT PLUS DE CINQ MILLE ANS.

Jusqu'en 1924, l'immense complexe n'était accessible qu'à un cercle restreint d'élus, qui vivaient dans l'entourage immédiat des empereurs. C'est aujourd'hui le plus grand ensemble palatial du monde. Des siècles durant, sous les dynasties Ming et Qing, le destin de la Chine impériale s'est joué dans l'enceinte de la Cité interdite, qui était le siège du gouvernement et la résidence des empereurs.

En 1403, Yongle, empereur de la dynastie Ming (1403-1424), s'arroge le pouvoir et se proclame empereur. Il déplace la capitale de l'empire à Pékin, où règne alors un climat de paix. Poussé par l'ambition,

Yongle décide de faire ériger une construction qui soit à la mesure des « Fils du ciel ». En 1406, il commence à concevoir les plans du complexe palatial. Zijin Cheng, la Cité interdite céleste, doit surpasser en grandeur et en beauté tous les palais du monde. Elle doit devenir le centre de l'Univers.

Plus d'un million d'ouvriers sont réquisitionnés pour le gigantesque chantier. Cent mille artisans, parmi les meilleurs de l'empire, sont sollicités pour mettre leur savoir-faire au service de ce noble ouvrage. Plus de vingt millions de briques sont cuites, polies, puis acheminées jusqu'à Pékin – la briqueterie étant située à 1 500 kilomètres de la capitale. Des blocs de pierre de plusieurs milliers de tonnes sont transportés labo-

CARTE D'IDENTITÉ

* **Nom** : Cité interdite
* **Situation** : Pékin, Chine
* **Superficie totale** : 72 ha
* **Superficie construite** : 15 ha
* **Nombre de palais** : 890
* **Nombre de pièces** : 9999
* **Longueur de la muraille** : 3428 m
* **Hauteur de la muraille** : 10 m
* **Nombre de tours** : 4
* **Nombre de portes** : 4

CHRONOLOGIE

* **1368-1644** : dynastie Ming
* **1406** : début de l'édification de la Cité interdite
* **XVIIe-XIXe siècles** : reconstruction et restauration de la Cité interdite
* **1900** : révolte des Boxers, mouvement xénophobe qui contrôle Pékin
* **1924** : expulsion du dernier empereur, Puyi, de la Cité interdite et ouverture au public
* **1987** : inscription au patrimoine mondial de l'Unesco

Des lions dorés à la feuille veillent sur la Cité interdite. Ils symbolisent la puissance et la vigueur des « Fils du ciel », les empereurs de Chine.

rieusement jusqu'au site du chantier. Pour le bois de construction, les forêts du pays fournissent des essences tropicales.

Le talent, l'ingéniosité et l'implication des maîtres d'œuvre, des artisans et des ouvriers porteront leurs fruits. Au bout de quatorze ans de travaux seulement, le palais impérial, la Cité interdite – véritable ville dans la ville – est achevée.

Sur une superficie de 72 hectares et conformément aux plans de Yongle, les artisans et ouvriers ont réalisé un ensemble sans équivalent au monde, composé de palais, de pavillons, de places, de portes, de sculptures, de canaux et de ponts. La Cité interdite regroupe au total 9999 pièces regroupées dans 800 palais. Dans la tradition chinoise, seul le ciel peut prétendre à un palais de 10000 pièces. En conséquence, les « Fils du ciel » ont dû consentir à faire le sacrifice d'une pièce. Des statues de lions et de dragons sculptées dans la pierre ou le bronze ont surgi un peu partout. La Cité interdite, de forme rectangulaire, est cernée d'une longue muraille de 10 mètres de hauteur, rehaussée de quatre tours défensives placées dans les angles. Le mur était lui-même entouré d'une douve de 52 mètres de largeur. L'accès à la Cité interdite s'effectuait par quatre portes. Dans les deux cours se dressent d'impression-nants palais, salles et portes aux noms évocateurs, tels le palais de la Pureté céleste, le palais de la Tranquillité terrestre, la salle de l'Harmonie suprême ou la porte de la Fierté divine.

Jusqu'en 1912, les dirigeants chinois ont gouverné leur empire depuis le grandiose ensemble palatial. En 1912, Puyi, le dernier empereur, a été placé en résidence surveillée dans la Cité interdite, et peu de temps après, la monarchie chinoise a été abolie. En 1924, Puyi et son entourage ont été expulsés de la Cité par les troupes républicaines.

CI-DESSUS De somptueux escaliers, des galeries et des fontaines rehaussent les magnifiques temples et palais de la Cité interdite.

CI-CONTRE Comme toutes les constructions de la Cité interdite, la salle de l'Harmonie parfaite fut érigée avec des essences tropicales.

CHINE
Xi'an

UNIVERSELLEMENT CONNUE, L'ARMÉE DE TERRE CUITE DE XI'AN, COMPOSÉE
DE GUERRIERS, DE CHEVAUX ET DE CHARS DE COMBAT, ACCOMPAGNA DANS
L'AU-DELÀ LE PREMIER EMPEREUR DE CHINE QIN SHI HUANGDI.

Xi'an

Nombre d'archéologues considèrent l'armée de terre cuite de Xi'an comme la huitième merveille du monde. Les fouilles menées sur le site découvert en 1974 ont révélé à ce jour la présence de sept mille statues – représentant des soldats et des chevaux –, chiffre qui, selon les spécialistes, ne représenterait que le quart de l'armée originale.

C'est à l'âge de treize ans seulement que Qin Shi Huangdi monte sur le trône du royaume de Qin. La Chine est alors une mosaïque de principautés et de royaumes de toutes tailles, qui entretiennent entre eux des relations plus ou moins pacifiques. Qin Shi Huangdi s'emploie à conquérir les territoires voisins de son royaume, créant ainsi un empire unifié correspondant approximativement au territoire de l'actuelle Chine de l'Est. Il fonde la dynastie Qin et devient le premier empereur de Chine (221-210 av. J.-C.).

Toutefois, Qin Shi Huangdi a bien du mal à trouver l'élixir de l'immortalité à travers les enseignements des lettrés de son empire. C'est pourquoi, confronté à l'angoisse de la mort, il entreprend la construction de son tombeau peu de temps après son accession au trône. Pensant qu'une armée lui assurerait la protection nécessaire au moment du passage dans l'au-delà, il ordonne la fabrication des figurines en terre cuite,

Détail de sculptures représentant, sur le mur extérieur du temple Parshvanatha, l'étreinte entre le dieu Vishnou (à gauche) et la déesse Lakshmi.

CHRONOLOGIE

❋ IXᵉ siècle : construction du Chausath Yogini, qui possédait 64 cellules abritant les statues des 64 yogini, assistantes de la déesse Kali

❋ 930-950 : construction du temple Lakshmana

❋ 950-970 : construction du Parshvanatha, le plus grand et le plus beau des temples jaïna

❋ 1000-1025 : construction du Jagadambi, dédié à la redoutable Kali

❋ vers 1130 : construction du Kandariya-Mahadewa

❋ 1150 : construction du Duladeo

❋ 1870 : restauration du Shantinatha, temple jaïna

PANTHÉON HINDOU

❋ Principales divinités hindoues : Brahma, créateur de toutes choses et dieu de la Sagesse ; Shiva, destructeur et dieu de la Fertilité ; Vishnou, préservateur et sauveteur

AU MILIEU Scène érotique sur la façade du temple Kandariya-Mahadewa.

EN BAS Les temples de Khajuraho, à l'architecture caractéristique, ont été érigés sous la dynastie Candella, pendant une période de grande floraison artistique.

Les temples sont presque tous alignés d'est en ouest, l'entrée faisant face à l'est, et dédiés aux trois principales divinités du panthéon hindou : Brahma, Shiva et Vishnou.

Les temples doivent également leur réputation à leur foisonnante décoration sculptée, qui rehausse les murs extérieurs mais aussi les encadrements de portes, piliers, balcons, plafonds et soubassements. Sculptés dans un style typique de l'art indien, ces hauts-reliefs figurent la vie indienne de l'époque dans ses aspects les plus divers – dieux et déesses, guerriers et musiciens, animaux réels et fantastiques. Cependant, les deux thèmes ressortant plus particulièrement sont les femmes et la sexualité – ce dernier thème étant présent dès les prémices de l'art indien.

L'abondance des scènes érotiques qui décorent les temples de Khajuraho ne manque pas d'étonner les visiteurs et soulève de nombreuses interrogations. Il faut certainement les interpréter dans le contexte de la philosophie hindoue, et plus particulièrement de la vision tantrique. Dans le tantrisme, en effet, l'acte sexuel ne se réduit pas à une union charnelle entre l'homme et la femme ; il représente également la conjonction des principes masculin et féminin. La sexualité est reconnue d'essence divine comme la source d'une énergie vitale capable d'agir avec une force considérable sur l'état physio-psychique, puis à un niveau cosmique supérieur. L'être humain réalisé est homme et femme réunis en un tout. C'est sans doute cette quête de l'absolu, du divin que, dans une explosion d'énergie créatrice, les sculpteurs de la dynastie Candella ont cherché à exprimer.

Le plus grand temple de Khajuraho, celui de Kandariya-Mahadewa, dédié à Shiva, est aussi le plus abouti du point de vue artistique et architectural. Sa principale tour mesure 31 mètres de hauteur. Plus de huit cents statues en grès de Kaimur, qui se prête particulièrement au travail des détails, décorent ses parois. Le porche, sculpté dans un seul bloc de grès, est très impressionnant. À l'intérieur, les rosaces en granit qui ornent les plafonds méritent également une mention.

MALDIVES
Maldives

« LES ÎLES AU SOLEIL », AUCUN AUTRE ENDROIT AU MONDE NE MÉRITE MIEUX CE QUALIFICATIF
QUE LES MALDIVES. SITUÉ AU MILIEU DE L'OCÉAN INDIEN, CET ARCHIPEL, CONSTITUÉ
DE VINGT ATOLLS ET DEUX MILLE ÎLES, COMPOSE UN VÉRITABLE PARADIS INSULAIRE.

L'État insulaire des Maldives – du sanscrit *mala*, « guirlande » et *dvipa*, « îles » – s'étend à 500 kilomètres au sud-ouest du subcontinent indien et à 700 kilomètres au sud-ouest du Sri Lanka. Il se compose de vingt atolls coralliens qui égrènent leurs îles sur 800 kilomètres de distance du nord au sud. La plus méridionale d'entre elles ne se situe qu'à quelques kilomètres au nord de l'équateur. Le territoire de l'État des Maldives est constitué à 90 % d'eau. Des deux mille îles qui le composent, deux cents sont habitées par la population autochtone et quatre-vingt-sept sont exclusivement réservées aux touristes.

Les amateurs de sports nautiques viennent du monde entier goûter aux charmes des plages des Maldives, à la beauté et à la richesse de leurs fonds marins.

Des étendues de sable blanc qui s'étirent à l'infini, bordées de cocotiers et d'eaux cristallines, un ciel bleu azur, du soleil à longueur d'année – tous les ingrédients sont réunis pour les catalogues des agences de voyages. En quelques années, les Maldives sont devenues une destination touristique de choix, comme en atteste la capacité d'accueil des hôtels, qui a quadruplé entre 1990 et 2005. Ce paradis ne manque pas d'atouts, notamment sous l'eau : autour des récifs coralliens multicolores, les eaux abondent en poissons, offrant des sites de plongées d'une beauté extraordinaire. À peu près

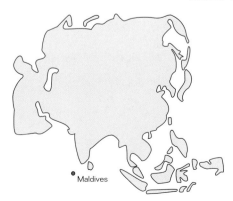

Maldives

CI-CONTRE Un requin-baleine évolue dans les sites de plongée les plus extraordinaires du monde.

CI-DESSOUS Les Maldives – des plages de rêve bordées de cocotiers, des eaux cristallines et du soleil à longueur d'année.

toutes les espèces des eaux tropicales chaudes y sont représentées, la température de cet univers marin descendant rarement au-dessous de 27 °C. La température moyenne de l'air oscille entre 25 °C pendant les mois de mousson – mousson nord-est de novembre à mars, mousson sud-ouest de juin à fin août – et plus de 30 °C. Néanmoins, les merveilles naturelles et les curiosités touristiques qui attirent les touristes aux Maldives ne doivent pas faire oublier le passé – et le présent – tourmenté de cette république insulaire.

Dès le Vᵉ siècle av. J.-C., des pêcheurs de confession bouddhiste, originaires d'Inde et de Ceylan (Sri Lanka) peuplent l'archipel. Au XIIᵉ siècle apr. J.-C., des négociants arabes y établissent un sultanat et imposent l'islam comme religion d'État. De 1558 à 1573, les Portugais s'établissent à Malé. Au XVIIᵉ siècle, l'État insulaire passe sous la domination des Hollandais, puis sous celle des Britanniques. De 1887 à 1965, les Maldives sont sous protectorat britannique. Après la proclamation de la république en 1953, un référendum rétablit le sultanat l'année suivante avec Mohammed Farid Didi.

Le 26 juillet 1965, l'indépendance est proclamée, et les Maldives deviennent membres de l'ONU. En 1968, une nouvelle constitution transforme le sultanat en république. Amir Ibrahim Nassir est élu président, et il s'octroie bientôt les pleins pouvoirs. Depuis, les Maldives sont une république présidentielle sans partis politiques. L'islam – plus précisément la branche sunnite – est la religion d'État. Depuis plusieurs années, les organisations internationales de défense des droits de l'homme reprochent aux dirigeants certaines violations des droits fondamentaux.

Aujourd'hui, malgré une industrie touristique en plein essor, les Maldives comptent parmi les pays les plus pauvres du monde. De nombreux emplois, dans le secteur du tourisme, sont occupés par des étrangers, faute de personnel qualifié dans la population autochtone. Dans le secteur de la restauration et de l'hôtellerie, les travailleurs viennent du Sri Lanka, d'Indonésie, d'Inde, parmi d'autres pays, et ils ne sont pas de confession musulmane. En effet, les habitants des Maldives, en tant que musulmans, ne sont pas autorisés à servir ni à vendre de l'alcool.

Outre les difficultés économiques, l'État insulaire des Maldives doit faire face actuellement à un problème écologique de taille. L'effet de serre et les changements climatiques qui l'accompagnent menacent gravement le paradis insulaire de l'océan Indien. Si le réchauffement de la planète se poursuit au rythme actuel, les atolls des Maldives pourraient être victimes d'une terrible catastrophe – l'archipel risquerait de disparaître de la carte du monde.

CARTE D'IDENTITÉ

* **Nom :** république des Maldives

* **Superficie et composition :** 298 km² ; 20 atolls coralliens, 2 000 îles, dont 200 occupées par la population autochtone et 87 réservées aux touristes

* **Population :** env. 350 000 habitants

* **Capitale :** Malé (env. 77 000 habitants)

* **Régime gouvernemental :** république présidentielle

* **Religion d'État :** islam (branche sunnite)

* **Principale activité économique :** tourisme

ARABIE SAOUDITE
La Mecque

BERCEAU DU PROPHÈTE MAHOMET ET PRINCIPAL CENTRE RELIGIEUX DU MONDE MUSULMAN,
LA MECQUE ATTIRE CHAQUE ANNÉE DES MILLIONS DE PÈLERINS VENUS DU MONDE ENTIER
POUR SE RECUEILLIR DANS SON MONUMENT EMBLÉMATIQUE, LA GRANDE MOSQUÉE.

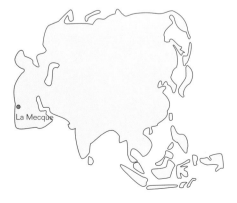

La Mecque, *al-Makka* en arabe, s'étend dans un bassin d'effondrement désertique de la province du Hedjaz, entre la plaine côtière baignée par la mer Rouge et les escarpements occidentaux de la péninsule Arabique. Lieu de naissance du prophète Mahomet (vers 570), la première ville sainte de l'islam accueille chaque année le plus grand pèlerinage du monde musulman. De tous les endroits du monde, les fidèles affluent en masse vers la Grande Mosquée, principal lieu de culte des musulmans qui doivent accomplir ce pèlerinage, appelé *hadj*, au moins une fois dans leur vie, s'ils en ont les moyens.

Le but du pèlerinage est la Kaba, qui signifie « dé à jouer » en arabe. Principal sanctuaire de l'islam, la Kaba est située dans l'immense cour intérieure de la Grande Mosquée de La Mecque. Les musulmans apparentent à la « maison de Dieu » (*Bayt Allah*) cet édifice de pierre grise et de forme cubique, aux dimensions de 12 x 10 x 15 mètres. La Kaba est recouverte en permanence de la *kiswa*, chape de brocart noir, rehaussée de versets du Coran brodés de fils d'or, que l'on renouvelle chaque année après le pèlerinage. Dans l'angle oriental de la Kaba, des fragments de la Pierre noire (*al-Hadschar al-Aswad*) sont scellés dans le mur. C'est l'ange Gabriel qui, selon la tradition, aurait fait don de la pierre à Abraham pendant la construction de la

* **Nom** : La Mecque
(al-Makka)

* **Sanctuaire** : la Kaba est
située dans la cour intérieure
de la Grande Mosquée,
principal lieu de culte
islamique du monde

* **Fonction** : but de
pèlerinage des musulmans

* **Population** :
env. 1,2 million ; plus
de 3 millions pendant
le pèlerinage

* **Particularité** : lieu de
naissance du prophète
Mahomet (vers 570),
fondateur de l'islam

Pèlerins musulmans devant
la porte de la Kaba. Le sanctuaire
est recouvert en permanence d'une
chape de brocart noir, rehaussée de
versets du Coran brodés de fils d'or.

Kaba. Quant aux scientifiques, ils pensent qu'il s'agirait d'une météorite – simple conjecture, toutefois, car la célèbre Pierre noire n'a jamais fait l'objet d'investigations scientifiques.

Pendant le hadj, les pèlerins effectuent sept fois le tour de la Kaba dans le sens inverse des aiguilles d'une montre, en rendant hommage à Allah. Tout en exécutant ces circumambulations, qui portent le nom de *tawaf*, les fidèles s'efforcent de baiser ou de toucher la Pierre noire. La Kaba définit la direction (*qibla*) dans laquelle doivent se tourner tous les musulmans de la Terre pendant leurs prières quotidiennes.

La Kaba est considérée comme le premier lieu de culte qui aurait été érigé par le premier homme, Adam. Mais elle fut bientôt abandonnée et tomba en ruine au fil des siècles. Selon la tradition, c'est le prophète Abraham et son fils Ismaël qui la découvrirent et la reconstruisirent.

Sanctuaire islamique depuis 632, la Kaba a souvent été un sujet de discorde parmi les musulmans. En 931, la Pierre noire est enlevée par les membres d'une secte et emportée à Bahreïn. Ce n'est que vingt ans après qu'elle regagne La Mecque, au terme de longues négociations diplomatiques. Au XIIIe siècle, les Égyptiens envahissent La Mecque, et à partir du XVIe siècle,

la ville est sous domination turque. En 1630, le sultan ottoman Murad IV ordonne la construction d'un nouveau monument. En 1916, le chérif Husayn Ibn Ali finit par se libérer du joug turc. En 1924, l'émir du Nadjd, Abd al-Aziz III ibn Saud, dit Ibn Séoud, s'empare de La Mecque. Il en fait le centre religieux de l'Arabie saoudite et de la communauté musulmane. Aujourd'hui, la métropole musulmane de La Mecque compte plus de 1,2 million d'habitants, population qui, pendant le pèlerinage, dépasse 3 millions de personnes.

Ci-dessus Miniature du milieu du XIXe siècle représentant la Kaba et la Grande Mosquée de La Mecque.

Ci-contre Les minarets de la Grande Mosquée de La Mecque, la plus grande du monde. Elle abrite la Kaba dans la cour intérieure.

Mont Everest

LE MONT EVEREST POINTE VERS LE CIEL SA CIME DE 8 848 MÈTRES À LA FRONTIÈRE ENTRE LA CHINE ET LE NÉPAL. LE SOMMET MYTHIQUE, OBJECTIF SUPRÊME DES ALPINISTES CHEVRONNÉS, A ÉTÉ LE THÉÂTRE DE NOMBREUX EXPLOITS, MAIS AUSSI DE TRAGÉDIES.

Le plus haut sommet du monde doit son nom au géodésien britannique George Everest qui, au milieu du XIXᵉ siècle, fut chargé par la Couronne britannique de cartographier l'Inde et l'Himalaya. Le mont Everest a été conquis pour la première fois par l'homme le 29 mai 1953 : ce jour-là, l'alpiniste néo-zélandais Edmund Hillary et le sherpa Tenzing Norgay ont atteint son sommet. La fascination qu'exerce sur l'homme la plus haute montagne du monde ne se dément pas. Chaque année, des milliers d'alpinistes tentent de vaincre *Chomo Lungma* – nom tibétain du mont signifiant « Déesse mère du Monde ».

Mont Everest

Longtemps avant que la montagne ait reçu son nom actuel, elle jouait un rôle majeur dans la religion bouddhiste. Ses adeptes vénèrent dans l'Himalaya cinq déesses, les « cinq sœurs de la longue vie », qui habiteraient sur ses cimes. Chomo Lungma est la résidence des déesses Chomo Miyo Langsangma et Tashi Tseringma. Celles-ci contiennent les puissances maléfiques de la montagne, démons et esprits, à condition qu'elles reçoivent de l'homme le respect qui leur est dû. Ainsi, une cérémonie d'offrandes appelée *Puja* prélude à toutes les expéditions au mont Everest. Seul celui qui dépose des offrandes en signe de soumission sera en mesure de vaincre la montagne et reviendra sain et sauf. Divers symboles bouddhiques jalonnent le

La Chomo Lungma et ses deux frères, le Nuptse (7 879 mètres) et le Lhotse (8 501 mètres).

AU MILIEU La vue sur le plus haut sommet du monde n'est pas toujours aussi dégagée que sur cette photo.

EN BAS Le point le plus élevé du globe – le sommet du mont Everest (8 848 mètres).

chemin conduisant au camp de base, sur le col, à 5 400 mètres d'altitude : pierres *mani* gravées de sutras, un stupa sur lequel flottent des drapeaux de prières, un cimetière, rassemblement de cairns sur lesquels les passants déposent une pierre à la mémoire de ceux qui ont disparu dans la montagne. On y dénombre actuellement deux cents cairns.

Lorsque, le matin du 29 mai 1953, sir Edmund Hillary et le sherpa Tenzing Norgay arrivèrent au sommet du mont Everest, ils n'avaient certainement pas la moindre idée du mouvement qu'allait initier leur exploit d'alpinistes. Ils venaient de relever le troisième grand défi de la planète Terre, la conquête du « troisième pôle ». La nouvelle de la première ascension de l'Everest se répandit comme une traînée de poudre à travers le monde. De tous les pays, les alpinistes lancèrent des expéditions pour rivaliser avec Hillary et Norgay. Malgré un climat politique instable dans la région de l'Himalaya et les longues négociations diplomatiques qu'exigeaient les demandes d'autorisation pour les expéditions, la course au mont Everest avait commencé.

Sept ans plus tard seulement, une expédition chinoise effectue la première ascension du sommet par l'arête nord-est. En 1963, une équipe d'alpinistes américains accomplit la première traversée (montée par l'arête ouest, descente par l'arête sud-est). En 1975, une expédition britannique gravit le sommet par la périlleuse face sud-ouest. Le 8 mai 1978, les Autrichiens Reinhold Messner et Petzer Habeler conquièrent le sommet sans oxygène. En 1979, des alpinistes yougoslaves empruntent la voie la plus difficile par l'arête ouest. En 1980, une cordée polonaise réussit la première ascension hivernale par le col sud.

Les années 1980 voient le développement d'un véritable « tourisme » dans l'Everest. Moyennant des sommes d'argent considérables, des alpinistes amateurs, plus ou moins préparés, tentent la conquête de l'Everest. Une aventure dont l'issue n'est jamais certaine. Beaucoup sous-estiment la « montagne des montagnes » et surestiment leurs forces. Le manque d'oxygène, les conditions météorologiques extrêmes, notamment audessus de 7 500 mètres – dans la « zone de mort » –, ainsi que l'effort physique colossal exigé par l'épreuve, s'accompagnent de leur lot de victimes. On estime à deux cents le nombre d'alpinistes, hommes et femmes, qui auraient péri en tentant l'ascension de l'Everest.

TURQUIE
Nemrut Dağ

AU SUD-EST DE LA TURQUIE, LE NEMRUT DAĞ DRESSE SON IMPOSANTE MASSE
AU-DESSUS DES CHAÎNES DU TAURUS. À PROXIMITÉ DU SOMMET SE CACHENT
LES VESTIGES D'UN MYSTÉRIEUX MONUMENT FUNÉRAIRE DATANT DE L'ANTIQUITÉ.

Situé dans la province d'Adiyaman, au sud-est de Malatya, le Nemrut Dağ, qui culmine à 2 300 mètres, compte parmi les plus hauts sommets de la Turquie méridionale. Pendant des siècles, le mont a dissimulé un secret, qui ne fut découvert qu'à la fin du XIXᵉ siècle par l'ingénieur allemand Karl Sester : les impressionnants vestiges du sanctuaire d'Antiochos Iᵉʳ de Commagène.

Le monument, qui faisait office à la fois de tombeau et de sanctuaire, a livré son existence au beau milieu des éboulis. Cette remarquable découverte est inscrite depuis 1987 au patrimoine mondial de l'Unesco. Le tumulus, construit à environ 150 mètres du sommet du Nemrut Dağ, servit de sépulture aux souverains de la Commagène, un petit royaume hellénistique qui s'étendait sur le versant sud du Taurus, sur les rives de l'Euphrate. Le roi Antiochos Iᵉʳ de Commagène (69-36 av. J.-C.), sous lequel le royaume connut son apogée, ordonna la construction d'un gigantesque tombeau. Celui-ci devait également remplir la fonction de sanctuaire destiné à la pratique de la nouvelle religion fondée par le commanditaire. Ce n'est pas sans raison qu'Antiochos Iᵉʳ choisit pour site le Nemrut Dağ : en effet, le sanctuaire funéraire devait se trouver le plus près possible de l'univers des dieux.

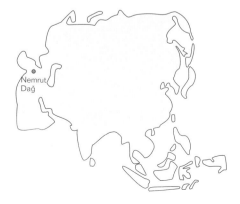

Nemrut
Dağ

✱ Commagène : après avoir été un royaume indépendant aux IXe et VIIIe siècles av. J.-C., la Commagène devint une province de l'Empire assyrien en 708 av. J.-C., et fit ensuite partie de l'Arménie. Le principal roi fut Antiochos Ier (69-36 av. J.-C.). Après la mort d'Antiochos IV, le royaume de Commagène fut intégré dans l'Empire romain, en 72 apr. J.-C.

La tête de la statue du roi Antiochos Ier, auquel est attribuée la construction du sanctuaire funéraire. Antiochos fit ériger le monument à une altitude élevée, sur le Nemrut Dağ, pour se rapprocher de l'univers des dieux.

Les maîtres d'œuvre choisis par Antiochos furent confrontés à un défi de taille. En effet, ils durent en premier lieu aménager l'espace nécessaire à la construction. À cette fin, plus de 200 000 mètres cubes de roche furent déblayés. Le monument fut ensuite érigé sur la plate-forme créée artificiellement. Le tumulus, qui mesure 150 mètres de diamètre et 50 mètres de hauteur, est entouré de trois terrasses orientées au nord, à l'ouest et à l'est.

La terrasse nord servait de lieu d'accueil pour les pèlerins. Ces derniers étaient ensuite séparés selon leurs origines sociales et invités à suivre des itinéraires différents : les aristocrates étaient dirigés vers la terrasse occidentale, les membres du peuple allaient vers la terrasse orientale. Sur la terrasse occidentale, le commanditaire du monument, le roi Antiochos Ier, fit ériger une statue à son effigie. De 9 mètres de hauteur, celle-ci représente le roi déifié assis, entouré des dieux grecs Tyché, Zeus, Apollon et Héraclès. Les statues ont été malheureusement décapitées par plusieurs séismes de forte amplitude. Les têtes du roi et des divinités se sont détachées de leur torse et gisent désormais à leurs pieds.

Sur la terrasse orientale, qui était recouverte de dalles de pierre blanche, se dressent également des statues colossales, l'une d'elles figurant vraisemblablement le roi Mithridate Ier Kallinikos (109-69 av. J.-C.), père d'Antiochos. Devant la statue se trouvent les vestiges d'un autel à incinération.

Sur les deux terrasses, orientées vers le couchant et le levant, des fragments de bas-reliefs retracent la généalogie d'Antiochos Ier, et deux lions constituent les plus anciennes représentations d'horoscopes du monde. Ils portent un croissant de lune sur le poitrail, et la stèle sur laquelle ils reposent est constellée d'étoiles.

CI-DESSUS ET CI-CONTRE Au fil des siècles, les statues du roi et des divinités ont été décapitées à la suite de violents tremblements de terre.

TURQUIE
Pamukkale

LES VASQUES DE TRAVERTIN DE PAMUKKALE SONT L'UNE DES CURIOSITÉS
NATURELLES LES PLUS IMPRESSIONNANTES DE TURQUIE. ELLES COMPOSENT
UN DÉCOR FÉERIQUE, D'UN BLANC IMMACULÉ.

Ce sont les eaux des sources chaudes, chargées de sels minéraux, qui ont engendré ces étonnantes concrétions calcaires. Elles furent aussi à l'origine de la fondation de l'ancienne Hiérapolis, devenue Pamukkale – la « Ville sacrée », centre du culte de Cybèle, divinité phrygienne équivalant à la Grande Mère. À son apogée, la cité comptait près de 100 000 habitants. La prospérité de la population forgea l'identité de la ville, comme en témoignent la gigantesque fontaine d'où jaillissaient les précieuses eaux thermales ou le magnifique théâtre, qui offrait une capacité d'accueil de 15 000 spectateurs.

La situation de Pamukkale dans une faille tectonique explique que l'eau y sourde en permanence des entrailles de la terre. Elle arrive à la surface à une température de 36 °C. Sur son chemin depuis les profondeurs souterraines, elle se charge de sels minéraux qui, au contact de l'air, réagissent avec l'oxygène, provoquant la libération de dioxyde de carbone et la précipitation de carbonate de calcium. Le calcaire se dépose partout, à chaque instant, recouvrant la moindre pierre, le moindre rocher. Le travertin s'accumule ainsi au fil du temps, aux abords des sources. La nature se pétrifie, rivalisant de blancheur avec le duvet des champs de coton qui font la prospérité de la ville agricole de Denizli, à proximité. *Pamuk* signifie

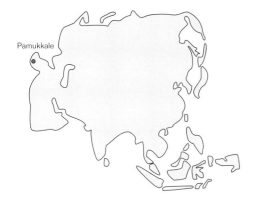
Pamukkale

CI-CONTRE Les vasques de travertin de Pamukkale prennent des couleurs irréelles sous les rayons du soleil couchant.

CI-DESSOUS Les ruines de Hiérapolis, renommée dans l'Antiquité pour ses sources chaudes.

« coton » en turc, et *kale*, « château ». « Le château de coton » – les vasques de Pamukkale évoquent bel et bien une ancienne fortification.

Des origines et de l'histoire de Hiérapolis, on sait peu de chose, sinon que sa fondation est due à l'existence des sources chaudes. Les habitants de la cité antique connaissaient les vertus curatives des eaux thermales, comme en témoignent les vestiges du splendide nymphée.

Depuis plus de cent ans, archéologues et scientifiques s'efforcent de percer les mystères de l'ancienne ville thermale. Mais, la plupart des édifices étant recouverts d'une couche de calcaire de plus de 5 mètres d'épaisseur, les travaux de fouilles ne progressent que lentement. La cité antique ne livre ses secrets que progressivement. Centrée à l'origine sur le culte de Cybèle, elle donna naissance au IIe siècle à une ville thermale dont la renommée se répandit dans toute l'Asie Mineure.

Les vestiges du nymphée et du théâtre antiques, au centre de la ville, retiennent particulièrement l'attention. Le théâtre, dédié à la déesse Artémis, fut bâti par les empereurs Hadrien et Septime Sévère. La scène, les frises et les gradins, parfaitement préservés, attestent la grandeur passée de l'édifice. La scène est agencée sur deux niveaux qui permettaient d'accueillir respectivement l'orchestre et les acteurs. Les splendides bas-reliefs qui la rehaussent figurent la vie de la déesse Artémis. Sur les colonnes, à droite de la scène, des épisodes de la vie d'Apollon, frère d'Artémis, sont sculptés dans la pierre.

Jusqu'au IVe siècle, Hiérapolis connut vraisemblablement une activité économique intense, due notamment au commerce florissant de la laine de mouton. Les eaux chaudes offraient en effet certaines propriétés qui permettaient de la teinter dans les tonalités les plus variées et les plus délicates. Les échanges commerciaux s'effectuaient principalement avec Rome. C'est à ses nombreux charmes et atouts que Hiérapolis dut bientôt son caractère cosmopolite, attirant une population très variée, tant du point de vue des origines que de la confession.

Mais, au cours du IVe siècle, la prospérité de Hiérapolis commença à être ébranlée. Byzance suspendit le commerce avec Rome. Les établissements thermaux furent convertis en lieux de culte. Des églises virent le jour. Cette période de déclin fut marquée par la construction de l'église commémorative de l'apôtre Philippe, crucifié en 87 à Hiérapolis. Dans les environs immédiats, d'innombrables sarcophages et tombeaux font de la région la plus importante nécropole d'Asie Mineure.

CHRONOLOGIE

* **188-50 av. J.-C. :** fondation de Hiérapolis par le roi de Pergame Eumenês II

* **133 av. J.-C. :** Attalos III lègue à sa mort son royaume aux Romains, qui en feront une partie de la province d'Asie

* **60 :** destruction de Hiérapolis par un séisme

* **87 :** mort présumée de l'apôtre Philippe

* **193-217 :** apogée de Hiérapolis sous les empereurs romains Septime Sévère et Caracalla

* **vers 900 :** mention de Hiérapolis comme site d'un évêché par Léon VI le Sage

* **1887 :** fouilles archéologiques allemandes

* **depuis 1957 :** fouilles archéologiques italiennes

* **depuis 1988 :** inscription de Hiérapolis-Pamukkale au patrimoine mondial de l'Unesco

JORDANIE
Pétra

LA VILLE RUPESTRE DE PÉTRA CACHE SES MYSTÈRES AU MILIEU DU DÉSERT JORDANIEN.
LES RUINES DE L'ANCIENNE CITÉ MARCHANDE TÉMOIGNENT DE L'ÉPOQUE OÙ LES NABATÉENS
COMPTAIENT PARMI LES PEUPLES LES PLUS PUISSANTS DU PROCHE-ORIENT.

C'est au carrefour de plusieurs routes caravanières, qui reliaient l'Égypte, la Syrie et le sud de l'Arabie avec les villes marchandes du bassin méditerranéen, que Pétra s'est imposée comme un important centre de négoce et de commerce entre le Ve siècle av. J.-C. et le IIIe siècle de notre ère. Tous les produits de luxe en usage à l'époque – notamment les aromates et pierres précieuses – étaient entreposés dans la ville rupestre. C'est sans doute à sa situation géographique très particulière que la cité devait cette vocation. En effet, aujourd'hui encore, elle n'est accessible que par une gorge qui se termine

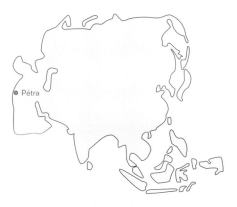

par un étroit défilé, le Siq. N'excédant pas par endroits 2 mètres de largeur, ce passage est flanqué d'imposantes parois de grès qui se dressent, presque verticalement, à 100 mètres de hauteur, laissant difficilement filtrer la lumière.

Une fois que les caravanes avaient franchi ce défilé étroit et menaçant, elles étaient accueillies par un spectacle prodigieux. Elles découvraient soudain la colossale façade rocheuse du Khazné, le « trésor du pharaon », qui mesurait 40 mètres de hauteur et 28 mètres de largeur. Pendant longtemps, on supposa que les monuments taillés dans le roc avaient fait office de palais. En réalité, les frontons élaborés et colonnes à chapiteau corinthien des édifices rupestres forment

C'est par l'étroit défilé du Siq que l'on accède à la ville rupestre de Pétra. Les visiteurs sont invités à suivre les conseils avisés d'un vénérable guide bédouin : « Mets-toi en route de bonne heure le matin, car la traversée de la gorge est longue et fatigante. C'est aux premières heures du jour que le Trésor se révélera à ton regard dans toute sa beauté... »

CHRONOLOGIE

* 312 av. J.-C. : campagne d'Antigonos Monophtalmos contre les Nabatéens

* vers 169 av. J.-C. : roi Arétas Ier

* vers 120-96 av. J.-C. : roi Arétas II

* 87-62 av. J.-C. : sous le roi Arétas III, expansion temporaire de « l'État caravanier » vers Damas

* 62 av. J.-C. : le royaume nabatéen devient vassal de Rome

* 106 : sous l'empereur Trajan, création de la province romaine d'Arabie avec la capitale Bosra

* 1217 : dernier visiteur occidental

* 1812 : redécouverte du site par Johann Ludwig Burckhardt

* 1985 : inscription au patrimoine mondial de l'Unesco

AU MILIEU Le temple funéraire du Deir est le plus important monument de Pétra.

EN BAS Le Khazné, « trésor du pharaon », avec sa façade de 40 mètres de hauteur.

la façade de tombeaux royaux, simples chambres funéraires qui se cachent derrière ces impressionnantes œuvres d'art.

La ville rupestre de Pétra connut son apogée entre le Ier siècle av. J.-C. et le Ier siècle de notre ère. Le roi nabatéen Arétas III Philhellène (87-62 av. J.-C.) prit possession de Damas et occupa Jérusalem, déclenchant un conflit avec Rome. Après la mort du roi, Pétra devint vassale de Rome, ce qui ne l'empêcha pas de continuer à prospérer. Les temples et palais prirent alors des dimensions de plus en plus monumentales. Pendant la première moitié du Ier siècle de notre ère, Arétas IV fit ériger le principal temple au centre de Pétra, qui était peuplée à l'époque d'environ quarante mille habitants.

Mais, pendant ce temps, le conflit avec Rome s'intensifia. Les Romains fermèrent les routes caravanières, mettant un terme à la prospérité de Pétra. En 106, l'empereur romain Trajan remporta la victoire sur les Nabatéens et les soumit à Rome. La légendaire cité de Pétra perdit son prestige et amorça son déclin. Lorsque les Arabes envahirent la région en 663, les derniers habitants quittèrent la ville. Au fil des siècles, le désert prit possession des temples et des palais. Pétra sombra alors dans l'oubli et tomba en ruine.

En août 1812, l'explorateur suisse Johann Ludwig Burckhardt, dépêché en mission par la Société africaine de Londres, mit au point un subterfuge pour s'introduire dans la cité rupestre abandonnée. Habillé selon les coutumes locales, il prétendit vouloir se recueillir, en tant que croyant musulman, sur la tombe d'Aaron. Des Bédouins familiers des lieux le guidèrent jusqu'à Pétra *via* le Siq. Burckhardt fut le premier Occidental des temps modernes à découvrir le site sur lequel Moïse aurait fait jaillir de l'eau d'un rocher avec un bâton, lorsqu'il conduisit le peuple hébreu d'Égypte jusqu'à la Terre promise.

Le Khazné, le trésor du pharaon, en réalité un tombeau rupestre, a été entièrement restauré. Le théâtre romain, datant du Ier siècle, qui offrait à l'époque une capacité d'accueil de cinq mille personnes, a été rénové. Le temple funéraire du Deir figure, notamment en raison de ses dimensions colossales, parmi les édifices les plus remarquables de Pétra. L'urne qui couronne la partie centrale de la prestigieuse façade mesure à elle seule 9 mètres de hauteur. Le Deir compte parmi les fleurons de l'architecture nabatéenne.

MALAISIE
Tours jumelles Petronas

JUSQU'EN 2003, LES TOURS JUMELLES PETRONAS, À KUALA LUMPUR, ÉTAIENT LES PLUS
ÉLEVÉES DU MONDE, AVEC LEURS 452 MÈTRES DE HAUTEUR. CE GIGANTESQUE ENSEMBLE
ABRITE LE SIÈGE DU GÉANT PÉTROLIER MALAIS PETRONAS.

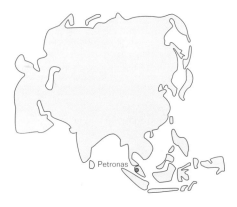

La construction des tours jumelles Petronas fut une monumentale opération de prestige orchestrée par le Premier ministre mégalomane Mahathir bin Mohamad. Le nouvel emblème architectural de la Malaisie devait, selon lui, s'inscrire dans la tradition malaise tout en intégrant des éléments de style résolument islamiques. Pour répondre à cet objectif, l'architecte Cesar Antonio Pelli a conçu un plan octogonal en forme d'étoile – symbole d'ordre et d'harmonie dans l'islam –, qu'il a prolongé par des demi-cercles afin d'agrandir la surface utilisable. Ce plan ouvrait au spécialiste de la statique Charles

Thornton des perspectives insoupçonnées, qui devaient suffire à faire des tours jumelles Petronas le bâtiment le plus haut du monde.

Mais les constructeurs ne furent pas épargnés par les difficultés. Peu de temps après la pose de la première pierre, en 1992, les travaux sont arrêtés : l'emplacement prévu initialement s'avère inapproprié. La roche, trop friable, ne peut, en effet, pas supporter le poids des tours. Thornton tente alors l'impossible : il déplace le gratte-ciel de 60 mètres et l'élève sur un terrain meuble. Chaque tour est placée sur un énorme socle de béton, qui doit être soutenu par plusieurs piliers massifs descendant à 120 mètres de profondeur – ce sont les fondations les plus profondes du

Le centre commercial Suria, dans les tours jumelles Petronas. Cette tour abrite également un hôtel de luxe et une salle de concert de 840 places.

CARTE D'IDENTITÉ

* **Nom** : tours jumelles Petronas

* **Situation** : Kuala Lumpur, Malaisie

* **Durée de la construction** : 1992-1997

* **Architecte** : Cesar Antonio Pelli

* **Hauteur** : 452 mètres

* **Étages** : 88

* **Surface habitable** : 341 780 m²

* **Ascenseurs** : 47 ascenseurs et 29 ascenseurs à grande vitesse par tour

* **Poids de chaque tour** : 270 000 t

* **Volume de béton** : 160 000 m³

* **Surface des fenêtres** : 77 000 m²

* **Surface de la gaine en métal** : 65 000 m²

* **Coût de la construction** : env. 950 millions d'euros

* **Fonction** : siège de la compagnie pétrolière Petronas, Kuala Lumpur City Center (centres commerciaux, hôtels, banques), musée, salle de concert de 840 places

monde. Toutes les deux minutes, pendant cinquante-deux heures, d'énormes camions déchargent un béton spécial extrêmement résistant et très concentré. Les fondations de chaque tour doivent supporter un poids de 270 000 tonnes.

La durée des travaux prévue pour cette entreprise titanesque est de six ans. Si les entreprises ne respectent pas le délai, elles sont pénalisées par une amende de 700 000 dollars US par journée de retard. Deux mille ouvriers du bâtiment travaillent sous une pression considérable vingt-quatre heures sur vingt-quatre et sept jours sur sept. Quatre jours de travaux sont prévus pour chaque étage. Les tours doivent en compter 88.

L'équipe chargée de la construction de la première tour est légèrement en avance sur le planning. Mais alors que débute la construction du 72ᵉ étage, un géomètre constate, lors d'un contrôle, un écart de 2,5 centimètres par rapport à la verticale. La tour penche vers la tour n° 2 ! Charles Thornton trouve alors une solution ingénieuse pour remédier au problème : les seize derniers étages sont montés avec une inclinaison de 20 millimètres dans le sens opposé. La verticalité est rétablie. Personne ne peut identifier l'erreur à l'œil nu. Les travaux seront menés à terme conformément au planning.

Entre les 41ᵉ et 42ᵉ étages, à 170 mètres de hauteur, une passerelle de 400 tonnes, appelée Skybridge (le « pont du ciel »), relie les deux tours. Conçue pour permettre l'évacuation des résidents d'une tour à l'autre, en cas d'incendie, elle repose sur d'énormes roulements à billes et renforce la stabilité de la gigantesque structure de béton, d'aluminium et de verre.

En 1997, les tours jumelles Petronas ont pu être inaugurées et ouvertes au public conformément aux prévisions. Jusqu'en 2003, elles ont surpassé tous les bâtiments du monde par leur hauteur : 452 mètres.

CI-DESSUS La passerelle, appelée Skybridge, relie les deux tours au niveau des 41ᵉ et 42ᵉ étages.

CI-CONTRE L'architecte Cesar Pelli a associé avec succès l'architecture traditionnelle malaise et des éléments de style islamique.

CHINE/TIBET
Potala

COURONNANT LE MONT MARPORI, LA MONTAGNE ROUGE, QUI DOMINE LHASSA, LE POTALA,
UN PRODIGIEUX PALAIS, FUT, JUSQU'EN 1959, LE SIÈGE DU GOUVERNEMENT TIBÉTAIN ET
LA RÉSIDENCE OFFICIELLE DU DALAÏ-LAMA.

Le 17 mars 1959, à la suite de l'invasion des troupes chinoises et du bombardement du Potala, le quatorzième dalaï-lama, Tenzin Gyatso, fut contraint de s'enfuir, abandonnant sa résidence officielle à Lhassa et son pays, le Tibet. Depuis ce jour, le dalaï-lama vit en exil à Dharamsala, en Inde. Le palais du Potala compte parmi les hauts lieux du bouddhisme. Selon la tradition bouddhiste, le prestigieux édifice est la demeure divine du bodhisattva Avalokiteshvara, patron du Tibet. Le dalaï-lama en fonction est l'incarnation d'Avalokiteshvara, ce qui explique la dimension religieuse et spirituelle que revêt le Potala

Potala

aux yeux des Tibétains et des bouddhistes du monde entier. Depuis l'occupation du Tibet par les Chinois, le Potala a été converti en musée, mais il reste l'un des principaux lieux de pèlerinage pour les bouddhistes. Et, si l'indépendance du Tibet demeure une illusion, le gouvernement chinois, conscient de la valeur du patrimoine tibétain, a récemment restauré ce palais emblématique.

Un premier palais aurait été construit sur les hauteurs de la montagne Rouge, en 637, pendant le règne de Songtsen Gampo, ardent défenseur du bouddhisme, en hommage à sa femme, la princesse Wencheng. Au XVIIᵉ siècle, ce premier édifice fut intégré à un monument de plus grandes dimensions, le Potrang Karpo

CI-CONTRE **Depuis 1994, le Potala figure au patrimoine mondial de l'Unesco.**

CI-DESSOUS **La masse grandiose et impressionnante du Potala se reflète dans l'affluent du Brahmapoutre.**

(palais Blanc). La construction du palais Blanc, menée par le cinquième dalaï-lama, fut achevée en 1648. Le Potrang Marpo (palais Rouge) ne fut terminé qu'après sa mort, en 1694.

En 1751, le septième dalaï-lama lança la construction du Norbulingka, le « parc du Joyau », un palais d'été, situé à quelques kilomètres à l'ouest de Lhassa. Jusqu'au XXᵉ siècle, le Potala resta en l'état.

Mais en 1922, le treizième dalaï-lama procéda à des remaniements : le palais Rouge fut rénové et surélevé de deux étages. À la suite de la construction du Norbulingka, l'édifice n'était plus utilisé que pendant les mois d'hiver. Il fut dès lors désigné sous le nom de palais d'Hiver.

Le Potala fut en grande partie épargné par la Révolution culturelle, ce qui peut paraître étonnant, si l'on pense aux dégâts considérables occasionnés par les troupes chinoises sur de nombreux monuments. Depuis 1994, le Potala figure au patrimoine mondial de l'Unesco, ainsi que le Norbulingka et le temple de Jokhang à Lhassa. Les dommages consécutifs aux tragiques événements de l'année 1959 ont été réparés. Le Potala, rénové, a retrouvé sa gloire passée.

Construit sur treize étages, le grandiose édifice ne compte pas moins de 999 pièces. Il étire son imposante masse sur 350 mètres de longueur d'est en ouest et sur 300 mètres de largeur du nord au sud. Dans le palais Rouge, les étages supérieurs abritent les appartements privés du chef spirituel et temporel du Tibet, le dalaï-lama. Aux vastes salles de cérémonies et de méditation, s'ajoutent de nombreux petits sanctuaires, ainsi que les *chorten* des prédécesseurs de l'actuel dalaï-lama. Huit dalaï-lamas ont été inhumés dans le Potala depuis le cinquième, auquel revient le plus grand et le plus somptueux tombeau. Près de quatre tonnes d'or furent utilisées pour la construction et la décoration de son *chorten*, aménagé sur trois étages et 20 mètres de hauteur.

En 1959, le soulèvement populaire de Lhassa avait été durement réprimé par l'armée chinoise. Le drapeau chinois flotte désormais sur le Potala, le pays porte le nom officiel de Région autonome du Tibet et il appartient, selon les Chinois, au territoire de la République populaire de Chine. Le statut du Tibet et de son peuple demeure néanmoins controversé. Sur le plan politique, la communauté internationale considère le Tibet comme une partie de l'État chinois et ne reconnaît pas le gouvernement en exil. Les contacts et les négociations avec le dalaï-lama s'effectuent uniquement au niveau religieux.

LEXIQUE

✱ **Dalaï-lama :** chef spirituel et temporel du Tibet bouddhiste. L'actuel dalaï-lama, le quatorzième, est le moine Tenzin Gyatso

✱ **Chorten :** monument sacré du bouddhisme tibétain équivalant à un stupa et présentant la forme d'une cloche renversée, élevée sur un soubassement à gradins

✱ **Lhassa :** capitale de la Région autonome du Tibet, dépendant de la République populaire de Chine. Elle est construite à 3 600 m d'altitude, au nord de l'Himalaya. Sa population, d'environ 50 000 habitants en 1950, dépasse aujourd'hui 475 000 personnes

TAÏWAN
Taipei 101

AVEC SES 508 MÈTRES DE HAUTEUR, TAIPEI 101 EST LE PLUS HAUT GRATTE-CIEL
DU MONDE. INAUGURÉ EN 2004, IL SURGIT AU CŒUR DE LA CAPITALE TAÏWANAISE,
BATTANT TOUS LES RECORDS MONDIAUX !

La tour de Taipei 101 a été réalisée par l'architecture C. Y. Lee. Le gratte-ciel surpasse par sa hauteur les tours jumelles Petronas, à Kuala Lumpur, qui, mesurant 452 mètres de hauteur, étaient auparavant les plus élevées du monde. Taipei 101 est aussi considéré comme le bâtiment le plus sécurisé, et ses ascenseurs comme les plus rapides du monde.

Taipei 101 dresse sa silhouette imposante dans la région de la planète la plus menacée par les séismes et les typhons. En effet, l'île de Taïwan se situe au point de rencontre de la plaque eurasienne et de la plaque des Philippines. La terre tremble

presque tous les jours à Taïwan et jusqu'à dix mille fois par an. Par ailleurs, trois à quatre cyclones balaient l'île chaque année, la vitesse des vents atteignant jusqu'à 250 km/h. À ces risques s'ajoute la nature du sous-sol sur lequel s'élève le gratte-ciel : la région de Taipei est marécageuse. Il faut descendre à 60 mètres de profondeur pour atteindre la roche dure qui permet d'ériger des constructions élevées.

La forme du gratte-ciel s'inspire d'une tige de bambou – elle est aussi souple que solide. La stabilité de Taipei 101 est assurée par 557 piliers d'acier, ancrés dans le sol à 80 mètres de profondeur, et sur lesquels repose une plaque d'acier pesant plus de 9 000 tonnes. Dans chaque angle de la gigantesque tour ont été

L'immense galerie marchande de Taipei 101 occupe trois étages, plus un quatrième au sous-sol. Aux boutiques en tout genre s'ajoutent de nombreux bars et cafés.

CARTE D'IDENTITÉ

* **Nom** : Taipei 101

* **Pose de la première pierre** : janvier 1998

* **Ouverture au public** : 31 décembre 2004

* **Coût de la construction** : 1,5 milliard d'euros

* **Hauteur** : 508 mètres

* **Ascenseurs** : 63, dont 34 rapides

* **Vitesse des ascenseurs** : 17 m/s

* **Durée de la montée au 90e étage** : 39 secondes

* **Étages** : 101 (+ 5 au sous-sol)

* **Sous-sol** : 4 parkings, une galerie marchande

* **1er-3e étages** : galeries marchandes

* **4e étage** : espaces de réunion

* **5e étage** : centre de conférences

* **6e-85e étages** : bureaux

* **86e-90e étages** : terrasses panoramiques et restaurants

* **87e-91e étages** : amortisseur de vibrations

* **92e-101e étages** : services techniques

érigées deux énormes colonnes, qui supportent le poids du monumental gratte-ciel – 700 000 tonnes – et s'élèvent sur toute sa hauteur. Ces colonnes massives sont remplies jusqu'au 62e étage de 65 000 tonnes de béton très résistant, qui assure la stabilité du gratte-ciel. Tous les piliers et colonnes ont été traités avec un produit ininflammable.

Les énormes structures en acier ont été montées dans le sud du pays et transportées la nuit jusqu'à Taipei à bord de camions spéciaux. Cette colossale entreprise a nécessité la mise au point d'une logistique particulièrement élaborée, car la place faisait défaut pour entreposer tous les éléments de construction sur le site du chantier. Chaque élément a donc été directement déposé à l'endroit où il devait s'intégrer. À cet effet, quatre grues ont été construites pour hisser les éléments, pesant parfois jusqu'à 90 tonnes. Les grues, qui étaient fixées à la structure d'acier, montaient avec le gratte-ciel étage par étage.

Pour renforcer la stabilité de Taipei 101, ses concepteurs l'ont équipé d'un amortisseur de vibrations, œuvre de design à part entière. Il s'agit d'une gigantesque boule d'acier, pesant 660 tonnes et mesurant 5,50 mètres de diamètre, suspendue entre les 87e et 91e étages. Selon les experts, elle est dotée d'une amplitude pouvant aller jusqu'à 1,50 mètre. Elle permet d'amortir de 30 à 40 % les oscillations du gratte-ciel provoquées par des vents violents dus à un typhon, à un tremblement de terre ou à une collision avec un aéronef léger. Le fonctionnement de ce mécanisme est d'une simplicité extrême : dès que Taipei 101 commence à pencher, l'amortisseur de vibrations penche dans le sens opposé. Il maintient ainsi le gratte-ciel en permanence à la verticale. Taipei 101 devrait conserver son titre de plus haut gratte-ciel du monde jusqu'à l'achèvement de la tour de Dubaï, en 2008.

CI-DESSUS L'architecte C. Y. Lee et son chef-d'œuvre, Taipei 101.

CI-CONTRE 63 ascenseurs, dont 34 rapides, conduisent les visiteurs et les employés dans les boutiques et les bureaux.

INDE
Tadj Mahall

LE TADJ MAHALL, MAUSOLÉE DE MARBRE BLANC ÉDIFIÉ À AGRA DANS L'INDE DU NORD, EST LE
MONUMENT LE PLUS EXTRAVAGANT JAMAIS CONSTRUIT PAR AMOUR. L'EMPEREUR MOGHOL CHAH
DJAHAN LE FIT BÂTIR ENTRE 1631 ET 1648 EN SOUVENIR DE SON ÉPOUSE FAVORITE MUMTAZ MAHALL.

L'un des plus célèbres édifices du monde, le Tadj Mahall, est un joyau de l'art musulman indien. Pour sa construction, l'empereur moghol Chah Djahan fit venir de toute l'Inde et de l'Asie les matériaux les plus nobles – marbre, pierres précieuses et semi-précieuses –, et réquisitionna un millier d'éléphants pour leur transport. Rien n'était trop beau pour rendre hommage à sa femme morte en couches, à la naissance de leur quatorzième enfant, au bout de dix-sept ans de mariage.

Après avoir franchi l'imposant porche de grès rouge coiffé de vingt-deux coupoles, le visiteur découvre un paradis terrestre,

modèle d'harmonie, s'étendant sur 18 hectares : les jardins de style moghol, parcourus de canaux et agrémentés de fontaines ; le mausolée élevé sur un socle de grès rose et de marbre, et rehaussé de quatre minarets ; à gauche, la mosquée ; à droite, une réplique de cet édifice érigée dans un souci de symétrie, mais ne remplissant pas la même fonction, car elle n'est pas orientée vers La Mecque. Plus de vingt mille ouvriers participèrent à la construction de ce somptueux monument.

L'architecture du Tadj Mahall suscite l'émerveillement. La gigantesque coupole centrale du mausolée, en forme de bulbe, se dresse à 59 mètres de hauteur, entourée de quatre petites coupoles. Les quatre minarets, de 40 mètres de hauteur, sont légèrement inclinés vers

Les soldats de l'armée de terre cuite devaient accompagner et protéger l'empereur dans son voyage dans l'au-delà. À cette fin, les guerriers furent dotés de tous les équipements nécessaires, notamment de véritables armes.

AU MILIEU Les figures de terre cuite présentent la particularité d'être toutes uniques.

EN BAS Si l'on en croit les sources, l'armée de Qin Shi Huangdi comprenait plus de trente mille soldats, des chevaux et des chars de combat.

aujourd'hui mondialement célèbres. Plus de sept cent mille ouvriers auraient participé à l'ouvrage titanesque que représenta la construction du tombeau de l'empereur Qin Shi Huangdi.

C'est en 1974 que des paysans chinois, en forant des puits, découvrent par hasard l'étonnante armée de terre cuite. Depuis, les archéologues et experts ont mis au jour sur le site sept mille statues de soldats et de chevaux. Toutefois, il ne s'agirait là, selon eux, que d'une petite partie de l'armée. Ils pensent en effet que l'empereur Qin Shi Huangdi avait fait reproduire la totalité de son armée pour l'accompagner dans l'au-delà. Or, si l'on en croit les sources existantes, celle-ci comprenait plus de trente mille soldats, ainsi que des chevaux et des chars de combat.

Les gardes de Qin Shi Huangdi, qui occupent trois fosses creusées à proximité immédiate du tumulus de l'empereur, sont rangés en ordre de bataille, selon une stratégie militaire en usage à l'époque. Les trois premières rangées, composées de deux cent quatre archers, forment l'avant-garde. Derrière prend place le gros de l'armée, soit environ six mille soldats, flanqués sur les ailes droite et gauche. Le reste de l'armée compose l'arrière-garde.

Le haut degré de savoir-faire dont témoignent ces personnages en terre cuite, qui mesurent près de 1,70 mètre, force l'admiration. Les artistes sont parvenus à modeler les moindres détails dans la terre avec une grande dextérité – traits du visage, coiffures, uniformes, casques et même insignes militaires. Chaque statue est unique, tant dans l'expression que dans les gestes. Les armes dont sont équipés les guerriers sont en grande partie des originaux, dont la fabrication atteste, elle aussi, le talent des artisans de l'époque.

Depuis le début des fouilles, menées sans interruption depuis 1974, trois fosses remplies de statues de terre cuite ont été mises au jour. Une quatrième, vide, a été également identifiée. Les spécialistes en déduisent à l'unanimité que l'armée de terre cuite de l'empereur Qin Shi Huangdi n'a probablement jamais été achevée. À moins, toutefois, que la quatrième fosse n'ait été la victime des pilleurs de tombes. La première hypothèse paraît néanmoins plus vraisemblable. En effet, la mort de Qin Shi Huangdi survint brutalement et déclencha dans l'empire des troubles et des révoltes de paysans qui ébranlèrent profondément la Chine récemment unifiée.

Les trésors artistiques et architecturaux de l'Europe participent largement à ses attraits aux yeux du monde entier. L'intense activité qui a présidé à leur élaboration au fil des siècles livre une prodigieuse floraison de monuments – châteaux, palais, édifices sacrés, mais aussi tours, ponts et fortifications. Ce fascinant patrimoine n'a d'égal que la diversité de ses merveilles naturelles.

EUROPE

GRÈCE
Acropole d'Athènes

« LE BERCEAU DE LA CIVILISATION OCCIDENTALE » – C'EST EN CES TERMES QU'EST GÉNÉRALEMENT ÉVOQUÉE ATHÈNES. AVANT L'ÈRE CHRÉTIENNE, LA PRESTIGIEUSE MÉTROPOLE S'AFFIRMA COMME LE FOYER D'UNE BRILLANTE CIVILISATION.

Dans l'Antiquité, Athènes abritait une société distinguée, composée d'écrivains, poètes, historiens, philosophes, hommes politiques, architectes et artistes – plus particulièrement des sculpteurs et des musiciens. L'un des plus illustres représentants de cette société fut sans conteste Périclès. Celui-ci menait depuis longtemps déjà une active carrière politique lorsqu'il initia la construction de l'Acropole, qu'il envisageait comme un symbole de démocratie et de liberté, comme un hommage à l'homme et à la civilisation.

L'Acropole d'Athènes est certainement la plus connue des citadelles de la Grèce antique. Après la destruction par les Perses de la partie ancienne de la ville d'Athènes, Périclès confia sa reconstruction au célèbre sculpteur Phidias, qui s'entoura d'architectes de renom comme Ictinos et Callicratès. Sur un rocher dominant la ville d'une centaine de mètres, les ruines des monuments érigés entre 447 et 406 av. J.-C. ont résisté aux ravages du temps – Propylées, Érechthéion, temple d'Athéna Nikê et Parthénon.

C'est à son tempérament orgueilleux et à son esprit rationnel que Périclès doit d'avoir réussi à concrétiser son rêve. Ce visionnaire entendait doter Athènes d'une nouvelle dimension, lui assurer un rayonnement spirituel qui la propulse au rang de foyer de la civilisation grecque. Pour la construction sur l'Acropole du

Acropole d'Athènes

✳ **Athènes :** la ville doit son nom à la déesse grecque de la Sagesse, Athéna. Capitale de la Grèce, elle compte une population de 730 000 habitants. Selon la tradition, Athènes fut fondée par le roi Cécrops. Peuplée en permanence depuis cinq mille ans, elle figure parmi les plus anciennes villes d'Europe. En 1985, elle a été la première ville élue capitale européenne de la culture. Depuis 1987, l'Acropole figure au patrimoine mondial de l'Unesco

Le temple d'Athéna Nikê, érigé vers 420 av. J.-C., offre un merveilleux exemple d'architecture classique.

premier temple, le Parthénon, dont il voulait faire le fleuron de sa grandiose entreprise, il engagea les meilleurs maîtres d'œuvre de son temps.

Le Parthénon, monument le plus prestigieux de l'Acropole, fut élevé de 447 à 432 av. J.-C. sur les fondations d'un édifice dont les origines et l'histoire sont très controversées. Érigé à la gloire d'Athéna, il abrite une statue chryséléphantine de la déesse, haute de 12 mètres, œuvre de Phidias. Ce chef-d'œuvre architectural en marbre pentélique doit sa réussite à l'impression d'équilibre et d'harmonie qui en émane. Il marie avec succès l'élégante stricte de l'architecture dorique au charme du décor ionique.

L'accès au temple devant être à la hauteur de ce dernier, Périclès confia la réalisation de l'entrée à Mnésiclès, qui créa un monument imposant, composé d'un corps central et de deux ailes destinées aux banquets. L'entrée était bien évidemment conçue pour accueillir dignement les officiels en visite – diplomates, rois et hommes d'État en tout genre. Mais à l'occasion des panathénées, elle voyait également passer les animaux qui, après avoir été poussés le long de la majestueuse rampe d'accès à l'Acropole, étaient conduits jusqu'à l'autel, à l'autre extrémité du site, où se déroulaient les sacrifices. Ces fêtes organisées en l'honneur d'Athéna,

protectrice d'Athènes, attiraient vers la métropole une foule venue de tout l'empire.

Le temple d'Athéna Nikê, qui surplombe la rampe d'accès aux Propylées, est le plus petit de l'Acropole. De style ionique, il fut bâti entre 427 et 424 av. J.-C., avec vingt ans de retard sur les prévisions. Les plans de Callicratès, approuvés en 448, n'avaient en effet pas été réalisés, Périclès ayant préféré confier la réalisation du temple à Phidias. Il s'agit d'une chapelle aux dimensions modestes, où Athéna était vénérée comme déesse guerrière apportant la victoire (*nikê*) aux Athéniens.

Ci-DESSUS **Les colonnes du Parthénon, en marbre pentélique.**

Ci-CONTRE **Le Parthénon, l'un des plus prestigieux temples de l'Antiquité, marque l'apogée du classicisme grec.**

L'Érechthéion, troisième sanctuaire de l'Acropole par son importance, se dresse à l'endroit où se serait déroulé le combat entre Poséidon et Athéna pour la possession de l'Attique. Conçu sur deux niveaux et dédié à plusieurs divinités, il constitue un précieux témoignage de l'histoire originelle et mythique d'Athènes, épopée qui se lit d'une salle à une autre. Il abrite, à l'est, l'autel d'Athéna. Au sud, le portique des Caryatides recouvre le tombeau de Cécrops. Au nord, un portique donne accès aux salles de Poséidon-Érechtrée, Boutês, Héphaistos. L'Érechthéion, dont la construction fut entreprise en 421 av. J.-C. par un maître d'œuvre anonyme et achevée en 406 av. J.-C., a connu bien des vicissitudes : elle fit office de lieu de culte et de harem du gouverneur turc. Elle fut également le quartier général des assiégés pendant la guerre d'indépendance grecque.

Le Parthénon, symbole de la gloire et du prestige de la Grèce, dominait Athènes au Vᵉ siècle av. J.-C. Il resplendissait alors sous une profusion de décorations – sculptures et frises –, œuvre du talentueux Phidias. Ce temple, l'un des plus plus grands de l'Antiquité, marqua l'apogée du classicisme grec. Avec la construction de cet édifice aux harmonieuses proportions, Périclès entendait gagner la faveur des Athéniens, éveiller une nouvelle conscience chez les citoyens. À l'instar du Parthénon, qui rayonnait désormais sur Athènes, celle-ci devait diffuser son rayonnement dans l'ensemble de la Grèce.

Toutefois, la réalisation de ce chef-d'œuvre architectural ne valut pas que des louanges et de la reconnaissance à son instigateur, Périclès. Au contraire, celui-ci fut l'objet de critiques acerbes de la part de ses détracteurs, qui lui reprochèrent de dilapider l'argent de la cité. Fidèle à ses ambitions, Périclès continua néanmoins à donner libre cours à sa frénésie de bâtisseur. Ainsi virent le jour les grandioses Propylées. Mais il dut finalement consentir à des compromis, car l'aménagement de l'Acropole engloutissait des sommes considérables, et ses ennemis s'acharnaient à dénoncer ses initiatives.

Périclès caressait l'idée d'ériger un temple grandiose à la gloire d'Athéna Nikê, que ses prêtres célébraient depuis de nombreuses années sur le rocher. Mais il dut accepter l'idée d'une construction de modestes dimensions. Ce grand visionnaire ne put finalement voir l'achèvement du temple d'Athéna Nikê ni de l'Érechthéion. En 430 av. J.-C., Athènes fut frappée par une épidémie de peste. Atteint par la maladie, Périclès mourut un an après.

Les maîtres d'œuvre de l'Acropole ont réalisé un chef-d'œuvre d'architecture classique, comme en témoigne ce chapiteau couronnant une colonne ionique, dans le temple du Parthénon.

Si la réalisation de l'Acropole ne fut pas tout à fait à la hauteur des ambitions de Périclès, elle ne manquait pas de grandeur. Il suffisait de tourner son regard vers le rocher et son ensemble architectural pour comprendre qu'il symbolisait la puissance et la prospérité d'une cité à son apogée.

À travers la construction de l'Acropole, Périclès entendait livrer un message aux Athéniens. Il voulait leur montrer que la nouvelle Athènes était née des exploits réalisés par les héros d'un passé mythique. Dans des temps immémoriaux, les Grecs étaient venus à bout de redoutables adversaires – centaures en apparence invincibles ou cruels barbares en provenance de contrées lointaines. Les dieux devaient désormais les seconder face à des ennemis qui avaient la bravoure proverbiale des Spartiates ou qui étaient aussi puissants que les Perses. Mais quelques décennies seulement après la mort de Périclès, la grandeur d'Athènes toucherait à sa fin. La Grèce classique avait néanmoins érigé Périclès en symbole.

Des siècles durant, les temples de l'Acropole d'Athènes furent préservés. Les destructions n'ont commencé qu'avec l'occupation turque au XVIᵉ siècle. En 1687, durant le siège de la ville par les Vénitiens, un boulet fit exploser le Parthénon, où des munitions avaient été entreposées, et une mosquée s'installa dans le bâtiment éventré.

Au fil du temps, les outrages du temps et dégradations diverses ont porté gravement atteinte à la splendeur du Parthénon et des autres édifices de l'Acropole. La survie de quelques pièces originales revient à lord Elgin, ambassadeur britannique à Constantinople, qui avait entrepris en 1800 le recensement des marbres du Parthénon. Outrepassant l'autorisation du sultan, il fit scier des marbres et les emporta à Londres. Ils sont exposés depuis au British Museum.

CI-DESSUS Ce fragment de la frise est du Parthénon met en scène Poséidon, Apollon et Artémis.

CI-CONTRE Ruines du Parthénon.

SUISSE
Glacier d'Aletsch

LE GLACIER D'ALETSCH EST LE PLUS GRAND ET LE PLUS LONG GLACIER DES ALPES. DEPUIS DES DIZAINES DE MILLIERS D'ANNÉES, LE GÉANT DE GLACE DESCEND DES HAUTEURS DES ALPES BERNOISES, DANS LE CANTON DU VALAIS, EN SUISSE. MAIS ACTUELLEMENT, LE GLACIER RECULE.

La gigantesque masse de glace s'étire en forme d'arc de la région de la Jungfrau, à plus de 3 800 mètres d'altitude, jusqu'à la vallée du Rhône. L'extrémité inférieure du glacier, ou langue glaciaire, est située à 1 560 mètres d'altitude. Le spectacle du majestueux glacier suscite autant l'admiration que l'inquiétude. La découverte de ses crevasses aux reflets turquoise et de ses failles vertigineuses où s'engouffrent les eaux de la fonte des neiges constitue une expérience inoubliable.

Le grandiose glacier d'Aletsch est alimenté par trois énormes névés qui convergent vers la « place de la Concorde », zone de glace presque plane, couvrant une superficie de 6 kilomètres carrés, au pied du massif de la Jungfrau : de l'ouest arrive le grand névé d'Aletsch, qui longe les versants septentrionaux de l'Aletschhorn et du Dreieckhorn ; du nord-ouest, le névé de la Jungfrau, le plus petit des trois. Il se forme sur le versant sud du Mönch, sur le plateau du Jungfraujoch et sur le versant est de la Jungfrau et parcourt une distance de 7 kilomètres jusqu'à la place de la Concorde. Du nord arrive le névé des Neiges éternelles, qui part à l'est du Mönch et descend jusqu'à la place de la Concorde en décrivant un arc d'environ 8 kilomètres de longueur.

Depuis la place de la Concorde, le fleuve de glace, d'une largeur moyenne de 1,5 kilomètre, descend

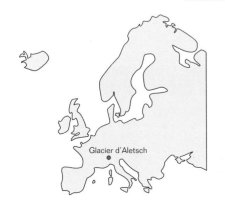

Glacier d'Aletsch

CI-CONTRE Le glacier d'Aletsch est le plus grand glacier d'Europe.

CI-DESSOUS Depuis des années, les scientifiques observent le glacier d'Aletsch du Jungfraujoch.

vers le sud-est, en direction de la vallée du Rhône, progressant de 200 mètres par an, soit environ 60 centimètres par jour. La zone inférieure du glacier est en partie recouverte par les débris des moraines latérales et médianes. La langue glaciaire se situe actuellement bien en dessous de la limite de la forêt. Là prend sa source la Massa qui, après la gorge du même nom, se jette dans le Rhône au-dessus de Brigue.

Sur l'étendue de glace d'un blanc étincelant apparaissent deux lignes de couleur sombre, qui s'étirent sur toute sa longueur, de la place de la Concorde jusqu'à la langue glaciaire. Ce sont les moraines médianes – moraine de Kranzberg et moraine de Trugberg –, qui séparent la glace des trois principaux névés.

La zone d'alimentation du glacier d'Aletsch se situe à environ 4 000 mètres d'altitude. Les précipitations y tombent presque toute l'année sous forme de neige. Sous l'influence de la pression et des variations de température, la neige durcit progressivement pour

former un névé de neige, puis un névé de glace, et finalement un glacier pauvre en bulles d'air. Ce processus peut s'étendre sur une période de dix ans. C'est sous le poids de la glace qui se forme en permanence et celui de la pesanteur que le glacier se met à glisser.

Le glacier est un labyrinthe de crevasses et de failles en perpétuelle évolution, chaque jour différentes. À la surface du fleuve de glace se sont accumulés des dépôts brun-gris. En effet, sur son parcours en direction de la vallée, le glacier détache des fragments de parois rocheuses, charrie des éboulis et débris divers.

Depuis des milliers d'années, le glacier d'Aletsch rythme l'existence de la population locale. Le « géant blanc » a engendré nombre de légendes et de croyances superstitieuses. Depuis toujours, l'énorme masse de glace inspire de l'inquiétude, sinon de la peur, aux habitants du Valais. Plus particulièrement la nuit, lorsque, dans le silence profond des hautes montagnes, les lents mouvements du glacier s'accompagnent de bruits terrifiants. C'est dans les histoires de revenants que, depuis toujours, les hommes de la région d'Aletsch ont cherché des explications aux manifestations mystérieuses de la nature. Découvraient-ils de nouvelles crevasses à la surface du glacier, qu'ils croyaient voir des plaies béantes, et entendre, montant des profondeurs de la masse de glace, des gémissements et des cris de douleur. Une vieille légende du Valais rapporte que ceux qui étaient doués de pouvoirs spéciaux parvenaient même à distinguer les pauvres âmes gelées dans la glace, en attente de la délivrance, jusqu'à ce qu'elles aient expié leurs péchés : les sinistres crevasses aux reflets turquoise étaient apparentées aux portes de l'Enfer, du purgatoire.

CARTE D'IDENTITÉ

* **Nom** : glacier d'Aletsch

* **Situation** : Alpes bernoises, Valais, Suisse

* **Longueur** : 24 km

* **Largeur** : 1,5 km en moyenne

* **Superficie** : env. 76 km^2

* **Poids** : env. 27 milliards de tonnes

* **Point le plus élevé** : au-dessus de 3 800 m

* **Point le plus bas** : env. 1 560 m

* **Progression/an** : env. 200 m

* **Progression/jour** : env. 60 cm

* **Épaisseur maximale (place de la Concorde)** : env. 900 m

* **Épaisseur minimale (langue glaciaire)** : env. 150 m

* **Patrimoine mondial de l'Unesco** : depuis 2001

ESPAGNE
Alhambra

L'ALHAMBRA DRESSE SA MAJESTUEUSE SILHOUETTE SUR UN ÉPERON ROCHEUX
SURPLOMBANT LA VILLE ANDALOUSE DE GRENADE. SES PALAIS, SES CHEFS-D'ŒUVRE
D'ART ET D'ARCHITECTURE MAURES, LUI VALENT UNE RÉPUTATION MONDIALE.

C'est au début de 1492 que prit fin l'épopée arabe en Espagne commencée sept cents ans auparavent. Cet épisode signa la fin de la souveraineté nasride à Grenade, qui durait depuis plus de deux cent cinquante ans. Le sultan dut quitter l'Alhambra – magnifique résidence que Muhammad Ier, fondateur de la dynastie des Nasrides, avait fait contruire en 1241.

L'Alhambra doit son attrait à sa splendeur, mais aussi à son intérêt historique : c'est le seul témoignage d'architecture palatiale maure datant du Moyen Âge préservé à ce jour. L'Alhambra était à l'origine une cité fortifiée. Elle comprenait une ville haute, l'*Alhambra Alta*, qui abritait la noblesse, les militaires, la bourgeoisie, les marchands et les artisans ; la citadelle proprement dite, l'*Alcazaba* aux jardins splendides, était la résidence du souverain. Les deux ensembles, érigés aux XIIIe et XIVe siècles, s'organisent autour de deux patios : la cour des Myrtes et la cour des Lions.

Dans l'enfilade de salles, salons, patios et corridors qui composent l'ensemble palatial, certains éléments du décor sont particulièrement représentatifs du génie des bâtisseurs arabes. Dans le Mexuar, la salle du Conseil, jouxtant le somptueux Cuarto Dorado (Chambre dorée), le sultan s'entretenait des affaires judiciaires avec les représentants de la justice. Sur un mur, une inscription

Le Patio de los Leones, ou cour des Lions, est mondialement connu. Les appartements privés de Muhammad V ouvraient sur cette superbe cour intérieure, délimitée par cent vingt-quatre colonnes de marbre.

CHRONOLOGIE

✱ **1090** : Grenade passe sous la domination des Almoravides

✱ **1241** : fondation de la dynastie nasride à Grenade

✱ **XIIIᵉ-XVᵉ siècle** : construction de l'Alhambra

✱ **1491** : suite à la Reconquête, occupation par l'armée des Rois Catholiques

✱ **2 janvier 1492** : fin du sultanat de Grenade

✱ **1542** : fondation de l'université

✱ **1840** : surélévation de la salle d'audience, le Mexuar

✱ **1890** : incendie dans la Sala de la Barca

✱ **1936** : l'église San Salvador est incendiée pendant la guerre civile espagnole

✱ **1965** : restauration de la Sala de la Barca

✱ **1984** : classement au patrimoine mondial de l'Unesco

Au milieu Le Patio de los Arrayanes, ou cour des Myrtes, dans le palais des Comares, ou des Ambassadeurs.

En bas Dans la Sala de las Dos Hermanas, plus de quatre mille stalactites ornent la coupole.

visait à rassurer celui qui y pénétrait : « Entre et ne crains pas de réclamer la justice – tu l'obtiendras à coup sûr. »

La cour des Myrtes donne accès à la tour des Comares, ou des Ambassadeurs, occupée par la salle du même nom, qui était destinée aux réceptions des rois arabes et émissaires étrangers. Son fantastique plafond en bois de cèdre, représentant les sept cieux de la création, est décoré de superbes incrustations d'ivoire et de nacre. Les appartements du sultan Muhammad V ouvrent sur le célèbre Patio de los Leones, ou cour des Lions, symbole de l'architecture islamique. Les murs et les éléments du décor resplendissent au cœur d'une somptueuse symphonie de rouge, vert, or et bleu, le pourtour de la cour étant rythmé par cent vingt-quatre colonnes de marbre. Le patio doit son nom à la splendide vasque soutenue par douze lions, qui se dresse en son centre. De la gueule des lions, l'eau s'écoule vers quatre canaux symbolisant les quatre rivières du paradis et les quatre points cardinaux.

La salle la plus luxueuse de l'Alhambra est incontestablement celle des Deux Sœurs (Sala de las Dos Hermanas), connue pour son ornementation exubérante : plus de quatre mille stalactites ornent la coupole, et les murs sont rehaussés de poèmes, d'or et de lapis-lazuli. L'eau qui miroite dans les bassins ou jaillit des fontaines anime le palais de l'Alhambra de sa présence paisible et rafraîchissante. Les Maures, les « fils du désert », lui vouaient une véritable passion. Le sultan Muhammad Iᵉʳ, à l'origine de la construction de l'Alhambra, ayant émis le vœu d'en faire un élément essentiel du décor, les architectes arabes déployèrent tout leur savoir-faire pour l'intégrer harmonieusement. Les délicates fontaines dialoguent à merveille avec les briques des murs, les sols de marbre et les splendides carreaux de faïence multicolores, ou *azulejos*.

Le 2 janvier 1492, la souveraineté maure parvint définitivement à son terme en Espagne. Suite à la *Reconquista* – la reconquête des territoires arabes de la péninsule Ibérique –, les Rois Catholiques s'emparèrent de Grenade et de l'Alhambra. Les Maures furent chassés à jamais de l'Andalousie et de l'Espagne. Malgré les guerres et les conflits qui opposèrent les dirigeants chrétiens et maures, la présence arabe en Espagne fut marquée par un climat de tolérance et de progrès. Sept cents ans durant, les Arabes influencèrent et enrichirent la culture de l'Europe occidentale et centrale, plus particulièrement dans certaines disciplines – art, architecture, philosophie, sciences naturelles, astronomie et médecine.

GRÈCE
Mont Athos

LA RÉPUBLIQUE MONASTIQUE DU MONT ATHOS EST LE PRINCIPAL FOYER DE LA COMMUNAUTÉ
ORTHODOXE. DEPUIS PLUS DE MILLE ANS, DES MOINES MÈNENT DANS PLUS DE VINGT MONASTÈRES
UNE EXISTENCE VOUÉE À LA TRADITION CONTEMPLATIVE DE L'ÉGLISE ORTHODOXE.

Athos culmine à 2 033 mètres, sur une péninsule à l'est de la Chalcidique. Selon la tradition, le géant Athos aurait jeté un énorme rocher sur son ennemi Poséidon au cours d'une bataille qui opposait les Géants aux dieux de l'Olympe. Mais le rocher, au lieu d'atteindre le dieu, tomba dans la mer, puis vint se fixer sur la presqu'île montagneuse. Sur les versants et les contreforts de la Sainte Montagne, qui surplombent la mer, a vu le jour, il y a plus de mille ans, la république monastique orthodoxe du mont Athos. Le couvent le plus ancien, celui de Megisti Lavra, fut fondé vers 963 par des moines byzantins. Dès 972, la république du mont Athos revendiquait une Constitution, qui contribua à son rayonnement d'un bout à l'autre de l'Empire byzantin. La Constitution garantissait la souveraineté administrative de l'État monastique, et le mont Athos devint le centre de l'orthodoxie. Au XIVe siècle, à l'apogée de la république, quarante mille moines et anachorètes vivaient et priaient dans les monastères, les communautés qui en dépendaient, ou skites, et les ermitages.

Du point de vue du droit international, l'État est sous le protectorat de la Grèce. Son statut de république autonome a été officialisé en 1912 et s'est perpétué jusqu'à nos jours. Les décisions de politique intérieure sont prises par le « gouvernement » de la

CARTE D'IDENTITÉ

* **Nom** : mont Athos

* **Statut** : république monastique autonome

* **Situation** : Grèce, est de la Macédoine, presqu'île de la Chalcidique

* **Capitale** : Karyès, env. 300 habitants

* **Parlement** : Sainte Communauté (*Hiera Synaxis*)

* **Population** : 1 700 moines orthodoxes

* **Point culminant** : mont Athos (2 033 m)

* **Particularité** : accès réservé aux moines et aux pèlerins hommes ; interdit aux femmes

* **Curiosités** : 20 monastères orthodoxes, mondialement connus pour leurs fresques et leurs icônes

Fondé en 1366 au-dessus de la mer Égée, le monastère de Dionysiou doit sa renommée mondiale à ses précieuses fresques.

république. La Sainte Communauté (*Hiera Synaxis*), qui regroupe les abbés des vingt monastères, est chargée des affaires législatives. Cet organe a son siège dans la capitale, Karyès. La Sainte Épistasie, organe exécutif composé de quatre moines, exerce également dans cette localité. Son président, le Protos (le Premier), est réélu chaque année. Le représentant de la Grèce dans la république du mont Athos a le statut de gouverneur et dépend du ministère des Affaires étrangères. Avec quelques collaborateurs et représentants de la police, il est responsable du respect de la Constitution du mont Athos, de l'ordre et de la sécurité.

Dans le Jardin de la Vierge Marie – autre nom de la république du mont Athos –, les moines continuent à vivre selon les rigoureux préceptes de la religion orthodoxe. Ainsi, les femmes n'ont toujours pas accès au mont Athos, interdiction que les moines justifient par une référence apocryphe – la Vierge Marie ayant choisi le mont Athos comme jardin pour s'y reposer, elle n'y aurait toléré aucune autre présence féminine. Cette discrimination a fait l'objet de nombreux différends entre la république du mont Athos et l'Union européenne – mais sans résultats à ce jour. Une courte digression s'impose à ce propos : en raison du statut de république autonome du mont Athos, ses citoyens sont exemptés d'impôts – échappant ainsi à la politique fiscale de l'Union européenne. Les règles de l'Union s'arrêtent aux frontières de la république.

Environ 1 700 moines peuplent actuellement les vingt monastères du mont Athos. En 1912, ils étaient 7 000, et aux XIVe et XVIe siècles, environ le double. Les révolutions communistes du XXe siècle ont tari le recrutement. Mais, depuis la levée du Rideau de fer, les couvents accueillent de nouveau des candidats à la vie monastique. L'avenir de la république du mont Athos semble ainsi assuré.

CI-DESSUS De remarquables fresques ornent les couloirs et les murs des monastères.

CI-CONTRE Le monastère de Simonos-Petras a été fondé au XIVe siècle.

BELGIQUE
Atomium

BRUXELLES N'EST PAS SEULEMENT LE SIÈGE DE NOMBREUSES INSTITUTIONS EUROPÉENNES.
LA CAPITALE BELGE, L'UNE DES MÉTROPOLES LES PLUS ATTACHANTES D'EUROPE, CONJUGUE
AVEC SUCCÈS TRADITION ET MODERNITÉ.

À mi-chemin entre sculpture et architecture, l'édifice futuriste de l'Atomium a forgé la nouvelle identité de la capitale belge. Élément phare du paysage bruxellois, l'Atomium a ouvert ses portes sur le plateau du Heysel, à l'occasion de l'Exposition universelle de 1958. L'ingénieur Waterkeyn a voulu ériger la construction en symbole de l'ère atomique et des applications pacifiques de l'énergie nucléaire. De ce concept est née une structure aux gigantesques proportions, reproduction d'une molécule dont les atomes sont figurés par des sphères vouées à des espaces d'exposition.

Bruxelles

L'idée sous-jacente à la construction de l'Atomium fut la représentation d'une molécule cristalline de métal comportant neuf atomes disposés selon la configuration d'un système cubique centré. Cette gigantesque reproduction d'une molécule, agrandie 165 milliards de fois, mesure 102 mètres de hauteur. Autour d'un atome central se regroupent huit atomes, sphères de 18 mètres de diamètre chacune. Agencées sur deux niveaux, elles sont reliées par des tubes de 3,30 mètres de diamètre et 22 à 29 mètres de longueur, figurant les liaisons atomiques et abritant des escalators et des couloirs. Six des neuf sphères sont accessibles au public.

À l'origine, les plans de Waterkeyn prévoyaient de faire reposer l'intégralité de la construction –

CI-CONTRE En 2005-2006, le célèbre Atomium
a fait l'objet d'une importante rénovation.

CI-DESSOUS Les tubes qui relient
les sphères abritent des escalators,
parmi les plus longs d'Europe.

2 400 tonnes – sur le tube central, ancré au sol par une fondation. Mais les spécialistes de la statique estimèrent que ce type de fixation ne suffirait pas à supporter une structure d'un poids aussi phénoménal. Afin d'assurer la sécurité maximale, il fut décidé d'ajouter trois pylônes, ou bipodes, à la base de la structure, pour soutenir les trois sphères inférieures. Malgré leur esthétique peu séduisante, elles remplissent une fonction essentielle sur le plan de la statique.

Le tube central de l'Atomium cache un escalator qui emmène les visiteurs en 25 secondes jusqu'à la sphère du haut, où sont aménagés un restaurant et un point de vue. De cette hauteur, le regard embrasse un panorama exceptionnel – de jour comme de nuit – sur le parc d'expositions du Heysel, mais aussi sur l'ensemble de la capitale belge.

Durant l'Exposition universelle de 1958, tandis que trois des sphères supérieures restaient vides, celle du bas, ainsi que quatre autres, ont accueilli des expositions internationales consacrées aux applications pacifiques de la physique nucléaire.

Le budget de 4,2 millions d'euros, prévu au départ pour la construction de l'Atomium, était largement dépassé à la fin des travaux, atteignant des proportions astronomiques. Cette explosion s'explique à la lumière des détails, coûteux, qui furent ajoutés à la construction dans un souci d'esthétique. Pour créer un ensemble séduisant à l'œil, les sphères furent recouvertes d'un alliage d'aluminium ultrabrillant. Tandis que, pendant la journée, les jeux de lumière et le reflet des espaces du Heysel animent les sphères, l'Atomium offre un tout autre aspect la nuit. Autour des neuf sphères, des armatures circulaires laissent apparaître des points lumineux figurant la rotation des électrons autour des atomes.

Cet agrandissement démesuré d'une molécule de fer contribua incontestablement au prestige des industries métallurgiques belges. Mais par ses dimensions monumentales, la construction livrait également aux visiteurs un message essentiel – l'importance de la recherche atomique. Aujourd'hui, l'Atomium compte parmi les principales attractions touristiques de Bruxelles. Récemment, en 2005-2006, l'édifice a fait l'objet d'une complète restauration – le revêtement des sphères a été rénové et protégé contre les dégradations dues aux nuisances environnementales. Depuis le 18 février 2006, l'Atomium est de nouveau ouvert au public. L'emblème mondialement connu de la capitale belge abrite de remarquables expositions sur des sujets passionnants, comme les techniques nucléaires, la conquête de l'espace, l'astonomie et la météorologie.

CARTE D'IDENTITÉ

* **Nom :** Atomium

* **Situation :** parc Heysel, Bruxelles

* **Fonction :** hall d'exposition

* **Ouverture :** en 1958, à l'occasion de l'Exposition universelle

* **Type de construction :** structure en 3D en acier

* **Concepteur :** André Waterkeyn

* **Hauteur :** 102 m

* **Diamètre des sphères :** 18 m

* **Poids total :** 2 400 tonnes

GRÈCE
Delphes

AU NORD DU GOLFE DE CORINTHE, LE SITE DE DELPHES SE NICHE SUR UN VERSANT DU PARNASSE,
CULMINANT À 2457 MÈTRES. DANS CE LIEU JADIS APPELÉ « NOMBRIL DU MONDE », DIRIGEANTS
ET CITOYENS ORDINAIRES VENAIENT CONSULTER LE LÉGENDAIRE ORACLE.

Dès le IIe millénaire av. J.-C., le site de Delphes était un important lieu de culte, où l'on vénérait la déesse de la Terre, Gaïa. Au VIIIe siècle av. J.-C. s'imposa le culte d'Apollon, tandis que le légendaire oracle de Delphes gagnait en popularité. La construction du temple d'Apollon fut entreprise vers 548 av. J.-C. Le prestige de l'oracle assura bientôt le rayonnement de Delphes dans l'ensemble du monde grec.

Selon la tradition, c'est Zeus qui fut à l'origine de la prospérité de Delphes. Un jour, il décida de faire mesurer la Terre et dépêcha deux aigles depuis les deux bords du disque terrestre pour déterminer son

centre. L'endroit où les oiseaux se rencontrèrent devint le nombril (*omphalos*) de la Terre. C'était au pied du mont Parnasse, où surgirait bientôt la cité de Delphes.

Au cours des siècles qui suivirent, Delphes fut ravagée à diverses reprises par les catastrophes naturelles et les guerres. Mais les temples et les maisons renaissaient toujours de leurs cendres. Les fonds nécessaires à la reconstruction provenaient des offrandes et des taxes payées à l'oracle – sources de revenus très lucratives à l'époque.

L'oracle de Delphes était inspiré par Apollon. Selon la légende, Apollon se serait emparé du sanctuaire de la déesse Gaïa après avoir tué le fantastique serpent Python, né de la Terre. Son sang s'infiltra dans le sol et

La célèbre *tholos*, rotonde de marbre jouxtant le sanctuaire d'Athéna Pronaïa, date du IVᵉ siècle av. J.-C. Trois des vingt colonnes doriques d'origine ont été reconstruites.

AU MILIEU L'amphithéâtre pouvait accueillir cinq mille personnes.

EN BAS Les épreuves sportives des jeux Pythiques se déroulaient dans le stade construit à cet effet.

transmit ses pouvoirs surnaturels au site de Delphes. La pythie, intermédiaire entre le dieu et les hommes, fut placée sous la protection d'Apollon. Elle était la seule femme à pouvoir pénétrer dans le temple, où elle officiait sur un trépied placé au-dessus de la pierre sacrée marquant l'emplacement de l'*omphalos*. Elle répondait aux questions qui étaient déposées par les consultants dans une coupe transmise par les prêtres. On prétend que ses pouvoirs étaient dus aux émanations qui sortaient d'une faille dans le sol du temple d'Apollon. Sous l'effet de ces vapeurs, mêlé à celui d'un breuvage sacré, la Pythie entrait dans un état de transe qui lui permettait de formuler des prophéties. Les conseils et prédictions, souvent ambigus ou incohérents pour le commun des mortels, étaient interprétés et transmis par les prêtres d'Apollon. Avant de prendre des décisions importantes, les dirigeants grecs consultaient souvent l'oracle de Delphes, qui eut ainsi une influence déterminante sur la vie politique de l'empire. La consultation de l'oracle ne fut interdite – ainsi que tous les cultes païens – qu'en 394 par l'empereur Théodose Iᵉʳ.

À partir de 586 av. J.-C., les Pythia, ou jeux Pythiques, furent célébrés tous les quatre ans à Delphes en l'honneur d'Apollon. Ils rivalisaient par leur importance avec les jeux Olympiques. Au départ, ils comportaient uniquement des concours musicaux – des chants au son de la cithare –, auxquels s'ajoutèrent ensuite des épreuves sportives, des courses de chars et de chevaux. C'est pour les épreuves musicales que fut bâti le gigantesque amphithéâtre de Delphes, offrant une capacité d'accueil de cinq mille places. Les épreuves sportives se déroulaient dans le stade construit à cet effet.

La prestigieuse cité de Delphes sombra ensuite dans l'abandon et dans l'oubli. C'est seulement en 1893 que le site fut redécouvert par des archéologues français. Du temple d'Apollon, au centre du site, ne subsistent aujourd'hui que dix des trente-huit colonnes doriques d'origine. Au-dessus, le visiteur peut admirer les vestiges de l'amphithéâtre et, un peu plus haut, ceux de l'immense stade. Trois colonnes de la célébrissime *tholos*, rotonde de marbre située près des ruines du sanctuaire d'Athéna Pronaïa, ont été reconstruites. À proximité, la fontaine Castalie était un endroit sacré, où venait se purifier la pythie. Les pèlerins et les participants aux Jeux s'y lavaient également les mains et les pieds. Selon la tradition, son eau, qui provenait du mont Parnasse, séjour des Muses, prodiguait l'inspiration poétique à ceux qui la buvaient.

FRANCE
Tour Eiffel

LE PAYSAGE PARISIEN PARAÎT INCONCEVABLE SANS LA GRACIEUSE SILHOUETTE DE LA TOUR EIFFEL,
POINT D'ORGUE DE L'EXPOSITION UNIVERSELLE DE 1889. DEPUIS SON INAUGURATION, SON SUCCÈS
NE S'EST PAS DÉMENTI. POUR LE MONDE ENTIER, ELLE DEMEURE LE SYMBOLE INCONTESTÉ DE PARIS.

C'est à son constructeur, l'ingénieur Gustave Eiffel, que la tour doit son nom. Sa construction, entreprise le 8 janvier 1887, s'acheva le 31 mars 1889 pour l'Exposition universelle organisée à l'occasion du centenaire de la Révolution française. La tour, qui mesurait 300 mètres à l'origine, atteint désormais 324 mètres, du fait de l'installation d'antennes. En 1889, la tour Eiffel était le monument le plus élevé du monde – et le resta jusqu'à la construction du Chrysler Building à New York en 1930. Ses quatre « jambes » reposent sur quatre fondations en béton, installées à quelques mètres sous le niveau du sol sur une couche de gravier compact. Le reste de la structure est entièrement réalisé en fer puddlé, qualité de fer qui a assuré jusqu'à présent la solidité de la construction. Les pièces métalliques ont été fabriquées dans les ateliers de Gustave Eiffel puis assemblées sur le chantier du Champ-de-Mars.

La tour Eiffel se compose de 18 038 pièces métalliques qui ont été façonnées par une centaine d'ouvriers, puis montées sur le chantier par 150 à 300 ouvriers, avec 2 500 000 rivets. Cette technique, révolutionnaire à l'époque, offrait l'avantage de limiter le rivetage sur le chantier à un tiers du total. La conception de la tour Eiffel repose sur le choix de la poutre en treillis comme élément essentiel. Sa construction ne dura que deux ans,

Paris

✳ Nom : tour Eiffel

✳ Fonction : tour de communications, attraction touristique

✳ Date de construction : janvier 1887-mars 1889

✳ Architecte : Stephen Sauvestre

✳ Constructeur : Gustave Eiffel (1832-1923), principaux ouvrages : pont Maria Pia, Porto ; viaduc de Garabit ; ossature de la statue de la Liberté, New York, tour Eiffel

✳ Ingénieurs : Maurice Koechlin et Émile Nouguier

✳ Type de construction : poutre en treillis

✳ Hauteur : 300,65 m (324 m avec antenne)

✳ Poids de la charpente métallique : 7 300 tonnes

✳ Poids total, avec fondations : env. 10 100 tonnes

✳ Plates-formes panoramiques : 3 (à 57 m, 115 m et 276 m de hauteur)

✳ Marches : 1 665

L'élégante silhouette de la tour Eiffel prend des allures féériques la nuit, lorsqu'elle se pare de mille feux.

temps record pour l'époque – cinq mois de travaux pour les fondations et vingt et un pour le montage des pièces sur le chantier. Lors de l'ouverture de l'Exposition universelle, la tour Eiffel fit sensation. Son imposante présence et le succès populaire qu'elle remporta mirent rapidement un terme aux polémiques qui étaient nées autour du projet. Son constructeur avait accompli un exploit en associant avec succès une technique de construction classique, la poutre à treillis, et une méthode d'assemblage moderne. Au départ, il avait été prévu de démonter la tour en 1909. Mais elle révéla bientôt ses atouts dans le domaine de la communication – elle servit aux premiers essais de radio et de télévision – et depuis, elle fait partie intégrante du paysage parisien.

Depuis sa construction, la tour Eiffel a été repeinte dix-sept fois. Les 200 000 mètres carrés de la structure de fer nécessitent l'emploi d'environ 60 tonnes de peinture. Vingt-cinq peintres sont employés sur le chantier d'une durée de quinze mois, pour lequel ils utilisent 1 500 brosses, 5 000 disques abrasifs et 1 500 tenues de travail. Pour assurer la sécurité dans les hauteurs vertigineuses, il faut 50 kilomètres de cordes de sécurité et environ 20 hectares de filets de protection. L'opération revient à environ 3 000 000 euros. Après avoir été peinte en brun-rouge, puis en ocre jaune, la tour Eiffel décline aujourd'hui trois nuances de bronze – la plus claire au sommet, la plus foncée à la base. Gustave Eiffel baptisa sa création la « tour de 300 mètres ». C'est à ses détracteurs que revient le nom de tour Eiffel. Pendant longtemps, l'audacieuse construction suscita de vives réactions et des critiques acerbes. Mais au fil du temps, la tour et son nom ont eu raison de la contestation et des peurs.

Après avoir accueilli deux millions de visiteurs en 1889, la tour Eiffel en reçoit depuis six millions par an. Depuis sa construction, plus de 200 millions de personnes ont visité la Grande Dame.

CI-DESSUS Affiche pour l'Exposition universelle de 1889.

CI-CONTRE La tour Eiffel a été montée avec 18 038 pièces préfabriquées en fer puddlé.

ROYAUME-UNI/IRLANDE DU NORD
Chaussée des Géants

IL Y A PLUS DE 50 MILLIONS D'ANNÉES, LES FORCES DE LA NATURE ONT CRÉÉ L'UNE DES PLUS CÉLÈBRES CURIOSITÉS NATURELLES D'EUROPE : LA SPECTACULAIRE CHAUSSÉE DES GÉANTS SE COMPOSE DE QUELQUE QUARANTE MILLE COLONNES DE BASALTE.

Chaussée des Géants

C'est au géant Finn MacCumhaill, ou Finn McCool, que la mythologie irlandaise attribue la création de la Chaussée des Géants. La légende la plus répandue raconte que celui-ci était épris de la fille du géant qui vivait à Staffa, dans les îles Hébrides, face à l'Irlande du Nord. Pour éviter à sa bien-aimée de se mouiller les pieds lorsqu'il la ramènerait en Irlande, il construisit la chaussée avec d'énormes blocs de basalte. Un jour, il kidnappa la jeune fille et s'enfuit avec elle par la chaussée en direction d'Antrim. Mais son ennemi, le géant Benandonner, qui convoitait la main de la jeune fille, se lança sur les traces du couple, afin de se venger de Finn MacCumhaill. Celui-ci eut alors recours à un stratagème pour échapper à son rival. Il se déguisa en nourrisson et s'allongea dans le berceau de son nouveau-né. Lorsque le vindicatif géant Benandonner pénétra dans la demeure du couple, la ravissante épouse expliqua que le bébé était né de son union avec Finn MacCumhaill. Benandonner fut alors saisi d'effroi : à quoi pouvait bien ressembler le géant qui avait conçu un bébé aux proportions aussi démesurées ? En proie à la panique, Benandonner prit ses jambes à son cou et s'enfuit vers l'Écosse en empruntant à son tour la Chaussée des Géants, qu'il cassa en mille morceaux. Les incroyables vestiges de la Chaussée seraient les témoins silencieux

CI-CONTRE Le géant Benandonner s'enfuit un jour par cette chaussée.

CI-DESSOUS L'agencement géométrique des colonnes de basalte résulte de la contraction de la lave lors de son refroidissement.

du conflit qui opposa jadis les deux géants. Voilà pour la version légendaire et romantique de la formation de la Chaussée des Géants. Les géologues, quant à eux, proposent une explication scientifique, rationnelle, sur l'origine de ce phénomène naturel.

Il y a plus de 60 millions d'années, lorsque les plaques européenne et nord-américaine commencèrent à dériver, le nord de l'Europe connut une activité volcanique intense. Le long d'une ligne située à l'ouest de l'Écosse et au nord-est de l'Irlande, l'écorce terrestre se fractura en plusieurs endroits sous l'effet des mouvements tectoniques. De la lave en fusion fit irruption à travers ces fissures dans le paysage de calcaire. Puis les coulées de lave se solidifièrent en refroidissant, et la contraction thermique de la lave créa sa fracturation en colonnes. Ainsi s'est formé au cours d'environ deux millions d'années le plateau d'Antrim, le plus important plateau de lave existant en Europe, couvrant une superficie de 3 800 kilomètres carrés.

Plus de quarante mille colonnes de basalte composent la Chaussée des Géants, qui longe la côte sur environ 5 kilomètres à partir d'Antrim avant de se jeter dans la mer. Les colonnes présentent entre quatre et huit faces, la plupart étant hexagonales. Les plus grandes colonnes dépassent 12 mètres de hauteur, certaines atteignant jusqu'à 25 mètres d'épaisseur. La tradition inspirée de la légende des géants Finn et Benandonner a attribué des noms très évocateurs à certaines formations. Ainsi, au promontoire de Chimney Tops, l'érosion a façonné les piliers revêtant la forme de cheminées fantastiques. En découvrant l'Orgue des Géants, le visiteur croit voir devant ses yeux les tuyaux surdimensionnés d'un orgue démesuré. Quant à la Botte du Géant, elle laisse perplexe quant à la taille des chaussures que portait Finn MacCumhaill…

Lorsque les émissions de lave parvinrent à leur terme, un climat subtropical régnait dans le nord-est de l'Irlande. Le vent et l'eau sculptèrent le relief, laissant apparaître de la latérite, de couleur rouge brique. Ici et là, le long de la côte, des lacs ont été créés par de petites éruptions qui ont déposé de la lave dans des dépressions.

Depuis longtemps, le site fantastique de la Chaussée des Géants offre des lieux de nidification privilégiés et des habitats de choix à nombre d'oiseaux marins. D'importantes colonies de fulmars, fous de Bassan et pigeons bisets peuplent les rochers qui jalonnent la côte. Les grèbes, martins-pêcheurs, huîtriers, cormorans et eiders évoluent à loisir dans les baies.

CARTE D'IDENTITÉ

✳ **Date de formation** : il y a env. 60 millions d'années

✳ **Nombre de colonnes de basalte** : plus de 40 000

✳ **Hauteur maximale** : 12 m

✳ **Largeur maximale** : 25 m

✳ **Principales curiosités** : Chimney Tops, Giant's Organ, Giant's Boot

PORTUGAL
Monastère des Hiéronymites

« UN CHEF-D'ŒUVRE DE PIERRE, QUE CHACUN DE NOUS DEVRAIT VOIR ET NE JAMAIS OUBLIER. »
C'EST EN CES TERMES QUE LE POÈTE PORTUGAIS FERNANDO PESSOA (1888-1935) ÉVOQUE
LE CLOÎTRE DU MONASTÈRE DES HIÉRONYMITES À LISBONNE.

L e poète rend justice à l'imposant monastère qui se dresse dans la capitale portugaise, véritable chef-d'œuvre architectural. La construction du couvent avait été promise par le roi Manuel Ier (1469-1521) pour commémorer l'expédition de Vasco de Gama dans le Nouveau Monde – à condition toutefois que le voyage soit un succès. Et, afin que le célèbre navigateur puisse retrouver facilement son port d'attache, le monarque fit élever à l'embouchure du Tage une tour défensive, qui servait également de phare : la tour de Belém.

Au début du XVIe siècle, le Portugal est à l'apogée de sa puissance. De célèbres

Lisbonne

navigateurs, tels Vasco de Gama et Pedro Álvares Cabral, sillonnent les mers du monde entier. L'estuaire du Tage est la porte de ce nouveau monde. Le roi Manuel Ier – le Fortuné – gouverne alors le pays. S'il n'excelle guère dans l'art de la diplomatie, il est avide de puissance et de grandeur – ambitions qui dominent sa vie. Il rêve d'un monde sous hégémonie portugaise, vision qui en fera l'un des plus grands bâtisseurs de son époque.

En 1515, il fait ériger la tour de Belém (Torre de Belém), à l'embouchure du Tage – par où les navigateurs quittent le port de Lisbonne, et par où ils reviennent au terme de leurs fructueux voyages. Manuel Ier conçoit la tour de Belém comme un phare, à savoir un

Le cloître du monastère des Hiéronymites revendique sa place parmi les plus beaux du monde.

repère lumineux devant guider les navigateurs vers le port. Mais la tour doit aussi remplir une autre fonction : celle d'une structure défensive à l'entrée du port de la capitale portugaise – un symbole de puissance, pour dissuader les pirates qui sévissent le long de la côte et pillent les navires des conquérants, chargés de précieuses denrées.

Manuel Ier confie la construction et la décoration de la tour aux meilleurs maîtres d'œuvre et tailleurs de pierre de l'époque. Les uns et les autres élèvent une construction qui répond aux besoins militaires, mais qui satisfait également les goûts artistiques du puissant monarque. De cette volonté naîtra un bâtiment à vocation militaire, dont l'architecture austère s'harmonise à la perfection avec une ornementation nourrie d'éléments étrangers.

L'autre monument commandité par Manuel Ier, le monastère des Hiéronymites (Mosteiro dos Jeronimos), se distingue par son architecture singulière, sans équivalent dans le monde. Vasco de Gama étant revenu de son voyage en Inde avec une cargaison de précieuses épices, le roi Manuel Ier ordonna la construction du monastère de Hiéronymites sur la rive du Tage, près de la tour de Belém. Les fonds nécessaires à cette entreprise ambitieuse proviennent de la lucrative vente des épices rapportées au roi.

Les maîtres d'œuvre de Manuel, inspirés par les œuvres d'art des pays d'Orient, créent un remarquable chef-d'œuvre de pierre. Il sera à l'origine d'un nouveau style architectural, le style manuélin, qui restera spécifique au pays qui l'a produit. C'est principalement dans le cloître, l'un des plus beaux du monde, que s'exprime le génie de cette esthétique.

L'écrivain allemand Reinhold Schneider (1903-1953) l'a décrite en des termes chargés d'émotions : « En bas, des arches largement ouvertes, presque plates, reposent sur de puissants piliers ; en haut, l'imagination se débride à l'intérieur des arches, créant d'autres arches qui semblent voler au-dessus des colonnes ouvragées. Partout, l'ornementation se déploie dans un foisonnement ensorcelant, tantôt harmonieux, tantôt exubérant. Animaux gothiques, couronnes et frises de la Renaissance, arabesques de style maure, végétaux indiens fusionnent en un merveilleux ensemble commémorant les expéditions maritimes à l'origine de ces merveilles. »

AU MILIEU **Le monastère des Hiéronymites symbolise la puissance portugaise à son apogée.**

EN BAS **La cour intérieure et le cloître du monastère des Hiéronymites.**

ALLEMAGNE
Cathédrale de Cologne

À COLOGNE, LA VIE S'ORDONNE AUTOUR DE LA CATHÉDRALE, QUI DRESSE SES FLÈCHES OUVRAGÉES AU CŒUR DE LA VILLE. JUSQU'EN 1889, ELLE ÉTAIT L'ÉDIFICE LE PLUS ÉLEVÉ DU MONDE ET, AUJOURD'HUI, SA HAUTEUR LUI VAUT LA TROISIÈME PLACE PARMI LES CATHÉDRALES GOTHIQUES.

Le prestigieux édifice sacré porte officiellement le nom de cathédrale Saint-Pierre-et-Marie, mais il est connu dans le monde entier sous celui de cathédrale de Cologne, et comme un merveilleux exemple d'architecture gothique. Ses 157 mètres de hauteur en font la deuxième église la plus élevée d'Allemagne et la troisième du monde. La grandiose façade ouest, dominée par les deux flèches visibles à des kilomètres à la ronde, couvre une superficie de plus de 7 000 mètres carrés – un record mondial à ce jour ! Ce fleuron de l'architecture sacrée se distingue par son histoire tourmentée.

Cologne

Dès la fin de l'époque romaine, la place qui accueille aujourd'hui la cathédrale sert de lieu de rassemblement aux chrétiens. C'est ce site qu'ils éliront plus tard pour ériger leur premier édifice sacré. Au IXe siècle, une église carolingienne voit le jour à cet endroit. Cette « ancienne cathédrale », consacrée en 873, subsistera jusqu'au XIIIe siècle, et la nouvelle cathédrale, de style gothique, sera bâtie à l'emplacement de ce premier sanctuaire.

En 1164, le nouvel archevêque de Cologne, Rainald de Dassel, apporte à la ville les reliques des Rois mages. Elles lui ont été remises par l'empereur germanique Frédéric Ier Barberousse (1155-1190), qui s'en est emparé en assiégeant la ville de Milan. Pour

La magnifique nef centrale se distingue par ses dimensions monumentales – 144 mètres de longueur et 43 mètres de hauteur.

abriter les ossements sacrés, l'archevêque fait construire une châsse en or, qui deviendra le plus important reliquaire de l'Occident.

La célèbre châsse attire bientôt à Cologne des pèlerins venus du monde entier, et la cathédrale se révèle rapidement trop exiguë pour accueillir le flot de visiteurs. Ainsi voient le jour, en 1225, les plans pour la construction d'une nouvelle cathédrale de plus grandes dimensions. Inspirée des cathédrales de Paris, d'Amiens et de Reims, elle sera la première église gothique de Rhénanie. Le 15 août 1248, la première pierre est posée. Mais, dès 1288, les travaux sont suspendus. Ce n'est que trente-quatre ans plus tard, en 1322, que le chœur sera consacré.

En 1410, la tour sud atteint le deuxième étage. Mais, vers 1530, le manque de moyens financiers et d'intérêt pour le projet, entrepris trois cents ans auparavant, aboutit à l'arrêt du chantier. Seule la nef centrale sera fermée par un toit, par nécessité. Les travaux sont de nouveau suspendus pendant trois cents ans. En 1794, suite à l'occupation de la ville par les troupes françaises, l'archevêque et les membres du chapitre s'enfuient. Les forces d'occupation prennent le contrôle administratif de la ville et utilisent la cathédrale

comme écurie et grenier à grains. Ce n'est qu'au XIXᵉ siècle qu'elle retrouvera sa vocation d'origine.

À droite de l'entrée principale de la cathédrale, une pancarte en émail bleu portant l'inscription « Domkloster 4 » témoigne encore de la présence française. La cathédrale de Cologne est la seule église du monde portant un numéro. À l'époque de l'occupation française, les habitations n'étaient pas numérotées à Cologne, et pour pouvoir mieux se repérer dans la ville, les Français attribuèrent des numéros aux bâtiments. La cathédrale reçut également un autre

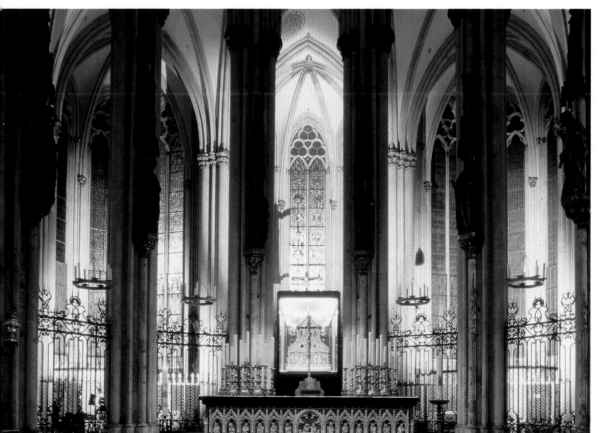

CI-DESSUS Les deux tours de la façade ouest.

CI-CONTRE Vue du chœur. La châsse en or abrite les reliques des Rois mages.

L'entrée principale de la cathédrale de Cologne déploie une riche ornementation.

numéro – 2583 1/2 –, en rapport avec les impôts. Les deux derniers chiffres – 1/2 – indiquaient qu'il s'agissait d'un bâtiment public et, qu'à ce titre, elle était exemptée d'impôts. En revanche, le sacristain ne l'était pas – son logis était désigné sous le numéro 2583.

En 1814 et 1816, la découverte fortuite, à Darmstadt et à Paris, des plans de la cathédrale, portés disparus, relance la construction. Le roi de Prusse Frédéric Guillaume IV et l'archevêque Johannes von Geissel orchestreront cette nouvelle étape du chantier, qui débutera le 4 septembre 1842. La pose de la première pierre a lieu en présence du roi de Prusse, qui exprimera son intérêt pour l'entreprise en des termes on ne peut plus enthousiastes : « Ici, à l'emplacement de cette première pierre, là-bas, à l'emplacement de ces tours, s'élèveront les plus belles portes du monde. »

Le financement des travaux est assuré par l'État prussien et l'association des Amis de la cathédrale, qui regroupe des citoyens résolus à rassembler les fonds nécessaires à la poursuite et à l'achèvement de l'édifice. Dans la ville, mais aussi dans l'ensemble du pays, les bienfaiteurs expriment leur soutien inconditionnel au projet par le biais de souscriptions.

Le 15 octobre 1880, la cathédrale de Cologne est enfin achevée, au terme d'un chantier qui aura duré plus de six cents ans. Après la découverte des plans initiaux, en l'absence de ligne architecturale définie avec précision, les constructeurs du XIXe siècle ont décidé d'achever la cathédrale selon les plans du XIVe siècle. La cathédrale de Cologne est donc un édifice gothique, même si elle a été en partie érigée avec les techniques du XIXe siècle, comme par exemple une charpente en poutres métalliques, et non pas en bois. Pendant la Seconde Guerre mondiale, l'édifice a été gravement endommagé par les bombardements aériens. C'est à l'intérieur que les quatorze bombes ont provoqué le plus de dégâts, mais la charpente métallique a résisté.

La cathédrale de Cologne, principal lieu de culte de l'archevêché, ne se contente pas de déployer ses richesses architecturales à l'extérieur. En effet, l'intérieur offre également une merveilleuse illustration du style gothique. Le chœur, avec ses cent quatre stalles de la fin du Moyen Âge richement sculptées, est le plus imposant d'Allemagne. Il présente une particularité notable : deux stalles sont réservées respectivement au pape et à l'empereur.

CHRONOLOGIE

* **1164** : remise des reliques des Rois mages à l'archevêque

* **1180-1230** : construction de la châsse des Rois mages, le plus grand reliquaire de l'Occident

* **15 août 1248** : pose de la première pierre de la cathédrale

* **vers 1311** : construction du plus grand chœur d'Allemagne, avec 104 stalles (dont une pour l'empereur et une pour le pape)

* **1322** : consécration du chœur

* **vers 1355** : début de la construction des deux tours

* **1814** : découverte d'une partie des plans de la façade ouest

* **1816** : découverte du reste des plans de la façade ouest

* **1842** : reprise des travaux

* **15 octobre 1880** : achèvement de la construction au terme d'un chantier de 632 ans

* **1939-1945** : graves dégâts pendant la Seconde Guerre mondiale

* **1996** : classement au patrimoine mondial de l'Unesco

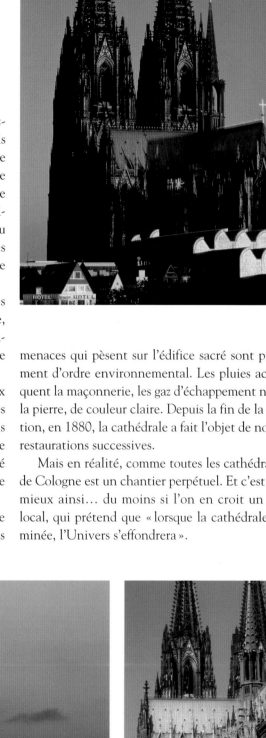

L'imposante masse de la cathédrale de Cologne domine le musée Ludwig.

La châsse en or des Rois mages (*Dreikönigsschrein*), dans laquelle reposent les reliques des trois Sages de l'Orient, est le plus prestigieux reliquaire d'Occident. Sa construction débuta en 1181 pour se terminer en 1220. Chaque année, des centaines de milliers de fidèles affluent vers Cologne pour se recueillir devant ce précieux joyau architectural. La salle du Trésor, qui regroupe de nombreux objets liturgiques d'or et d'argent – dont la crosse de saint Pierre –, se trouve sous la sacristie.

Le clocher de la cathédrale abrite huit énormes cloches. La plus grande, celle dédiée à saint Pierre, fut ajoutée au carillon en 1924. Cette cloche de 24 tonnes était, à l'époque de son installation, la plus grosse cloche à libre battant du monde.

La grandiose cathédrale possède également deux orgues, qui ont été restaurées récemment et sont dotées d'une console commune. Un instrument situé dans la nef centrale, et placé en nid d'hirondelle, possède trois claviers et cinquante-trois jeux. Un autre, placé en tribune à l'angle de la nef et du transept, possède quatre claviers et quatre-vingt-six jeux.

Depuis 1996, la cathédrale de Cologne est classée au patrimoine mondial de l'Unesco. Aujourd'hui, les menaces qui pèsent sur l'édifice sacré sont principalement d'ordre environnemental. Les pluies acides attaquent la maçonnerie, les gaz d'échappement noircissent la pierre, de couleur claire. Depuis la fin de la construction, en 1880, la cathédrale a fait l'objet de nombreuses restaurations successives.

Mais en réalité, comme toutes les cathédrales, celle de Cologne est un chantier perpétuel. Et c'est peut-être mieux ainsi… du moins si l'on en croit un proverbe local, qui prétend que «lorsque la cathédrale sera terminée, l'Univers s'effondrera».

CI-DESSUS Le transept de la cathédrale atteint près de 70 mètres de hauteur.

CI-CONTRE Vue de nuit sur le centre de Cologne avec, à droite, la cathédrale, à gauche, l'église Saint-Martin.

ITALIE
Colisée

LE COLISÉE FUT LE PLUS GRAND AMPHITHÉÂTRE ET LE PLUS IMPORTANT ÉDIFICE FERMÉ
DE L'EMPIRE ROMAIN. IL POUVAIT ACCUEILLIR SOIXANTE MILLE SPECTATEURS, QUI VENAIENT
ASSISTER AUX COMBATS DE GLADIATEURS OU DE FAUVES ET AUX NAUMACHIES.

Bien qu'endommagé par les tremblements de terre et les pilleurs, le Colisée a une place de choix parmi les plus beaux monuments de la Ville éternelle. C'est seulement au VIIᵉ siècle apr. J.-C. qu'il a reçu son nom, *Colosseum*, dérivé de la statue colossale de Néron qui se dressait à proximité immédiate. Ce gigantesque édifice offre un précieux témoignage de la grandeur de l'Empire romain, du talent de ses architectes et maîtres d'œuvre, mais aussi de la prédilection des Romains pour les divertissements et les spectacles cruels.

C'est l'empereur Vespasien qui, en 72, initie la construction de l'amphithéâtre. Le

projet sera financé par le pillage du temple de Jérusalem en 70. L'amphithéâtre Flavium – selon sa dénomination originelle – sera achevé en 80 par Titus, fils de Vespasien, après la mort de ce dernier. Il comprend trois ordres d'étages totalisant chacun quatre-vingt voûtes. L'étage inférieur est traité dans le style dorique, celui du milieu dans le style ionique, celui du haut dans le style corinthien. C'est à Titus que revient l'ajout d'un étage supplémentaire aux murs massifs, percé d'ouvertures rectangulaires. Les murs sont montés en travertin à l'extérieur ; en brique et en tuf, à l'intérieur.

L'inauguration de l'amphithéâtre, en l'an 80, est marquée par des festivités qui durent une centaine de jours – combats de gladiateurs, naumachies (combats

Cette reconstitution de la Rome antique est dominée, au centre, par la gigantesque ellipse de l'amphithéâtre Flavium, ou Colisée.

CARTE D'IDENTITÉ

- **✱ Nom :** Colisée
- **✱ Hauteur :** 48 m
- **✱ Longueur :** 188 m
- **✱ Largeur :** 156 m
- **✱ Hauteur des fondations :** 12 m
- **✱ Longueur de l'arène :** 86 m
- **✱ Largeur de l'arène :** 54 m
- **✱ Entrées :** 80
- **✱ Rangées de sièges :** 50
- **✱ Places assises :** 50 000
- **✱ Places debout :** 10 000

navals) et combats de fauves –, au cours desquels plus de cinq mille animaux trouveront la mort. Le monument, de forme elliptique, mesure 188 mètres de longueur, 156 mètres de largeur, 48 mètres de hauteur et 527 mètres de circonférence. Ses gigantesques proportions permettent d'accueillir près de 60 000 spectateurs, qui accèdent à leur place par plus de 80 entrées et un labyrinthe d'escaliers et de galeries. Aujourd'hui encore, cet agencement intérieur sert de modèle dans la construction des infrastructures sportives. L'arène proprement dite mesure 54 mètres de largeur et 86 mètres de longueur. Le parti pris architectural de la forme elliptique avait pour but d'empêcher les gladiateurs et les animaux de se réfugier dans les angles. Le sol de l'arène est recouvert de madriers qui peuvaient être retirés lorsqu'elle devait être transformée en bassin pour accueillir les combats navals. Des cages et des trappes avaient été aménagées ultérieurement dans le sous-sol, ainsi qu'une machinerie élaborée permettant, grâce à un ingénieux système de palans et de treuils, d'installer les décors sur le podium pour les spectacles.

« Du pain et des jeux », *panem et circenses* – c'est à cette revendication du peuple romain que répondent les empereurs en construisant le Colisée. Citoyens et dirigeants partagent une même prédilection pour les divertissements placés sous le signe de la cruauté. Le nombre de gladiateurs et d'animaux qui laisseront leur vie dans le sable de l'arène pour le plaisir du peuple romain est difficile à évaluer. En 404 se manifestent les premières oppositions aux jeux : le moine Télémaque descend dans l'arène et proteste avec véhémence contre le spectacle sanglant qui se déroule sous ses yeux. Mais Télémaque est lapidé dans l'arène, et ses cris ne sont pas entendus. C'est seulement en 523 que prendront fin les combats contre les fauves et les combats de gladiateurs.

Dès lors, le Colisée amorce son déclin. Au VIIᵉ siècle, le moine et écrivain Beda écrit : « Tant qu'existera le Colisée, Rome subsistera. La fin du Colisée signera celle de Rome. La fin de Rome, celle du monde entier. » Mais la chute est impossible à enrayer. Au cours des siècles qui suivent, des tremblements de terre et des citoyens en quête de matériaux de construction endommagent progressivement l'amphithéâtre. Au XVᵉ siècle, le pape Nicolas V se sert lui aussi sans vergogne dans la carrière publique – il fait transporter 2 500 cargaisons de pierre pour la construction des édifices du Vatican.

AU MILIEU Les murs extérieurs du Colisée étaient montés en travertin.

EN BAS Jusqu'en 523 apr. J.-C., les combats de gladiateurs comptèrent parmi les divertissements cruels qui avaient la faveur des Romains.

RUSSIE
Kremlin et place Rouge

LES RUSSES ONT ENTRETENU DE TOUT TEMPS UNE RELATION PRIVILÉGIÉE AVEC LA MÉTROPOLE
ARROSÉE PAR LA MOSKOVA. SI, DES SIÈCLES DURANT, SAINT-PÉTERSBOURG REVENDIQUA
LE STATUT DE CAPITALE, LE CŒUR DE LA RUSSIE A TOUJOURS BATTU À MOSCOU.

Moscou a autant attiré les tsars que les bol-chévistes ou les démocrates. À partir du XIVe siècle, la ville a été le centre de l'Empire russe, et le Kremlin, la résidence des tsars. À partir de 1917, les « tsars rouges » ont gouverné du Kremlin pendant plus de soixante-dix ans. Depuis 1991, le Kremlin est le siège du gouvernement russe.

« La ville est dominée par le Kremlin, et le Kremlin par Dieu », c'est ce qu'affirme un vieux proverbe moscovite. L'origine du Kremlin remonte à 1147, avec la construction d'un modeste pavillon de chasse, au bord de la Moskova, par le prince de Souz-

Moscou

dal Iouri Dolgorouki. Ce bâtiment sans prétentions donnera naissance, plusieurs siècles après, à l'un des ensembles architecturaux les plus remarquables du monde, et à l'un des plus importants sièges du pouvoir politique.

Depuis le XVe siècle, l'ancienne forteresse des tsars est ceinturée par une muraille de brique rouge de 19 mètres de hauteur et de 7 mètres de largeur. Dominant la rive gauche de la Moskova, elle se déroule sur près de 2,5 kilomètres de longueur, abritant d'imposants édifices. Les plus anciens sont la cathédrale de la Dormition ou de l'Assomption (1489), avec son mur de 16 mètres de hauteur orné d'icônes ; le palais à Facettes (1491), premier bâtiment séculier, réservé

CARTE D'IDENTITÉ

* **Nom** : Kremlin

* **Fonction** : siège du gouvernement russe

* **Monuments** : muraille et ses 19 tours (XVᵉ s.), cathédrale de la Dormition ou de l'Assomption (1479), église de la Déposition-de-la-Robe-de-la-Vierge (1486), cathédrale de l'Annonciation (1489), palais des Facettes (1491), clocher d'Ivan-le-Grand (1508), église des Douze-Apôtres, palais des Patriarches et des Térems (XVIIᵉ s.), palais des Armures (1737), Sénat (1787), Grand Palais du Kremlin (1839-1850)

* **Le Kremlin, la place Rouge, la cathédrale Basile-le-Bienheureux et le mausolée de Lénine** sont inscrits au patrimoine de l'Unesco depuis 1990

Récemment encore, la garde d'honneur marchait au pas de l'oie devant le mausolée de Vladimir Ilitch Oulianov, alias Lénine, « père de l'Union soviétique ».

aux réceptions officielles ; le clocher d'Ivan-le-Grand, qui est le plus haut édifice ancien de Moscou, avec ses 80 mètres de hauteur (1508), et dont l'une des cloches sonnait trois fois pour la mort du tsar ; la cathédrale de l'Archange-Michel (1509) ; et, enfin, le Grand Palais du Kremlin, érigé en onze ans, entre 1839 et 1850. À l'intérieur, une mention particulière revient aux salles d'apparat Saint-Vladimir et Saint-Georges, dont les somptueux décors servaient de cadre aux réceptions. En 1917, les communistes prirent possession du Kremlin, dont ils surmontèrent les tours d'étoiles rouges monumentales.

Le Kremlin ouvre sur la place Rouge, l'une des plus célèbres places du monde avec ses 500 mètres de longueur et 150 mètres de largeur. Elle ne doit pas son nom au sang qui a coulé à son emplacement, ni aux « tsars rouges » qui ont occupé le Kremlin. En Russie, la couleur rouge est le symbole de la beauté. Jusqu'au XVIIᵉ siècle, la « belle place » était envahie de maisons. Au pied de la muraille du Kremlin s'alignent les tombeaux d'éminentes personnalités russes, comme par exemple Joseph Staline et Iouri Gagarine. Parmi les plus célèbres figure le mausolée de Lénine, en granit rose et labradorite noir. Il abrite le corps embaumé de Vladimir Ilitch Oulianov, alias Lénine

– l'un des fondateurs du socialisme scientifique et « père de l'Union soviétique ».

Le monument phare de la place Rouge reste la cathédrale Basile-le-Bienheureux, rehaussée de neuf bulbes multicolores surmontés de la croix orthodoxe – symbole de foi et de victoire sur le mal et le péché. Les troupes d'Ivan le Terrible durent affronter les hordes sauvages des Mongols huit jours durant avant de parvenir à les soumettre et à les repousser. C'est pour commémorer cet exploit des Russes qu'Ivan le Terrible fit ériger la cathédrale.

CI-DESSUS Les églises du Kremlin sont célèbres pour leurs coupoles dorées en forme de bulbe.

CI-CONTRE Le palais du Kremlin, au bord de la Moskova.

GRÈCE
Monastères des Météores

LES MONASTÈRES DES MÉTÉORES SONT PERCHÉS TELS DES NIDS D'AIGLES SUR DES PITONS ROCHEUX, JUSQU'À 400 MÈTRES D'ALTITUDE, DANS LE MASSIF DU PINDE, EN THESSALIE. DES MOINES-ERMITES ONT FONDÉ AU XIᵉ SIÈCLE LE PREMIER DES VINGT-QUATRE MONASTÈRES.

Le nom « Météores » est dérivé du grec *meteorizo,* qui signifie « planant dans les airs ». La situation exceptionnelle des monastères, juchés au sommet d'éminences rocheuses, ne pouvait être mieux décrite. Certains jours, par temps de brume, les monastères semblent effectivement planer dans le ciel. Des vingt-quatre monastères et ermitages que comptaient les Météores à leur apogée, au XVᵉ siècle, six seulement ont été préservés jusqu'à ce jour. Quatre d'entre eux sont habités par des moines – Megalo Meteoro, ou le Grand Météore, le monastère de Varlaam, Aghios Nikolaos Anapavsas et Aghia Triada – ;

deux par des moniales – Aghios Stéphanos et le monastère de Roussanou. Ces six bâtiments, datant des XIVᵉ et XVᵉ siècles perpétuent l'héritage spirituel et culturel de Byzance. Des dix-huit autres monastères ne subsistent que quelques ruines.

Les premières mentions d'ermitages érigés dans le cadre rocheux des Météores datent du XIᵉ siècle. Les anachorètes vivaient dans des grottes, où ils se consacraient entièrement à Dieu et menaient une existence d'ascètes. Au fil du temps, les ermitages se sont regroupés sous la forme d'une communauté organisée sur le modèle de la république monastique d'Athos. Les ermites ont fondé le premier monastère des Météores, celui de Doupiani. Aujourd'hui, la construction a entiè-

Massif du Pinde

CI-CONTRE Par temps de brume, les monastères semblent « planer dans les airs ».

CI-DESSOUS La construction du monastère d'Aghia Triada remonte vraisemblablement au milieu du XVᵉ siècle.

rement disparu. Seule une chapelle datant du XIIIᵉ siècle rappelle l'origine des monastères des Météores.

En 1334, le moine Athanase, chassé du mont Athos, se réfugia dans les Météores, où il contribua à l'essor de la vie monastique. Vers 1370, il fonda avec quatorze autres moines le monastère de Megalo Meteoro. Cet ensemble de bâtiments, couvrant une superficie de 60 000 mètres carrés, est le plus grand monastère des Météores. Selon la légende, Athanase aurait été déposé sur le plateau rocheux par un ange ou un aigle, et il s'employa à structurer la vie des moines qui y vivaient. Ses intiatives et son charisme attirèrent bientôt de pieux souverains et hommes d'Église qui encouragèrent la construction d'autres monastères dans la région.

Aujourd'hui, les six monastères préservés sont encore habités. Dans celui de Nikolaos Anapavsas, l'église Saint-Jean-Baptiste abrite les crânes de nombreux moines qui ont vécu dans le couvent. Celui-ci doit sa renommée aux remarquables peintures murales

exécutées par Théophane Streletzas (v. 1500-1559), illustre représentant de l'École crétoise, qui s'affirma au début du XVIᵉ siècle.

Vraisemblablement fondé en 1388, le monastère de Roussanou (Arsanou) a été saccagé et pillé à diverses reprises au cours de son histoire tourmentée. Occupé par des moniales depuis 1950, il est connu pour ses fresques du XVIᵉ siècle.

Le monastère de Varlaam fut édifié entre 1518 et 1535. Un récit de voyage remontant à 1779 précise que, depuis la construction du monastère, aucune femme n'a pénétré sur le site.

Le monastère du Grand Météore est le plus grand de la région. Le nom du rocher, Meteoro, ou « celui qui plane », revient au fondateur du monastère, le moine Athanase. Jusqu'en 1923, le monastère n'était accessible que par une échelle de corde ou une nacelle actionnée par un treuil. Aujourd'hui, ce sont cent quarante-trois marches et un tunnel taillés dans la roche qui conduisent au couvent. Dans le catholicon, les fresques datant de 1552 constituent un merveilleux exemple de l'art postbyzantin.

Dans le monastère d'Aghia Triada, probablement construit entre 1458 et 1476, le catholicon est orné de fresques exécutées en 1741, et il abrite un remarquable évangéliaire de 1539. En 1980, le monastère a servi de décor à quelques scènes du film *Rien que pour vos yeux* de John Glen, dans la série des James Bond – contre la volonté et malgré la résistance des moines.

Érigé en 1400, le monastère d'Aghios Stéphanos abrite, depuis 1961, une communauté de religieuses qui s'attachent à perpétuer la tradition de la peinture d'icônes byzantines.

CHRONOLOGIE

✱ **XIᵉ siècle** : premiers ermitages dans les grottes des Météores

✱ **vers 1370** : fondation du monastère de Megalo Meteoro, ou Grand Météore

✱ **1939-1945** : pendant la Seconde Guerre mondiale, les monastères sont gravement endommagés par un bombardement

✱ **depuis 1972** : ils font l'objet de travaux de restauration réguliers

✱ **1988** : classement au patrimoine mondial de l'Unesco

DANEMARK/SUÈDE
Pont de l'Øresund

VÉRITABLE PROUESSE TECHNOLOGIQUE, LE PLUS LONG PONT À HAUBANS DU MONDE ENJAMBE L'ØRESUND, UN DÉTROIT SITUÉ ENTRE LE DANEMARK ET LA SUÈDE. INAUGURÉ EN 2000 PAR LA REINE DU DANEMARK ET LE ROI DE SUÈDE, IL EST OUVERT AU TRAFIC AUTOROUTIER ET FERROVIAIRE.

Pont de l'Øresund

Le pont de l'Øresund, qui enjambe le détroit du même nom, s'inscrit dans les accords qui régissent les liaisons entre la capitale danoise de Copenhague et la ville de Malmö en Suède. Ce chef-d'œuvre technologique est le plus long pont à haubans du monde pour la circulation routière et ferroviaire. La construction du pont s'est achevée le 14 août 1999 avec la mise en place de la dernière travée. Le 1er juillet 2000, l'autoroute et la ligne de chemin de fer aménagées dessus ont été ouvertes à la circulation en présence de la reine Marguerite II du Danemark et du roi Charles-Gustave XVI de Suède.

C'est un consortium fondé pour le projet, l'Øresundkonsortiet, qui a été chargé de la conception, de la construction et du financement du pont. Ce consortium est composé en parties égales d'entreprises appartenant aux deux pays, danois et suédois. Le coût de l'ouvrage, 3 millards d'euros, doit être amorti en vingt-sept ans par les péages. Cette infrastructure novatrice a été construite en quatre ans selon les plans de l'architecte Georg Rotne. Elle enjambe en plusieurs étapes, immergées et émergées, les 18 kilomètres du détroit.

Du côté danois a été construit un tunnel de 3,7 kilomètres de longueur, 40 mètres de largeur et 9 mètres de hauteur. C'est le plus large tunnel immergé du monde, abritant quatre voies d'autoroute et deux

Avec une hauteur de 203 mètres,
les pylônes du pont de l'Øresund,
en béton armé, sont la plus haute
construction de la Suède.

CARTE D'IDENTITÉ

* **Nom** : pont de l'Øresund

* **Situation** : détroit de l'Øresund, entre le Danemark et la Suède

* **Durée de la construction** : 1996-2000

* **Type de construction** : pont à haubans à deux étages

* **Fonction** : viaduc autoroutier et ferroviaire

* **Architecte** : Georg Rotne

* **Longueur totale** : 7 845 m

* **Portée centrale** : 490 m

* **Longueur suspendue** : 1 092 m

* **Gabarit** : 57 m

* **Hauteur des pylônes** : 203,5 m

* **Largeur du tablier** : 23,5 m

* **Poids des haubans** : 2 300 t

* **Poids de la structure métallique** : env. 145 000 t

* **Volume de béton** : 320 000 m³

lignes de chemin de fer. Le choix du tunnel côté danois a été imposé par la proximité de l'aéroport international de Copenhague, situé sur l'île d'Amager.

Le tunnel se prolonge par l'île artificielle de Peberholm, de 4 kilomètres de longueur, qui a été aménagée pour permettre la continuité de la circulation autoroutière et ferroviaire entre les parties immergées et émergées de l'ouvrage.

La longueur totale du pont atteint 7 845 mètres. L'accès ouest s'effectue par une rampe de 3 014 mètres à partir de l'île artificielle de Peberholm ; l'accès se fait par une rampe de 3 739 mètres de longueur. Entre les deux rampes, le viaduc, la partie la plus haute du pont de l'Øresund, mesure 1 100 mètres et présente une portée centrale de 490 mètres. Les rampes d'accès s'élèvent au départ à 8 mètres au-dessus de l'eau et montent progressivement jusqu'à 65 mètres de hauteur. Les pylônes auxquels est suspendu le gigantesque et élégant ouvrage à haubans de 85 cm d'épaisseur sont fabriqués en béton armé. Avec une hauteur de 203,50 mètres, ils sont la construction la plus élevée de Suède. À la base, les pylônes mesurent 9,40 x 12,60 mètres ; au sommet, 2,60 x 5,80 mètres.

Le tablier du pont de l'Øresund, à deux étages, mesure 23,50 mètres de largeur. Au niveau supérieur, une auto-route à quatre voies a été aménagée sur le revêtement en béton armé. En bas, la structure métallique en treillis accueille deux lignes de chemin de fer.

Au Moyen Âge, les ponts, considérés comme des symboles du dangereux chemin vers le salut, étaient rehaussés de chapelles et d'images saintes. Ces ouvrages à caractère religieux étaient financés par des fondations et des dons. De nos jours, le financement est assuré de manière beaucoup plus prosaïque : la traversée du pont de l'Øresund coûte 32 euros pour les voitures de tourisme.

CI-DESSUS Le pont de l'Øresund a été inauguré le 1er juillet 2000 en présence des familles royales danoise et suédoise.

CI-CONTRE Le pont de l'Øresund, de 7 845 mètres de longueur totale, relie la capitale danoise, Copenhague, à la ville de Malmö, en Suède.

ITALIE
Basilique Saint-Pierre

SAINT-PIERRE DE ROME, SÉPULTURE DE L'APÔTRE SAINT PIERRE ET DE NOMBREUX PAPES,
EST LA PLUS GRANDE BASILIQUE DU MONDE, MAIS AUSSI LE PRINCIPAL SANCTUAIRE
ET LIEU DE PÈLERINAGE DES CHRÉTIENS CATHOLIQUES.

Réduire la basilique Saint-Pierre de Rome à sa splendeur architecturale reviendrait à sous-estimer la valeur du fantastique ensemble qui participe aux nombreux attraits de la Ville éternelle. En effet, le prestigieux édifice ne présente pas seulement un intérêt du point de vue de l'histoire de l'art. La grandiose basilique est également le temple de la chrétienté – architectural, mais aussi historique, et surtout spirituel.

Les origines de la basilique Saint-Pierre remontent à 324. Elle fut construite à l'initiative de l'empereur Constantin, qui fit élever, sur la colline du Vatican, au-

dessus de la tombe de l'apôtre saint Pierre, une basilique à cinq nefs qui sera le précurseur de l'actuel monument.

Au milieu du XVe siècle, la basilique de Constantin fait l'objet d'agrandissements, conçus par l'architecte et sculpteur Bernardo Rossellino, sous l'impulsion du pape Nicolas V. Puis le pape Jules II décide d'ériger à l'emplacement de cet édifice une nouvelle construction aux dimensions monumentales. La première pierre de la basilique Saint-Pierre, sous la forme que l'on lui connaît aujourd'hui, est posée le 18 avril 1506. Le projet ambitieux et coûteux sera financé par le trafic des indulgences, actif et lucratif, ainsi que par le « denier de saint Pierre ».

Cɪ-ᴄᴏɴᴛʀᴇ Intérieur de la gigantesque coupole de la basilique Saint-Pierre.

Cɪ-ᴅᴇssᴏᴜs La *Pietà*, remarquable chef-d'œuvre de Michel-Ange, se trouve dans l'une des chapelles latérales.

C'est à Bramante que reviennent les plans de l'imposant sanctuaire. Après sa mort en 1514, les architectes Raphaël, Antonio da Sangallo et Baldassare Peruzzi poursuivent l'œuvre de leur prédécesseur, qui ne progresse toutefois que lentement jusqu'en 1546. Les architectes, prisonniers de leur orgueil, se livrent à une concurrence acharnée qui ralentit considérablement les travaux. Les plans subissent de nombreuses modifications, et les travaux sont régulièrement suspendus. Au plan initial de Bramante, en forme de croix grecque, se substituera celui de Raphaël, en forme de croix latine.

En 1547, Michel-Ange, alors âgé de soixante-douze ans, est nommé par le pape Paul III architecte en chef du projet. Il reçoit ainsi les pleins pouvoirs pour la poursuite du chantier et jusqu'à sa mort, en 1564, il se consacrera entièrement à l'aménagement de la basilique Saint-Pierre, son tempérament irascible étant néanmoins à l'origine de nombreux désaccords et conflits avec le pape. Il réalisera la partie sous coupole de la basilique.

C'est Carlo Maderno (1556-1629) qui achèvera la construction. Le 18 novembre 1623, la basilique Saint-Pierre est terminée, et le pape Urbain VIII peut consacrer le nouveau sanctuaire. Pendant la durée du chantier – près de cent vingt ans –, vingt papes, de Jules II à Urbain VIII, auront été responsables de la construction du prestigieux lieu de culte. La liste des architectes, maîtres d'œuvre et artistes impliqués dans cette grandiose entreprise, véritable « Who's Who » de l'histoire de l'architecture, comprend de nombreuses célébrités de l'époque.

De la conjonction de leurs talents est né un chef-d'œuvre à part entière. Tant l'architecture, extérieure et intérieure, que la décoration suscitent l'émerveillement du monde entier. La basilique comprend trois nefs aboutissant à un transept que surmonte la gigantesque coupole. Emblème du monument, sa silhouette arrondie se découpe dans le ciel romain. Accessible par cinq cent trente-sept marches ou par un ascenseur, elle dégage un panorama imprenable sur le Vatican et la ville de Rome. La merveilleuse coupole, qui mesure 42 mètres de diamètre et 43 mètres de hauteur, repose sur quatre piliers pentagonaux, de 24 mètres de diamètre chacun. Sur le pourtour intérieur sont gravées en lettres capitales les paroles que le Christ auraient adressées à saint Pierre et qui, selon les catholiques, fondent le pouvoir pontifical : *Tu es Petrus et super hanc petram aedificabo ecclesiam meam et tibi dabo claves regni caelorum* – « Tu es Pierre, et sur cette pierre je bâtirai mon Église et je te donnerai les clés du royaume des Cieux ».

CHRONOLOGIE

✱ **324** : construction de la basilique à cinq nefs de Constantin sur la colline du Vatican

✱ **18 avril 1506** : pose de la première pierre de la nouvelle basilique Saint-Pierre

✱ **1514** : mort de Bramante, premier architecte de la basilique

✱ **1515-1546** : les architectes Raphaël, da Sangallo et Peruzzi poursuivent les travaux

✱ **1547-1564** : Michel-Ange reprend le flambeau

✱ **18 novembre 1623** : consécration de la basilique Saint-Pierre-de-Rome

**Vue sur la place
Saint-Pierre et la Ville
éternelle depuis la
coupole de la basilique.**

L'intérieur de la basilique renferme 800 colonnes, 390 gigantesques statues en travertin, marbre, stuc et bronze, ainsi que 45 autels. Du hall d'entrée, le visiteur accède à l'intérieur de la basilique en passant une porte en bronze, décorée de magnifiques bas-reliefs, œuvre du sculpteur florentin Antonio Averlino, dit le Filarète. À côté se trouve la Porta Santa, qui est ouverte uniquement pendant les années saintes, environ tous les vingt-cinq ans.

Au début de la nef centrale, un disque en porphyre rouge est encastré dans le pavement. À l'origine, ce disque de pierre était placé devant le maître-autel de la basilique de Constantin, et c'est sur cette pierre que Charlemagne s'agenouilla, la nuit de Noël de l'an 800, lorsqu'il fut couronné empereur d'Occident par le pape Léon III.

Juste en dessous de la coupole se trouve l'autel papal, surmonté du colossal baldaquin en bronze à colonnes torses de Bernin, créé entre 1624 et 1633. Le célèbre autel se situe à l'aplomb du tombeau de saint Pierre.

Chacun des quatre piliers qui soutiennent la coupole abrite dans une niche la statue d'un saint en marbre d'environ 4 mètres de hauteur, représentant respec-

tivement Véronique, Hélène, Longin et André. Ces statues sont en étroite relation avec les précieuses reliques qui y sont ou étaient conservées : le voile de sainte Véronique, un fragment de la Sainte-Croix, la lance de saint Longin et la tête de l'apôtre André (transportée en 1964 à Patras, en Grèce). Les statues ont été réalisées sous la direction de Bernin, par l'artiste en personne et quelques-uns de ses disciples : Longin fut sculpté par Bernin en personne, saint André par François Duquesnoy, sainte Véronique par Francesco Mochi et sainte Hélène par Andrea Bolgi.

À droite du maître-autel, la statue en bronze de saint Pierre, attribuée au sculpteur et architecte florentin Arnolfo di Cambio (1240-1302), mérite que l'on s'y attarde. Le pied droit est usé par les marques de dévotion de générations de fidèles.

Parmi les nombreux trésors artistiques que recèle la basilique Saint-Pierre, une mention particulière revient au chef-d'œuvre de Michel-Ange – sa magnifique *Pietà*, située dans la première chapelle de la nef latérale droite. Le groupe de 1,75 mètre de hauteur, sculpté dans un seul bloc de marbre, repose sur un socle de 1,68 mètre de largeur. Michel-Ange acheva cette remarquable pièce en 1500, à l'âge de vingt-cinq ans.

CARTE D'IDENTITÉ

* **Nom :** basilique Saint-Pierre, Vatican
* **Statut :** basilique vaticane
* **Longueur :** 211 m
* **Largeur :** 138 m
* **Hauteur :** 132 m
* **Superficie :** 15 160 m²
* **Durée de la construction :** 120 ans
* **Capacité d'accueil :** 60 000 personnes
* **Diamètre de la coupole :** 42 m
* **Hauteur de la coupole :** 43 m

C'est la seule œuvre sur laquelle figure sa signature – sur l'épaule gauche de Marie : *Michael Angelus Buonarrotus Florentinus Faciebat*, « ceci est l'œuvre du Florentin Michelangelo Buonarroti ». Le visiteur ne peut malheureusement admirer la *Pietà* qu'à travers une épaisse vitre pare-balles, installée en 1972, suite à l'acte d'un déséquilibré mental qui tenta de mutiler la statue à coups de marteau.

L'abside abrite la célèbre Cathedra Petri, ou chaire de Saint-Pierre, exécutée en 1666 par Bernin. L'artiste a enfermé, dans un immense siège en bronze porté par les quatre Pères de l'Église, la chaire de bois incrustée d'ivoire, qui aurait appartenu à saint Pierre. Mais selon certains, il s'agirait plus vraisemblablement du trône de Charles le Chauve.

De tous les monuments funéraires qui rendent hommage aux papes dans les nefs latérales, celui d'Alexandre VII, dernière œuvre réalisée par Bernin pour la basilique, interpelle le visiteur. Sous la draperie de marbre rouge, il distingue – peut-être pas au premier coup d'œil – un squelette grandeur nature, qui brandit un sablier vers le pape en position de prière.

Les fonts baptismaux sont le couvercle en porphyre d'un sarcophage provenant du mausolée d'Hadrien, dans lequel fut inhumé l'empereur Otto II. Sa dépouille fut transférée en 1600 dans un simple sarcophage en pierre et déposée dans les grottes du Vatican, qui abritent, outre le tombeau de saint Pierre, ceux de quelques papes, dont Jean-Paul II.

C'est au pape Grégoire XIII que la chapelle Gregoriana doit son nom. Grand amateur de mosaïques, le pape la fit décorer de marbre et de tesselles multicolores. Sous son pontificat, presque toutes les grandes peintures des autels de la basilique Saint-Pierre furent remplacées par des copies de mosaïques. Les originaux font partie aujourd'hui des collections du Vatican.

CI-DESSUS La splendide coupole de la basilique Saint-Pierre se découpe sur le ciel romain.

CI-CONTRE La façade principale de la basilique Saint-Pierre, ouvrant sur la place du même nom.

FRANCE
Pont du Gard

LE PONT DU GARD, À PROXIMITÉ DE NÎMES, EST LE PLUS HAUT PONT-AQUEDUC DU MONDE ROMAIN PRÉSERVÉ À CE JOUR. LE MONUMENT, VIEUX DE PRÈS DE DEUX MILLE ANS, CONSTITUE LE TÉMOIGNAGE LE PLUS IMPRESSIONNANT DE LA CIVILISATION ROMAINE DANS LE SUD DE LA FRANCE.

Pont du Gard

Le pont du Gard enjambe la rivière du Gardon à proximité de l'ancienne cité romaine de Nemausus, devenue Nîmes. C'est pour alimenter la ville en eau que les Romains ont élevé, entre 40 et 60, sous les empereurs Claude et Néron, ce monument alliant grandeur et élégance. S'inscrivant dans un vaste programme, il visait à satisfaire les besoins élémentaires de la vie quotidienne et à aménager des thermes et des fontaines. Le pont ne constituait qu'une partie de l'aqueduc de près de 50 kilomètres de longueur, qui acheminait l'eau des sources d'Eure jusqu'au château d'eau de Nîmes, sans pompes ni système d'élévation.

C'est avec des instruments de mesure pour le moins rudimentaires que les ingénieux maîtres d'œuvre romains parvinrent à évaluer la pente nécessaire à l'écoulement de l'eau. Leurs savants calculs aboutirent à une inclinaison de 25 cm/km pour un dénivelé de 12 mètres entre le départ et l'arrivée de la canalisation. Grâce à cet exploit, la ville de Nîmes fut alimentée en eau pendant plus de trois cents ans.

Du point de vue architectonique, la construction du pont du Gard constitue une véritable prouesse. Les blocs de pierre ont été assemblés sans mortier, selon la technique en usage à l'époque de l'*opus quadratum*. C'est seulement sous l'effet de la pression et des forces de friction que les pierres étaient maintenues.

Le Gardon est enjambé par 64 arcades réparties sur trois niveaux. Au niveau supérieur, 47 arcades soutiennent la canalisation, cachée dans la construction.

AU MILIEU Des blocs de calcaire pesant jusqu'à 6 tonnes furent utilisés comme matériau de construction.

EN BAS Le pont routier érigé en 1747 permet de découvrir de près du pont du Gard.

Les piliers massifs des niveaux inférieur et intermédiaire furent superposés exactement les uns au-dessus des autres, afin d'éviter une charge trop importante sur les arches. L'ouverture des arches diminue progressivement du milieu du pont vers les côtés. Les pierres de calcaire provenaient d'une carrière située à 500 mètres, au bord du Gardon. Un millier d'ouvriers furent mobilisés pendant trois à cinq ans sur le chantier. Les pierres étaient hissées au moyen de grues dotées de palans, actionnées par des ouvriers. Ce sont 21 000 mètres cubes de pierres, pour un poids de 50 400 tonnes, qui furent utilisés pour la construction du pont du Gard. Le monument conserve des témoignages de l'organisation du travail, comme la numérotation des pierres, les points d'appui des échafaudages et des engins de levage.

Le pont du Gard, le plus impressionnant du monde romain, se dresse sur trois niveaux d'arches, à 49 mètres au-dessus des eaux du Gardon. L'étage inférieur, comprenant six arches, mesure 142 mètres de longueur, 22 mètres de hauteur et 6 mètres de largeur. Onze arches composent le niveau intermédiaire. Le niveau supérieur, qui renferme la canalisation d'eau, mesure 275 mètres de longueur, 7 mètres de hauteur et seulement 3 mètres de largeur. Au total, quarante-sept petites arches supportent la canalisation. La canalisation proprement dite mesure 1,80 mètre de hauteur et 1,20 mètre de largeur. À l'époque romaine, 20 000 mètres cubes d'eau étaient acheminés chaque jour jusqu'à Nîmes.

À partir du IVe siècle, l'entretien de l'aqueduc ne fut plus assuré régulièrement, faute de moyens, la végétation poussa et le débit diminua. Au VIe siècle, il fut définitivement abandonné, la canalisation étant complètement bouchée par les dépôts de calcaire. Du Moyen Âge au XVIIIe siècle, le pont du Gard fut utilisé pour franchir le Gardon au niveau de l'étage intermédiaire. Afin de faciliter le passage, les piliers durent être rétrécis, ce qui représenta un défi considérable pour la stabilité de l'ouvrage. En 1702, les piliers furent entièrement rénovés et le pont fut fermé à la circulation. En remplacement, un nouveau pont fut accolé à l'aqueduc en 1747. Aux XIXe et XXe siècles, le pont du Gard a fait l'objet de nombreuses restaurations.

En 1840, Prosper Mérimée, grand admirateur du pont, le fit inscrire sur la liste des Monuments historiques, et depuis 1985, il est classé au patrimoine mondial de l'Unesco. Ce prestigieux ouvrage de génie civil est le monument antique le plus visité de France.

ESPAGNE
Sagrada Familia

L'ÉGLISE DE LA SAINTE-FAMILLE, À BARCELONE, DOIT EN PARTIE SA RENOMMÉE
À SON ASPECT INACHEVÉ. LA CONSTRUCTION DE CE MONUMENTAL ÉDIFICE SACRÉ
A ÉTÉ ENTREPRISE EN 1882, ET SA FIN EST PRÉVUE POUR 2026.

Barcelone

Les hauts pinacles ouvragés de la Sagrada Familia, la Sainte-Famille, sont identifiables à des kilomètres de distance dans le paysage barcelonais. L'église, qui porte précisément le nom de Temple Expiatori de la Sagrada Familia – Temple expiatoire de la Sainte-Famille –, fut conçue au départ dans le nouveau style catalan de l'architecte Francesc del Villar, qui s'était vu confier la responsabilité des plans. La construction de « l'église des pauvres », entreprise en 1882, devait s'achever en 1910. Mais un an après le début du chantier, un conflit opposa l'architecte et ses commanditaires.

Ces derniers chargent alors l'architecte Antoni Gaudí de la poursuite des travaux. Gaudí ne tient nullement compte des plans de son prédécesseur, élaborés dans la veine de l'historicisme. Il crée une esthétique totalement novatrice, empruntant ses références à diverses sources d'inspiration comme l'Art nouveau, le naturalisme et son propre style.

Mais la construction de la Sagrada Familia ne progresse que lentement, notamment en raison du manque de moyens financiers. Par ailleurs, l'imagination débridée d'Antoni Gaudí engendre parfois des difficultés de réalisation et, par voie de conséquence, des retards et des arrêts dans l'avancée des travaux. L'architecte visionnaire doit souvent procéder à des rectifica-

Une fois achevée, la Sagrada Familia comptera douze tours de 115 mètres de hauteur, symboles des douze apôtres. Une gigantesque tour lanterne doit atteindre 170 mètres.

tions, faisant détruire et reconstruire certaines parties jusqu'à ce qu'elles correspondent exactement à ses attentes, dans un souci quasi obsessionnel du détail. Interrogé sur la date probable d'achèvement des travaux, l'architecte se contente de répondre en souriant : « Mes clients ne sont pas pressés. »

Mais le 10 juillet 1926, Antoni Gaudí, âgé de soixante-quatorze ans, succombe aux blessures consécutives à un accident – il a été renversé par un tramway. Il est inhumé dans la crypte de la Sagrada Familia. Le génie Gaudí s'est consacré avec passion, quarante ans durant, à la construction de la Sagrada Familia – à temps plein pendant les quinze dernières années de sa vie.

Dès lors, le chantier de la célèbre cathédrale connaît bien des vicissitudes. Les plans initiaux sont détruits pendant la guerre civile espagnole. Après 1940, les architectes Fransesc Quintana, Isidre Puig i Boada et Lluis Bonet i Gari se chargent de la poursuite des travaux. Malgré les polémiques, le chantier ne s'est pas interrompu jusqu'à ce jour – financé par des dons venus du monde entier et par les recettes des entrées vendues à environ deux millions de visiteurs chaque année.

Le projet ambitieux de Gaudí prévoyait trois façades consacrées à la Nativité, à la Passion et à la Gloire, chacune devant être surmontée de quatre tours de 115 mètres de hauteur figurant les douze apôtres. Quatre tours plus hautes symboliseront les évangélistes, une autre sera dédiée à la Vierge et une gigantesque tour centrale de 170 mètres de hauteur sera couronnée par une croix, symbole du Christ. À ce jour, seule la façade de la Nativité a été menée à terme, certaines parties ayant été achevées du vivant de l'architecte. La façade de la Passion est très avancée, et les travaux sur la façade de la Gloire ont tout juste commencé. La fin du chantier de la Sagrada Familia, prévu pour 2026, célébrera le centenaire de la mort du talentueux artiste.

Ci-DESSUS Le souci presque obsessionnel du détail se lit jusqu'à l'extrémité des pinacles, à l'ornementation exubérante.

Ci-CONTRE Panorama des pinacles sur la ville de Barcelone.

ITALIE
Tour de Pise

LA PROSPÉRITÉ DE LA VILLE TOSCANE DE PISE, AU XIe SIÈCLE, ENGENDRA LA CONSTRUCTION
D'UN ENSEMBLE ARCHITECTURAL COMPRENANT LA CATHÉDRALE ET LE CAMPANILE. MAIS
CE DERNIER, LA CÉLÈBRE « TOUR PENCHÉE », MANIFESTA RAPIDEMENT DES SIGNES DE FRAGILITÉ.

C'est en 1173 que débuta la construction d'un campanile destiné à recevoir les cloches de la cathédrale dont la construction avait débuté un siècle auparavant : une tour creuse, composée de deux cylindres de pierre concentriques renfermant un escalier en colimaçon. Mais très rapidement, la construction s'avère fragile. L'édifice penche d'environ 5 centimètres vers le sud-est, lorsque les travaux sont interrompus après l'achèvement du troisième des huit étages prévus initialement, en 1178. L'inclinaison de la tour est due à l'instabilité du sol sur lequel elle repose.

Le chantier du campanile reste suspendu pendant près de cent ans. En 1272, de nouveaux architectes reprennent le flambeau. Ils tentent de compenser l'inclinaison de la tour en modifiant l'épaisseur du marbre au fur et à mesure de la construction. Le résultat est catastrophique : la tour penche encore davantage. Les travaux sont à nouveau interrompus, alors que le clocher n'est pas encore construit. En 1298, l'écart est de 1,43 mètre par rapport à la verticale ; en 1360, de 1,63 mètre. En 1370, on décide d'ériger le clocher supérieur, décentré pour tenter de renforcer la tour. En 1372, l'édification du campanile est achevée, au terme d'un chantier de deux cents ans, interrompu à diverses reprises.

CI-CONTRE Entre les huit étages de la tour, des colonnes de marbre blanc de Carrare servent de support.

CI-DESOUS La Tour penchée a été rouverte au public fin 2001. Sa visite s'effectue par groupes de 30 personnes.

Au cours des siècles qui suivent, le mouvement d'inclinaison se ralentit. Les spécialistes pensent que le poids de la tour – 14 500 tonnes – a fini par comprimer et stabiliser le sol. En 1838, l'architecte Alessandro Gherardesca se lance dans un projet d'assainissement. Il décide de retirer le sol de glaise meuble et de le remplacer par un soubassement de marbre. Son initiative s'avère désastreuse : au lieu de stabiliser la construction, elle accentue l'inclinaison de la tour. En 1918, celle-ci est de 5,10 mètres par rapport à la verticale ! Jusqu'en 1990, elle s'accentue de 1 à 1,2 mm chaque année. La Tour penchée menace de s'effondrer. En février 1990, l'emblème de la ville de Pise est fermé au public pour des raisons de sécurité.

Le gouvernement italien met alors tous les moyens en œuvre pour tenter de sauver la tour. En 1991, une opération d'urgence est lancée – le cerclage des sections les plus dangereuses avec des câbles d'acier protégés par des gaines en matière plastique. En 1994 et

1995, des pains de plomb de 690 tonnes chacun sont posés du côté nord de la tour pour servir de contrepoids. Cette mesure se révèle un succès : le mouvement d'inclinaison de la tour est arrêté. D'autres interventions, comme des injections de béton dans les fondations ou la congélation du sol, demeurent sans effets. En décembre 1998, deux attelles d'acier de 100 mètres de longueur et quatre tonnes chacune sont fixées au troisième étage de la tour pour éviter son effondrement. En janvier 1999, des ingénieurs ancrent les fondations septentrionales de l'édifice, celles qui s'opposent à son inclinaison, en enfonçant douze piliers de soutènement à 15 mètres de profondeur.

Les architectes poursuivent leurs recherches et leurs efforts pour assurer le sauvetage de la Tour penchée. De février 1999 à juin 2001, une nouvelle technique est mise en place. Du côté nord de la Torre Pendente, des conduits sont introduits dans les fondations. Ils doivent permettre d'extraire 30 tonnes d'argile à l'aide d'une foreuse pour redresser la tour de 50 centimètres. Le nouveau dispositif fonctionne. La tour de Pise se redresse. Aujourd'hui, elle présente une faible inclinaison correspondant à peu de chose près à celle d'il y a deux cent cinquante ans. Le campanile ne sera certainement jamais à la verticale, mais il est de nouveau stable. Sa pérennité n'est plus menacée, et il devrait résister sans dommages aux deux à trois siècles à venir.

Depuis le 16 juin 2001, la Tour penchée est de nouveau ouverte au public. Il est désormais possible de gravir sans risques ses 56 mètres de hauteur, et les sept cloches du célèbre campanile font entendre leur carillonnement.

CARTE D'IDENTITÉ

✳ **Nom** : Torre Pendente di Pisa

✳ **Fonction** : campanile

✳ **Durée de la construction** : env. 200 ans (1173-1372)

✳ **Hauteur** : env. 56 m

✳ **Diamètre extérieur à la base** : env. 15,5 m

✳ **Diamètre intérieur à la base** : env. 7,4 m

✳ **Poids** : 14 500 t

✳ **Étages** : 7 + clocher

✳ **Nombre de cloches** : 7

GRANDE-BRETAGNE
Stonehenge

AU MILIEU DE LA PLAINE DE SALISBURY, DANS LE SUD DE L'ANGLETERRE, S'ÉTEND L'UN DES ENSEMBLES MÉGALITHIQUES LES PLUS CÉLÈBRES DU MONDE : STONEHENGE. DE NOMBREUX MYTHES ET LÉGENDES ENTOURENT LES CROMLECHS ET LES TUMULUS DE LA CULTURE MÉGALITHIQUE.

Il est peu de monuments qui aient livré aussi difficilement leurs secrets que les cercles de pierre de la région de Salisbury, dans le sud de l'Angleterre. Le site de Stonehenge continue à poser de nombreuses énigmes aux archéologues, historiens et adeptes du New Age. On sait néanmoins que, dès le mésolithique (vers 8500 av. J.-C.), le site servait de lieu de culte et de nécropole. Le nom Stonehenge serait dérivé du saxon *Stanhen gist*, qui signifie « pierres suspendues ».

L'ensemble comprend des mégalithes – gros blocs de pierre brute utilisés pour les sites funéraires et lieux de culte – et des trilithes –

sortes de portes constituées de deux pierres verticales réunies à leur sommet par une pierre transversale. L'édification de Stonehenge se serait étalée sur une période de deux mille ans et aurait été effectuée en trois étapes.

La première étape, vers 3100 av. J.-C., fut marquée par la construction d'un fossé et d'un talus creusé de cinquante-six puits, les trous d'Aubray, formant une enceinte d'environ 100 mètres de diamètre.

Pendant la deuxième étape, qui commença vers 2500 av. J.-C., les premiers mégalithes furent érigés, et l'entrée fut orientée en direction du lever du soleil le jour du solstice d'été. Les scientifiques demeurent perplexes face à l'extrême précision des calculs qui furent à l'origine de cette initiative.

Stonehenge

CARTE D'IDENTITÉ

* **Lieu de culte :**
depuis 8500 av. J.-C.

* **1re étape
de construction :**
vers 3100 av. J.-C.

* **2e étape
de construction :**
vers 2500 av. J.-C.

* **3e étape
de construction :**
vers 2000 av. J.-C.

* **Durée de construction :**
2 000 ans

La construction de l'ensemble mégalithique demeure énigmatique pour les chercheurs. Les trilithes portent des témoignages de l'âge du bronze.

La troisième étape de la construction a débuté vers 2000 av. J.-C. D'autres mégalithes monumentaux furent élevés, et le cercle de sarsen – variété de grès local – fut aménagé. Il se compose de trente blocs de pierre – d'environ 4,25 mètres de hauteur et 25 tonnes –, formant un cercle de 30 mètres de diamètre. Au sommet de ces pierres, groupées par deux, furent posées des pierres transversales – d'environ 7 tonnes chacune –, taillées pour épouser la courbure du cercle. Les linteaux étaient fixés aux pierres levées au moyen de tenons et de mortaises – témoignages de l'âge de bronze. À l'intérieur du cercle furent élevés cinq trilithes en forme de fer à cheval.

L'alignement de Stonehenge correspondant au lever du soleil le jour du solstice d'été, certains spécialistes pensent que le site a pu être un observatoire astronomique servant à prévoir les événements solaires et lunaires, comme les éclipses. À l'intérieur des cercles se trouve un autel de grès vert. Les autres pierres du cercle intérieur sont des pierres bleues – sorte de basalte originaire des monts Prescelly, au pays de Galles. Les énormes blocs de pierre furent donc acheminés sur une distance de 380 kilomètres. Si l'on en croit la légende, le magicien Merlin aurait attribué des pouvoirs aux pierres bleues. Bien que nous n'ayons aucune certitude sur les techniques mises en œuvre, des expériences récentes ont montré que l'utilisation de moyens rudimentaires

comme des leviers, cordages, rouleaux de bois, permettaient de déplacer de très lourdes charges.

Ce lieu mythique chargé d'histoire exerce depuis toujours une extraordinaire force d'attraction. Chaque année, les visiteurs viennent par milliers s'émerveiller devant le site qui figure depuis 1986 au patrimoine mondial de l'Unesco et est protégé par le gouvernement anglais. Il est désormais interdit de s'approcher des cercles de pierre. Au moment du solstice d'été, cependant, les membres de la Société des druides britanniques ont accès au site, où ils se livrent à de mystérieux rituels.

CI-DESSUS **Des membres de la Société des druides britanniques célèbrent le solstice d'été.**

CI-CONTRE **Le mystérieux site de Stonehenge n'a pas encore livré tous ses secrets.**

ISLANDE
Thingvellir

DANS LE SUD DE L'ISLANDE, THINGVELLIR (ÞINGVELLIR) – DE L'ISLANDAIS *ÞING*, « ASSEMBLÉE PLÉNIÈRE » ET *VELLIR*, « PLAINE » – DÉSIGNE À LA FOIS UN SITE DE RASSEMBLEMENT D'IMPORTANCE HISTORIQUE ET UN SPECTACULAIRE PARC NATIONAL.

C'est en l'an 930 que les Vikings, venus de Norvège, ont constitué la première assemblée plénière d'Islande, l'Althing, considérée comme le plus ancien parlement du monde. L'Althing s'est par la suite tenue chaque année, dans la vallée de la Thversá, jusqu'en 1798, date à laquelle elle a été dissoute par les Danois. En 1928, la région où se tenait l'Althing a été déclarée parc national. C'est sur ce lieu chargé d'histoire que, le 17 juin 1944, la République islandaise a été proclamée.

Thingvellir

Le parc national de Thingvellir s'étend au sud-ouest de l'Islande, à 40 kilomètres au nord-est de la capitale de Reykjavík, dans une impressionnante plaine d'effondrement, ou *graben*, au point de rencontre des plaques européenne et américaine. Chaque année, les deux gigantesques plaques s'écartent l'une de l'autre – parfois jusqu'à 2 centimètres –, phénomène qui engendre d'importants mouvements tectoniques et des manifestations telles que des tremblements de terre et des éruptions volcaniques. Le parc national de Thingvellir est entouré de quatre systèmes volcaniques actifs, parmi lesquels le Hengill, sur la rive nord du lac Thingvallavatn. Ce dernier, le plus grand lac d'Islande, couvre une superficie de 83 kilomètres carrés et atteint près de 114 mètres de profondeur.

CI-CONTRE En Islande, une plaine d'effondrement, ou *graben,* s'est formée au point de rencontre des plaques européenne et américaine.

CI-DESSOUS La rivière Öxará traverse le parc national de Thingvellir.

Au cours des neuf mille dernières années – une brève période dans le contexte de l'histoire de la Terre –, la plaine d'effondrement s'est abaissée de 60 à 90 mètres. Le visiteur qui découvre ces paysages uniques et grandioses prend la mesure du gigantisme des forces de la nature qui y sont à l'œuvre.

Le mouvement d'écartement des plaques américaine et européenne a engendré un réseau impressionnant de gorges, failles et fissures. Un merveilleux exemple de ce type de formations est l'Almannagjá, la « gorge des Anciens », creusée dans le sol volcanique. Au fond de la gorge coule l'Öxará, qui forme à l'extrémité une spectaculaire chute d'eau, l'Öxaráfoss. Le rideau de brume qui s'élève en permanence au-dessus de la gorge a pour origine l'intense activité volcanique caractéristique de la région.

À proximité du parc national et de l'Öxaráfoss, la chute d'eau la plus impressionnante et la plus célèbre d'Islande plonge dans les profondeurs – celle de Gull-foss (islandais *gull* – doré – et *foss* – chute d'eau). La rivière Hvitá dégringole le dénivelé de 32 mètres de hauteur en deux cascades qui déversent entre 30 m³/s d'eau en hiver et 1 600 m³/s en été. Les gigantesques masses d'eau sont englouties ensuite par la gorge.

Le passé géologique de l'Islande explique le caractère spectaculaire des chutes d'eau qui émaillent ses paysages. Dans le cas de celle de Gullfoss, la première cascade est due à la formation d'une faille orientée sud-ouest/nord-est, creusée dans le sol de basalte. Une crevasse orientée nord-ouest/sud-est est à l'origine de la seconde cascade. Lorsque l'eau s'engouffre dans les crevasses et les failles en charriant des débris et des fragments de roche, elle déploie sa force d'érosion maximale. Au pied de la chute de Gullfoss, la Hvitá a sculpté une gorge encaissée. Plus loin, en aval, on peut identifier dans les galets du lit de la rivière les fossiles de différentes espèces marines, témoignages indiquant que la mer s'enfonçait jadis très loin à l'intérieur des terres.

Le parc national de Thingvellir, la chute d'eau de Gullfoss et les geysers de Haukadalur, région connue pour ses sources chaudes, composent l'ensemble du Cercle d'or, l'une des principales curiosités de l'Islande. Depuis 2004, le parc national de Thingvellir est classé au patrimoine mondial de l'Unesco.

LE SAVIEZ-VOUS ?

✳ **L'Islande** compte seulement 290 000 habitants sur une superficie de 103 100 km²

✳ **Particularités :** l'alphabet islandais comprend 32 lettres qui correspondent à celles de l'alphabet latin. Seule la lettre Þ/þ est particulière. Elle provient de l'alphabet runique et se prononce approximativement comme le son anglais « th » dans *thing*

ITALIE
Venise

VENISE, LA CÉLÉBRISSIME « CITÉ LACUSTRE », ENSORCÈLE LES VISITEURS VENUS
DU MONDE ENTIER. ŒUVRE D'ART À PART ENTIÈRE, LA VILLE EST UN ENCHEVÊTREMENT
INEXTRICABLE DE VENELLES, PLACES, CANAUX, PONTS ET ÎLES.

L'actuelle ville de Venise s'est développée progressivement à partir des villages qui ont surgi dès la fin de l'Antiquité sur les îles de la lagune en formation. Elle occupe un site exceptionnel, sur la côte nord de l'Adriatique, à 4 kilomètres de la terre ferme et à 2 kilomètres de la mer, dont elle est séparée par un cordon littoral. La ville est bâtie au centre de la lagune, sur cent dix-huit îlots séparés par deux cents canaux qu'enjambent plus de quatre cents ponts, composant un extraordinaire chef-d'œuvre architectural.

Des 550 kilomètres carrés que couvre la lagune de Venise, seuls 8 % sont constitués de terre ferme, 11 % étant recouverts d'eau en permanence. La plus grande partie – 80 % – est le domaine des marécages et de l'estran.

La partie septentrionale de la lagune de 50 kilomètres de longueur et 15 kilomètres de largeur comprend presque exclusivement des eaux douces. Elle est désignée sous le nom de *laguna morta*, ou « lagune morte ». La partie sud, en revanche, est une étendue d'eau salée, qui vit au rythme du flux et du reflux de la mer, ce qui lui vaut le nom de *laguna viva*, ou « lagune vivante ».

Venise compte actuellement 300 000 habitants, dont seulement 65 000 peuplent le cœur historique, véritable joyau qui dévoile ses charmes et ses richesses au fil de ses voies d'eau.

Venise

La vie à Venise n'est pas toujours placée sous le signe du romantisme. Plusieurs fois par an, le cœur historique de la ville est victime des inondations. Ci-contre, la place Saint-Marc.

Au milieu Plus de quatre cents ponts enjambent les canaux de la cité lacustre.

En bas Le Grand Canal est la principale artère de Venise.

Plus de trois mille rues et ruelles sillonnent le lacis de demeures, palais, églises et édifices profanes érigés sur la centaine d'îlots qui composent le quartier ancien de la ville, interrompu ici et là par des places de dimensions variables. La plus célèbre est sans conteste la place Saint-Marc, qui doit son attrait à la beauté des édifices qui l'entourent, dont la non moins célèbre basilique du même nom, la tour de l'Horloge ou encore le palais des Doges.

Parmi les nombreux canaux qui traversent la ville en tous sens, le plus important est le Grand Canal, qui s'étire sur 3,8 kilomètres de longueur. Bordé de palais, c'est la principale « artère » de la cité lacustre, la voie navigable la plus fréquentée. Avec les canaux qu'il croise sur son passage, il tisse un réseau de communications dense, qui rythme la vie quotidienne de Venise.

Les *vaporetti* – ou bateaux-bus – transportent les touristes et la population locale dans tous les coins et recoins de la ville. Les embarcations de la police effectuent des patrouilles en veillant au respect des règles de la circulation – les accidents font partie du quotidien sur les canaux de Venise. Quant aux symphonies de klaxon et aux bruyantes altercations entre les conducteurs coincés dans les embouteillages, elles rappellent étrangement les scènes qui animent les métropoles ordinaires. Des bateaux-ambulances tentent de se frayer un passage en faisant retentir leurs sirènes. Les pompiers vaquent eux aussi à leurs occupations avec les bateaux-pompes, équipés en conséquence. Au milieu de cette cohue circulent encore les bateaux de pêcheurs, ceux des éboueurs municipaux, les taxis, les *traghetti* – petits bacs qui transportent les passagers d'une rive à une autre –, les bateaux privés à moteur, les canoës, les pédalos, sans oublier, bien sûr, les gracieuses gondoles, qui font la réputation de Venise.

Si les canaux remplissent une fonction vitale à Venise, ils participent également à part entière à ses charmes. C'est à eux que la Sérénissime doit son caractère unique et son extraordinaire pouvoir de fascination, qui a inspiré au célèbre auteur dramatique vénitien Carlo Goldoni (1707-1793) les lignes suivantes : « Venise est une ville si exceptionnelle qu'il est impossible de s'en faire une idée précise tant qu'on ne l'a pas vue. Les cartes, les plans, les maquettes et les récits de voyage ne suffisent pas, il faut la découvrir de ses propres yeux. »

FRANCE
Château de Versailles

LE GRANDIOSE CHÂTEAU DE VERSAILLES A POUR ORIGINE UN MODESTE PAVILLON DE CHASSE
BÂTI PAR LOUIS XIII EN 1624. EN 1661, LOUIS XIV, LE ROI-SOLEIL, ORDONNE LA CONSTRUCTION
D'UN PRESTIGIEUX PALAIS ET L'AMÉNAGEMENT D'UN PARC À SA MESURE.

Louis XIII se plaisait tant dans son « rendez-vous de chasse, petit château de gentilhomme » de brique, pierre et ardoise, qu'il décida de faire ériger à son emplacement un édifice plus imposant, dont il confia la construction à l'architecte Philibert Le Roy. De 1661 à 1668, Louis XIV le fait embellir par l'architecte Louis Le Vau. Celui-ci assure aussi les travaux d'agrandissement de 1668 à 1670, créant un second château qui encercle le premier. À la mort de l'architecte, en 1670, Jules Hardouin-Mansart et François d'Orbay poursuivent son œuvre. À Mansart revient notamment l'édification du Grand Trianon, en 1687, et

Versailles

celle de la chapelle, réalisée en 1710. Louis XIV aura dépensé au total 1 500 000 livres pour embellir et agrandir la construction de Philibert Le Roy, gigantesque chantier qui dura quarante ans et sur lequel travaillèrent 36 000 ouvriers et 6 000 chevaux.

L'enfilade de galeries, salons, cabinets et chambres témoigne du goût de l'apparat et de la puissance du monarque absolu, qui entendait faire de Versailles sa résidence et le siège de son gouvernement, mais aussi le centre de la vie française. Dans ce prestigieux ensemble, une mention particulière revient à la galerie des Glaces, construite à l'apogée du règne de Louis XIV. Occupant la façade ouest du château, elle relie les appartements officiels du roi et de la reine. Ce chef-d'œuvre, symbole

du faste qui présidait à la vie de la cour, mesure 73 mètres de longueur, 10,50 mètres de largeur et 12,30 mètres de hauteur. La décoration de la majestueuse voûte, due à Charles Le Brun, représente les bienfaits du gouvernement du Roi-Soleil. Elle surmonte dix-sept fenêtres ouvrant sur le jardin, auxquelles donnent la réplique, sur le mur opposé, dix-sept arcades ornées de miroirs. Ces derniers, aux dimensions exceptionnelles, furent fabriqués par la manufacture parisienne créée par Colbert. Les arcades sont séparées par des pilastres de marbre dont les chapiteaux de bronze doré sont ornés de fleurs de lys et de coqs gaulois.

Au luxe de l'architecture et de l'aménagement intérieur répond la magnificence des jardins dus à André Le Nôtre, merveilleux décor dans lequel se déployaient les fêtes organisées par Louis XIV. Aménagés en trois étapes, de 1662 à 1689, ils s'étirent sur plusieurs kilomètres au pied du château. Mariant avec succès rigueur et fantaisie, ils devinrent bientôt le modèle des jardins à la française et un sujet d'admiration pour l'Europe entière. Leur tracé géométrique, étagé sur plusieurs niveaux, s'ordonne autour d'un axe principal, et comprend des axes secondaires, des allées en étoile, des bassins en cercle et en demi-cercle. À leur charme participent les parterres, près du château, conçus pour être vus du premier étage, et les bosquets, nichés entre les allées. Les multiples pièces d'eau, alimentées par un ingénieux réseau hydraulique, sont agrémentées de fontaines et de statues, réalisées par plus de cent sculpteurs.

Prototype de l'art classique français avec son architecture, son décor intérieur, ses splendides jardins et ses annexes, le château de Versailles a servi de cadre à des événements majeurs, d'envergure internationale, comme la proclamation de l'Empire allemand, en 1871, et la signature de plusieurs traités de paix. C'est actuellement le site le plus visité d'Europe, avec dix millions de visiteurs par an.

CI-DESSUS Les jardins du château de Versailles, aménagés par Le Nôtre, devinrent le modèle des jardins à la française.

CI-CONTRE La galerie des Glaces du château de Versailles est célèbre dans le monde entier pour sa fastueuse ornementation.

Du Mexique à la Patagonie, des vestiges de fabuleuses cités et de splendides monuments – temples et pyramides – sont les témoins mystérieux de brillantes civilisations, celles des Incas, des Mayas et des Aztèques. Rivalisant d'attraits avec ces merveilles architecturales, de grandioses paradis naturels émaillent les vastes étendues du sous-continent formé par l'Amérique centrale et l'Amérique du Sud.

AMÉRIQUE
CENTRALE ET DU SUD

AMAZONIE
Bassin de l'Amazone

LE BASSIN DE L'AMAZONE DÉSIGNE L'IMMENSE CUVETTE, DOMAINE DE LA FORÊT TROPICALE, QUI S'ÉTEND AU NORD DU CONTINENT SUD-AMÉRICAIN. IL COUVRE ENVIRON 6 500 000 KM² – SOIT 5 % DE LA SUPERFICIE TOTALE DE LA TERRE.

Le bassin de l'Amazone accueille la plus vaste forêt de la planète, qui s'étire sur le territoire de neuf États : Brésil, Guyane française, Surinam, Guyana, Venezuela, Colombie, Équateur, Pérou et Bolivie. Il est drainé par le plus grand fleuve du monde par sa masse d'eau, qui progresse en direction de l'Atlantique à travers les interminables étendues de forêt en une succession de majestueux méandres. Seul un satellite est capable d'embrasser l'immensité de bassin de l'Amazone depuis l'espace.

Bassin de l'Amazone

Le bassin de l'Amazone est recouvert en totalité d'une forêt tropicale dense, même si l'exploitation abusive de cette dernière, au cours des dernières décennies, a laissé de graves blessures. C'est dans ce cadre verdoyant, à la végétation luxuriante, que se déroule le grand fleuve, l'Amazone. Mais le rio Amazonas n'est pas seul à arroser le bassin. Il forme avec ses nombreux affluents un gigantesque réseau fluvial. Le bassin plat, alimenté en eau en permanence, se situe en grande partie à 200 mètres au-dessus du niveau de la mer.

La végétation foisonnante de la forêt tropicale laisse entrevoir par intermittence la présence de plus de mille affluents et petits cours d'eau qui se jettent dans l'Amazone. Ils forment une succession de ramifications en direction des montagnes qui circonscrivent le vaste bassin. Dix-sept des principaux fleuves du bassin de

CARTE D'IDENTITÉ

* **Nom** : bassin de l'Amazone

* **États riverains** : Brésil, Guyane française, Surinam, Guyana, Venezuela, Colombie, Équateur, Pérou et Bolivie

* **Superficie** : 6 500 000 millions de km² (env. 5 % de la superficie totale de la Terre)

* **Principal fleuve** : Amazone

* **Longueur** : 7 000 km (de l'Atlantique à la source)

* **Largeur** : 5 à 120 km

* **Profondeur** : 30 à 100 m

Le rio Negro progresse à travers la forêt tropicale tel un gigantesque anaconda. Les fleuves du bassin de l'Amazone forment un réseau navigable de plus de 50 000 kilomètres.

l'Amazone dépassent 1 500 kilomètres de longueur, ce qui explique sans doute que, selon les spécialistes, la région fournisse à elle seule un cinquième de la totalité de l'eau douce de la Terre. La faible inclinaison du bassin ralentit la progression des eaux et prolonge la durée de leur écoulement. À titre de comparaison, la pente – de 5 mm/km seulement – est inférieure à celle d'une baignoire. Selon la saison, l'Amazone déverse dans l'Atlantique entre 100 000 et plus de 200 000 mètres cubes d'eau par seconde.

Les principaux affluents de l'Amazone se différencient par la couleur de leurs eaux. Le rio Negro doit son nom à sa couleur noire. Le rio Madeira charrie des eaux de tonalité orange, tandis que le rio Tapajos et le rio Xingu se distinguent par leurs eaux limpides. À la hauteur de Manaus, où le rio Negro rencontre les eaux jaunâtres, riches en sédiments, du rio Solimões, en provenance des Andes, les deux fleuves se jetant dans le lit de l'Amazone sans se mélanger. C'est seulement à 80 kilomètres en aval que le rio Solimões finit par imposer sa coloration jaune.

La source du rio Solimões, considérée comme la véritable origine de l'Amazone, n'a été découverte qu'en 1971. Dans son cours supérieur, le fleuve porte six noms différents. Dans son cours moyen, il est géné-ralement désigné sous celui de rio Solimões. C'est seulement dans son cours inférieur qu'il reçoit le nom de rio Amazonas, ou Amazone.

L'Amazone est le premier fleuve du monde par son débit qui dépasse 280 000 mètres cubes d'eau par seconde en temps de crue. Mesurant plus de 7 000 kilomètres, c'est également le plus long fleuve du monde. Sa profondeur est telle que les paquebots peuvent le remonter sur 3 700 kilomètres jusqu'à la ville d'Iquitos, à l'est du Pérou, traversant ainsi la partie septentrionale du continent sud-américain.

CI-DESSUS Le théâtre de Manaus.

CI-CONTRE Les eaux jaunâtres du rio Solimões ne se mélangent avec celles du rio Negro qu'à 80 kilomètres de leur point de rencontre.

MEXIQUE
Chichén Itzá

NOMBRE DES INTERROGATIONS CONCERNANT L'HISTOIRE DU PEUPLE MAYA, CONNU POUR SA BRILLANTE CIVILISATION, N'ONT TOUJOURS PAS TROUVÉ DE RÉPONSE. ON IGNORE, PAR EXEMPLE, QUELLES FURENT LES RAISONS À L'ORIGINE DE SA DISPARITION.

Chichén Itzá

La brève période pendant laquelle les Mayas ont atteint leur plein épanouissement a été marquée par une intense activité architecturale, à l'origine de grandioses cités et monuments. La fabuleuse cité de Chichén Itzá, sur la péninsule du Yucatán, au sud du Mexique, fut le point d'orgue et le centre de leur remarquable culture. On ignore à ce jour la date à laquelle est née la civilisation maya, ainsi que les origines de ce peuple. Mais dans la seconde moitié du Ier millénaire, les souverains mayas ont bâti une imposante cité d'environ 1 kilomètre de diamètre qui s'ordonnait autour d'un puits sacré, ou *cenote*.

La prestigieuse cité, dont la construction impliqua la participation de plusieurs milliers d'ouvriers, ne fut habitée que par les dirigeants et les prêtres. Les membres du peuple cultivaient la terre à proximité de la capitale pour subvenir aux besoins de sa population. Ils vivaient dans la pauvreté, dans des maisons de torchis et de paille. Les Mayas, cependant, ne menaient pas tous une existence pacifique de paysans. Les souverains entretenaient une puissante armée, qui ne remplissait pas uniquement une fonction défensive. Avides de prestige et de richesses, ils utilisaient les guerriers comme instrument de pouvoir. Chichén Itzá fut le point de départ de redoutables expéditions, au cours desquelles les féroces guerriers mettaient à sac d'autres cités mayas.

Le trône des souverains mayas en forme de jaguar, aux yeux de jade (vers 1050). Le jaguar était un symbole de puissance.

Au milieu Le terrain de Chichén Itzá réservé au jeu de balle est le plus grand conservé à ce jour au Mexique.

En bas Le temple des Guerriers est connu pour sa salle aux mille colonnes.

Au fil du temps, les souverains mayas accumulèrent les richesses et assirent leur puissance. Pourtant, à la fin du VIIᵉ siècle – vers 682 ou 690, selon les sources –, les Mayas abandonnèrent soudainement la capitale Chichén Itzá. Pour expliquer ce revirement de situation, on en est réduit aux hypothèses. Nombre d'indices parlent en faveur d'une catastrophe qui aurait anéanti le peuple maya et sa culture pourtant très développée – une sécheresse, par exemple, une famine ou de mauvaises récoltes, peu de Mayas ayant survécu. Lorsque, au milieu du XVIᵉ siècle, les conquérants espagnols arrivèrent sur la péninsule du Yucatán, ils ne rencontrèrent qu'une poignée de misérables guerriers. Ensuite, les missions et l'Inquisition mirent définitivement un terme à l'existence de la civilisation maya.

Symbole de la puissance des souverains mayas, le temple-pyramide de Kukulcán, appelé *Castillo* par les conquérants espagnols, dominait le reste de la cité. Le haut niveau de développement de la civilisation maya est attesté par la symbolique des chiffres qui s'intègre dans l'architecture de la pyramide de Kukulcán : les marches de la pyramide – 4 escaliers de 91 marches –, et le plateau, au sommet, s'additionnent pour former le nombre 365, correspondant aux jours de l'année.

En face du temple-pyramide de Kukulcán, l'impressionnant temple des Guerriers (*templo de los Guerreros*), connu pour sa salle aux mille colonnes, offrait le refuge à l'armée des souverains. À l'arrière, s'étendait le terrain réservé au jeu de balle, de 91 x 36 mètres.

Le jeu de balle – *pok ta pol,* ou « équipe contre équipe » – occupait une place de choix dans la vie des Mayas. Deux équipes de sept joueurs s'affrontaient sur le terrain. Le but du jeu consistait à faire passer une balle en caoutchouc de 10 à 12 centimètres de diamètre dans le camp adverse à travers un anneau orné d'un serpent. Les joueurs, revêtus d'une épaisse protection, ne devaient utiliser ni les mains ni les pieds, seulement les hanches, les coudes et les genoux. Le jeu s'arrêtait généralement au premier passage dans l'anneau. Le jeu de balle n'était pas un sport, il remplissait une fonction religieuse ou politique. Les chefs de l'équipe perdante étaient sacrifiés aux dieux et décapités sur le terrain.

Omniprésent à Chichén Itzá, le symbole du serpent apparaît sous deux aspects. Kukulcán, le serpent qui monte de la base du temple pyramide, et Quetzalcóatl, le serpent à plumes, étaient les principales divinités des Mayas.

ÉQUATEUR
Archipel des Galápagos

L'ARCHIPEL DES GALÁPAGOS (ARCHIPIÉLAGO DE COLÓN) S'ÉTIRE DANS L'OCÉAN PACIFIQUE,
À PRÈS DE 1 000 KILOMÈTRES AU LARGE DE LA CÔTE OUEST DE L'AMÉRIQUE DU SUD.
IL APPARTIENT À L'ÉQUATEUR ET REGROUPE SOIXANTE ET UNE ÎLES DE TAILLE VARIABLE.

« Ici, sur ces îles, tant dans l'espace que dans le temps, nous sommes confrontés au mystère des mystères, l'apparition de la vie sur la Terre », telles furent les remarques qu'inspira au naturaliste britannique Charles Darwin l'archipel des Galápagos, dans l'océan Pacifique, et qu'il consigna dans son journal. En 1835, Darwin entreprit un voyage aux Galápagos, où il espérait trouver des témoignages sur la Création selon la tradition biblique. Mais les découvertes qu'il fit furent beaucoup plus fructueuses et déterminantes. Elles seraient à l'origine de son célèbre ouvrage *De l'origine des espèces par voie de sélection naturelle*, et changeraient radicalement et défi-

Archipel des
Galápagos ●

nitivement la vision du monde vivant qui dominait à l'époque.

C'est à l'évêque de Panamá, l'Espagnol Tomás de Berlanga, que revient la découverte fortuite de l'archipel en 1535. Il aborda avec ses compagnons de voyage sur l'une des îles volcaniques, après avoir dérivé pendant une tempête alors qu'ils se rendaient au Pérou. Arrivés finalement à destination, les navigateurs évoquèrent avec délices les *Islas Encantadas*, les « îles enchantées ». Personne n'avait encore envisagé l'existence d'îles aussi éloignées dans l'océan, et pendant longtemps, les navigateurs eurent l'impression que les îles se déplaçaient continuellement, illusion due à la force des courants qui balaient l'archipel en perma-

CI-CONTRE L'archipel des Galápagos doit son nom à la tortue géante qui y est endémique.

CI-DESSOUS Les îles Galápagos vues d'un satellite.

nence. Depuis sa découverte, l'archipel des Galápagos a connu bien des vicissitudes.

Au XVIIe siècle, les îles servirent de repaire aux pirates, qui s'y ravitaillaient en tortues géantes pour subvenir à leurs besoins alimentaires. Au XIXe siècle, l'archipel fut baptisé Galápagos, d'après la tortue géante qui y est endémique. En 1832, le général José María Villamil prit possession des îles au nom de l'Équateur. Il les appela *Archipiélago del Ecuador*, inaugurant ainsi la première vague de colonisation sur l'archipel. En 1892, en hommage à Christophe Colomb, les Galápagos furent nommées *Archipiélago de Colón* (archipel de Colomb).

Les îles Galápagos, d'origine volcanique, reposent sur une plaque tectonique, la plaque de Nazca, qui se déplace au-dessus d'une gigantesque chambre magmatique à l'origine d'une intense activité volcanique, notamment sur les îles Isabella et Fernandina. La dernière éruption du volcan La Cumbre, sur l'île Fernan-

dina, date de mai 2005. Malgré la situation de l'archipel à proximité de l'équateur, le climat est relativement tempéré, en raison de la présence du courant de Humboldt, qui stabilise la température de l'eau aux alentours de 20 °C. Les eaux qui baignent l'archipel des Galápagos, riches en substances nutritives, abritent une grande diversité d'espèces. La saison des pluies dure de janvier à juin, aucune précipitation ne tombant pendant le reste de l'année. Le passage régulier du redoutable courant El Niño entraîne des modifications dans la configuration des courants marins, mais il influe également sur le niveau des précipitations et a des conséquences désastreuses sur la vie de la faune et de la flore.

Les observations de Darwin révolutionnèrent l'état des connaissances à son époque. L'archipel des Galápagos constitue en effet un véritable laboratoire de recherche, car la flore et la faune y ont évolué de façon indépendante, produisant un taux d'endémisme unique au monde. C'est sur l'existence des forêts de scalesia, des tortues géantes et des treize espèces de pinsons, adaptées chacune à un régime alimentaire spécifique, que Charles Darwin appuya ses thèses.

Le processus évolutionnaire, cher à Darwin, qui apparaît à l'évidence sur les îles Galápagos, en fait un paradis naturel digne d'être sauvegardé, raison pour laquelle l'archipel est classé depuis 1978 au patrimoine mondial de l'Unesco. Ce précieux héritage demeure néanmoins gravement menacé par les interventions de l'homme. En 2001, les iguanes marins ont été victimes du naufrage d'un pétrolier. Les braconniers ont tué de nombreuses tortues géantes. Par ailleurs, le développement du tourisme met lui aussi en péril le fragile équilibre de ce milieu naturel unique.

CARTE D'IDENTITÉ

✱ Nom : archipel des Galápagos, nom officiel : Archipiélago de Colón

✱ État : Équateur

✱ Situation : océan Pacifique, au large de la côte ouest de l'Amérique du Sud

✱ Composition : 61 îles

✱ Population : 25 000 habitants

✱ Patrimoine mondial de l'Unesco : depuis 1978

✱ Charles Darwin (1809-1882), d'origine britannique, compte parmi les plus illustres naturalistes de tous les temps. Sa théorie de l'évolution des espèces par la sélection naturelle (darwinisme) a révolutionné la science au XIXe siècle. Elle explique la lente évolution des organismes vivants en différentes espèces, suite à leur adaptation au milieu naturel

Les chutes de l'Iguaçu

« PAUVRES CHUTES DU NIAGARA ! », SE SERAIT ÉCRIÉE ELEONOR ROOSEVELT,
ÉPOUSE DU PRÉSIDENT DES ÉTATS-UNIS, À LA VUE DU SPECTACLE STUPÉFIANT
QUI S'OFFRAIT À SES YEUX À LA FRONTIÈRE ENTRE L'ARGENTINE ET LE BRÉSIL.

Iguaçu

Comme la première dame des États-Unis, les myriades de visiteurs, venus de tous les coins du monde, sont saisis d'admiration devant le grandiose site naturel que composent les chutes d'eau de l'Iguaçu. Surnommées la « grande eau » par les Indiens Guaranis, elles sont quatre fois plus grandes que les chutes du Niagara. Ce sont au total plus de deux cent soixante-dix cascades qui se fracassent sur plus de 2 700 mètres de largeur et 75 mètres de hauteur dans la Garganta del diablo, la « gorge du diable » – merveille qui a inspiré à la population locale un grand nombre de mythes et de légendes.

Le récit le plus dramatique, mais aussi le plus poétique, est celui de Naipi, la fille du chef d'une tribu indienne. Vivant jadis sur les rives de l'Iguaçu, la ravissante Naipi s'était éprise du guerrier le plus valeureux de sa tribu, Taroba. Malheureusement sa main avait déjà été promise au dieu-serpent M'boi. Profitant, le jour de ses noces, de l'état d'ébriété général de la tribu, la jeune fille, désespérée, s'enfuit avec son amant dans une pirogue le long de l'Iguaçu. L'embarcation glissait paisiblement sur le cours d'eau quand, tout à coup, M'boi se réveilla et reconnut son épouse. Le serpent en furie déclencha alors de gigantesques tourbillons dans l'eau avec sa queue. Il déploya une force telle qu'il finit par casser le lit du fleuve en pierre. Les eaux se fracas-

C'est la rive brésilienne qui dégage
le panorama le plus spectaculaire
sur la cataracte. Au premier plan,
on entrevoit la végétation de
la forêt tropicale.

CARTE D'IDENTITÉ

* **Nom** : chutes d'eau
de l'Iguaçu

* **États** : Argentine et Brésil

* **Largeur totale** : 2 700 m,
dont 800 m du côté brésilien
et 1 900 m du côté argentin

* **Hauteur maximale** : 75 m

* **Débit maximal** :
7 000 m³/s

* **Débit minimal** :
1 700 m³/s (le débit moyen
étant réduit à 2 300 m³/s
suite à la construction du
barrage de Salto de Caixas)

* **Découvreur** : Alvar Nuñez
Cabeza de Vaca (1490-
1557), navigateur espagnol

* **Année de découverte** :
1542

* **Patrimoine de l'Unesco** :
depuis 1986

sèrent alors au fond du gouffre qu'aucun bateau ne pouvait désormais franchir. La jolie fille du chef de tribu fut ensuite métamorphosée en un rocher, au pied de la cataracte où, depuis, elle est battue en permanence par la gigantesque masse d'eau. Quant à son amant Taroba, il fut transformé en un palmier qui surplombe les chutes. De la rive du fleuve, il laisse pencher ses branches avec langueur, mais en vain, en direction du rocher.

C'est ainsi que le mythe explique la formation des chutes d'eau de l'Iguaçu. Mais les scientifiques proposent une théorie beaucoup plus prosaïque : un phénomène géologique remontant à environ cent mille ans. C'est un affaissement du lit de l'Iguaçu qui créa le spectaculaire canyon, la Garganta del diablo, et la cataracte que l'on peut admirer aujourd'hui.

L'Iguaçu, de 1 045 kilomètres de longueur, naît au confluent de deux rivières, l'Iraí et l'Atuba, à proximité de la ville de Curitiba, au Brésil. Les derniers kilomètres avant sa rencontre avec le Paraná forment la frontière entre l'Argentine et le Brésil, qui traverse la cataracte : 800 mètres sont situés au Brésil, et la plus grande partie – 1 900 mètres – en Argentine. Du côté argentin, plusieurs accès permettent d'approcher de près la « gorge du diable ». Mais c'est de la rive

brésilienne que s'offre le panorama le plus saisissant sur les chutes.

Auparavant, jusqu'à 7 000 mètres cubes d'eau se déversaient par seconde dans le canyon pendant la saison des pluies. Mais, à la suite de la construction – très controversée – d'un barrage à Salto de Caixas, le débit moyen des chutes d'eau a considérablement baissé, n'atteignant plus que 2 300 mètres cubes par seconde. Les scientifiques et défenseurs de l'environnement craignent de graves répercussions pour la flore et la faune de cette région de jungle primitive.

CI-DESSUS Plus de 270 cascades composent la « grande eau » qui s'engouffre dans le précipice.

CI-CONTRE La Garganta del diablo, la « gorge du diable ».

BRÉSIL/PARAGUAY
Barrage d'Itaipú

À LA FRONTIÈRE ENTRE LE BRÉSIL ET LE PARAGUAY, LE BARRAGE D'ITAIPÚ EST LA PLUS GRANDE CENTRALE HYDROÉLECTRIQUE DU MONDE. LES TRAVAUX ONT COMMENCÉ EN 1971, ET, DOUZE ANS APRÈS, DEUX ÉNORMES TURBINES PRODUISAIENT DE L'ÉLECTRICITÉ.

Barrage
d'Itaipú

Dans la langue des Indiens Guaranis, le nom Itaipú signifie « les pierres qui chantent ». Le projet de construction de la plus grande centrale hydroélectrique du monde a été lancé au milieu des années 1960. Il s'agissait de retenir l'eau du Paraná, fleuve qui forme la frontière entre le Brésil et le Paraguay, sur 170 kilomètres de longueur, entre les chutes de Sete Quedas et Foz do Iguaçu. Le 26 avril 1973, le président du Brésil, Médici, et celui du Paraguay, Stroessner, ont signé le traité relatif à la construction du gigantesque barrage. Le Brésil a pris en charge le financement de cette entreprise coûteuse. Le Paraguay s'est engagé en contre-partie à apporter sa contribution au financement par la fourniture d'électricité à son partenaire. Le coût du projet fut de 20 millions de dollars au total.

La construction du barrage et de la centrale hydroélectrique, qui a duré douze ans, a suscité de vives controverses. D'un bout à l'autre du monde, les défenseurs de l'environnement et des droits de l'homme se sont mobilisés pour dénoncer le projet. Les conséquences ont en effet été catastrophiques du point de vue écologique et social : 40 000 personnes – principalement des Indiens Guaranis – ont dû quitter la région. Le barrage d'Itaipú a rayé de la carte 800 kilomètres carrés de terres agricoles, 600 kilomètres de routes et de chemins et 50 kilomètres de lignes de chemin de fer.

La centrale hydroélectrique d'Itaipú attire chaque année des milliers de visiteurs. Ils viennent du monde entier s'extasier devant le spectacle stupéfiant des nuages d'écume formés par les masses d'eau.

CARTE D'IDENTITÉ

✳ **Nom** : Itaipú ou Itaipú Binacional

✳ **Longueur du mur du barrage** : 7 700 m

✳ **Hauteur du mur du barrage** : 196 m

✳ **Niveau de retenue maximal** : 190 m

✳ **Niveau d'eau normal** : 100 m (endroit le plus profond)

✳ **Volume du réservoir** : 29 milliards de m³

✳ **Surface du réservoir** : min. 1 305 km²/ max. 1 460 km²

✳ **Longueur du barrage** : 170 km

✳ **Largeur du barrage** : min. 7 km/max. 12 km

✳ **Débit** : 62 200 m³/s

✳ **Capacité énergétique** : 14 000 MW

✳ **Production maximale** : 94 000 GWh

✳ **Volume de béton** : 12,57 millions de m³

AU MILIEU Les masses d'eau dévalent le long du déversoir du barrage hydroélectrique d'Itaipú.

EN BAS Ce sont 62 200 mètres cubes d'eau qui sortent des turbines à chaque seconde.

D'immenses superficies de forêt tropicale vierge – environ 600 kilomètres carrés – ont été systématiquement déboisées ou englouties sous les flots. L'équilibre écologique de la région a été gravement perturbé. Le 13 octobre 1983 le barrage était achevé. Deux semaines après, le niveau d'eau était monté de 100 mètres dans le lac de retenue. La centrale hydroélectrique pouvait commencer à produire de l'électricité.

Trente mille ouvriers ont été mobilisés sur l'énorme chantier. Le volume de béton qui a servi à la construction du mur du barrage suffirait à reconstruire entièrement la ville de Rio de Janeiro. La quantité de fer et d'acier utilisés équivaut à celle nécessaire à la construction de 380 tours Eiffel. La hauteur du mur du barrage – 196 mètres – correspond à celle d'un gratte-ciel de 65 étages.

Depuis 1991, la centrale hydroélectrique d'Itaipú fonctionne à plein régime. Vingt turbines colossales – les plus grandes du monde – produisent 14 000 MW d'électricité par an, soit environ huit fois plus que le barrage d'Assouan en Égypte. À titre de comparaison, il faudrait chaque jour 434 000 barils de pétrole à une centrale thermoélectrique pour produire la même quantité d'énergie. Le volume d'eau qui sort des turbines à chaque seconde – 62 200 mètres cubes – correspond à quarante fois le débit moyen des chutes d'Iguaçu, situées à proximité. La production d'une seule turbine suffit à couvrir les besoins en électricité d'une ville de 1,5 million d'habitants.

Le mur du barrage atteint 7 700 mètres de longueur et 196 mètres de hauteur. La centrale, comprenant les 18 turbines destinées à la production de l'électricité, est intégrée dans le mur du barrage. Elle mesure 968 mètres de longueur, 99 mètres de largeur et 112 mètres de hauteur. Le diamètre des générateurs est de 16 mètres. En l'an 2000, la centrale hydroélectrique d'Itaipú a battu un record mondial : en un an seulement, les générateurs ont produit 93 428 GWh d'électricité !

Actuellement, la centrale couvre en grande partie les besoins en électricité du Paraguay et du Brésil. Le barrage attire les visiteurs qui viennent s'émerveiller devant cette prouesse technologique, et le lac de retenue a été aménagé en zone de loisirs. Sur la rive ouest du lago Itaipú, de 170 kilomètres de longueur, une succession de plages forme la Costa oeste. Avec une superficie de 1 305 à 1 460 kilomètres carrés, le lac offre de nombreuses possibilités de divertissement.

PÉROU
Machu Picchu

DANS LES ANDES PÉRUVIENNES, À PLUS DE 2 400 MÈTRES D'ALTITUDE,
LA LÉGENDAIRE CITÉ INCA DE MACHU PICCHU CACHE SES MYSTÉRIEUX
TRÉSORS ENTRE DEUX CRÊTES ESCARPÉES.

Machu
Picchu

En 1532, les conquérants espagnols, dirigés par Francisco Pizarro et ses frères Gonzalo et Hernando, partirent à l'assaut des hautes terres péruviennes. Ils soumirent la population indigène, pillèrent leurs inestimables trésors, puis placèrent sur le trône les anciens dirigeants incas dont ils firent des « souverains fantoches ». Toutefois, l'ancien gouverneur inca Manco Cápac ne s'accommoda pas de son nouveau statut au service de la Couronne espagnole. Avec ses fidèles guerriers, il fomenta une révolte contre les occupants. Mais la puissance de ces derniers était telle qu'ils réprimèrent l'insurrection dans un véritable bain

de sang. Manco Cápac s'enfuit alors dans les profondeurs des montagnes andines avec les quelques survivants de sa troupe.

C'est là, dans les hauteurs des Andes, qu'il décida d'établir la nouvelle capitale inca. Il choisit un plateau dominant la vallée sauvage et encaissée du río Urubamba, entre Huayna Picchu (la « jeune crête ») et Machu Picchu (« l'ancienne crête »). Lorsque les premiers explorateurs découvrirent le site en 1911, ils pensèrent qu'il s'agissait de Vilcabamba. Mais une fois le site déblayé, c'est la fabuleuse cité de Machu Picchu qui se dévoila à leur regard.

Avec son entourage, Manco Cápac érigea une ville à la planification rigoureuse, dont la conception reflète

CI-CONTRE La légendaire cité de Machu Picchu a été construite entièrement en pierre.

CI-DESSOUS À l'aide du cadran solaire appelé Intihuatana, les Incas se livraient à de savants calculs.

l'organisation de la société inca : les demeures des membres de la noblesse se concentrent dans un quartier, avec le palais et les temples ; à proximité de la place principale est situé le quartier des lettrés et des artisans ; en dessous, les maisons des paysans sont regroupées avec les écuries et les entrepôts à provisions. La ville est construite entièrement en pierre. Le plateau comptait en effet plusieurs carrières d'où furent extraits les matériaux de construction. L'architecture des Incas, caractérisée par une maçonnerie sans mortier, a largement contribué à leur renommée.

Machu Picchu était invisible de la vallée, et le chemin qui y grimpait, inaccessible, ce qui explique que la cité soit restée ignorée des siècles durant. Les Incas avaient élaboré un système de fonctionnement qui leur permettait de subvenir entièrement à leurs besoins, sans devoir quitter le plateau. Au pied de la cité, des terrasses orientées vers le sud étaient aménagées pour l'exploitation agricole. Appelées *andenes*

– d'où est dérivé le nom Andes –, elles étaient remplies d'une terre fertile qui provenait de la vallée de l'Urubamba. Les murets qui délimitaient les terrasses offraient le double avantage de permettre l'irrigation et de retenir la terre. L'eau nécessaire était acheminée des montagnes par un ingénieux réseau de canalisations. Aujourd'hui encore, le système d'irrigation fonctionne comme il y a cinq cents ans.

Autre témoignage de la culture avancée des Incas à Machu Picchu, le célèbre temple du Soleil, chef-d'œuvre architectural, doit sa particularité à ses portes et fenêtres de forme trapézoïdale. Le soleil figurait au centre du culte des Incas, le terme *inca* signifiant « l'unique », « le fils du soleil ». Au pied du temple du Soleil, la place Sacrée était également appelée « l'enceinte du soleil ». Le centre religieux de Machu Picchu se situait sur une colline où les Incas se prosternaient devant le soleil en signe de respect. Une pierre sacrée dénommée *Intihuatana*, évoquant un cadran solaire, y a été préservée. Dans la langue des Incas, *Intihuatana* signifie « le lieu où l'on capture le soleil ». Les astronomes, les prêtres et les érudits utilisaient le cadran solaire pour suivre la trajectoire du soleil pendant l'année et déterminer les mois. Mais on ignore en quoi consistait leur mode de calcul.

La fin de Machu Picchu demeure elle aussi une énigme. Le démantèlement de l'Empire inca entraîna probablement, de manière inéluctable, le déclin de Machu Picchu. La forêt primitive eut finalement raison de la cité abandonnée. C'est seulement trois cents ans plus tard que Machu Picchu serait redécouverte.

PÉROU
Lignes de Nazca

SITUÉES SUR LA CÔTE MÉRIDIONALE DU PÉROU, LES LIGNES DE NAZCA,
TRACÉES DANS LE SOL ENTRE 500 AV. J.-C. ET 500 APR. J.-C., SOULÈVENT
UNE DES GRANDES ÉNIGMES DE L'ARCHÉOLOGIE.

Nazca

Les lignes, parfois longues de plusieurs kilomètres, sont les vestiges d'une culture avancée, dont les archéologues n'ont pas encore percé tous les mystères. Nous ne disposons à ce jour que d'hypothèses concernant l'âge des lignes de Nazca, l'une des plus grandes énigmes de l'humanité.

Les lignes de Nazca ont été découvertes dans les années 1920, lorsque les premiers avions ont commencé à survoler le désert de Nazca, et que les passagers ont identifié les tracés et les dessins au sol. Les archéologues en sont arrivés à la conclusion que ces géoglyphes devaient remonter à l'époque de la culture nazca, c'est-à-dire entre 500 av. J.-C.

et 500 apr. J.-C. Cette culture, qui connut son apogée à partir de 200 av. J.-C., fut profondément influencée au départ par la culture de Paracas, alors sur le déclin. À la fin de la culture nazca, aux VIIe et VIIIe siècles, on trouve déjà des traces d'influences provenant de la culture wari.

La signification des lignes et géoglyphes de Nazca continue de soulever de multiples interrogations, les connaissances sur la culture nazca demeurant pour le moins fragmentaires. Les thèses selon lesquelles les dessins représenteraient un gigantesque calendrier comptent de moins en moins d'adeptes au sein de la communauté scientifique. Certaines hypothèses penchent en faveur d'une fonction astronomique, d'autres,

Momie d'un Indien Nazca. Les Nazcas ensevelissaient leurs morts dans le sol chaud du désert. Les fouilles menées actuellement mettent encore au jour des momies en parfait état de préservation.

religieuse. Il y aurait, semble-t-il, des corrélations évidentes entre l'orientation de certaines lignes et les solstices. Quant aux représentations animales, elles figuraient peut-être sur des itinéraires le long desquels étaient déposés des sacrifices, à l'occasion de cérémonies religieuses.

Le journaliste Hoimar von Ditfurth a soutenu la thèse selon laquelle la totalité du plateau de Nazca était une gigantesque arène de sport. Des scientifiques de renom ont, quant à eux, émis l'hypothèse d'un système d'irrigation destiné à permettre l'exploitation agricole du désert. La position la plus fantaisiste est celle de l'écrivain Erich von Däniken, selon lequel les lignes de Nazca seraient les pistes d'atterrissage de vaisseaux extraterrestres. Des preuves manquent néanmoins à l'appui de ces diverses théories quant à la fonction des lignes de Nazca.

Les thèses les plus récentes se fondent sur le postulat selon lequel ce désert était jadis une région fertile. Les chercheurs pensent avoir trouvé des témoignages dans la poussière du désert : de minuscules fragments de végétaux. La présence de végétaux induit tout naturellement celle de l'eau, apportée par des précipitations régulières. Selon cette théorie, le peuple nazca aurait pu être confronté à une catastrophe d'ordre climatique : les précipitations se seraient arrêtées, et le désert aurait peu à peu conquis la région. Mais la population était dépendante de l'eau des rivières andines ; les sources ne devaient pas se tarir. C'est pourquoi les lignes de Nazca sont interprétées comme des messages des hommes adressés aux dieux – comme des prières symboliques réclamant l'eau nécessaire à la vie.

Les supplications des hommes semblent avoir opéré pendant un certain temps. Mais un jour, les Nazcas ont probablement été victimes d'une nouvelle catastrophe, car ils ont disparu mystérieusement.

CI-DESSUS **Des mains démesurées tracées dans le désert.**

CI-CONTRE **Ce gigantesque singe compte parmi les mystérieuses représentations figuratives des Nazcas.**

CHILI
Île de Pâques

LE JOUR DE PÂQUES 1722, LE CAPITAINE HOLLANDAIS JACOB ROGGEVEEN DÉCOUVRIT DANS L'OCÉAN PACIFIQUE UNE ÎLE SUR LAQUELLE AUCUN EUROPÉEN N'AVAIT ENCORE ACCOSTÉ, ET QUI NE FIGURAIT SUR AUCUNE CARTE MARINE. IL LA BAPTISA ÎLE DE PÂQUES.

Jamais les navigateurs n'avaient envisagé l'existence d'une île habitée dans un coin aussi retiré de l'océan Pacifique. Jamais les autochtones n'auraient imaginé l'arrivée des « dieux blancs ». Ces derniers furent aussitôt fascinés par les gigantesques statues qui les attendaient, alignées les unes à côté des autres sur le rivage.

Quelle pouvait être l'origine des hommes qui avaient érigé ces géants de pierre ? Et d'où provenaient la pierre qu'ils utilisaient pour leurs sculptures ? Les explorateurs découvriraient bientôt d'autres richesses encore, tels des sanctuaires, ou *ahu*, et d'énigmatiques tablettes en bois.

C'est probablement vers l'an 1000 que des Polynésiens atteignirent cette île perdue au milieu de l'océan Pacifique. Mais les chants légendaires rapportent quant à eux l'arrivée, au XVe siècle, du roi légendaire Hotu Matua et de son peuple. Les colonisateurs apportèrent avec eux semences, animaux et outils et se mirent à cultiver le sol. Ils baptisèrent leur nouvelle patrie *Te Pito o te Henua* (le « nombril du monde »). Ils arrivèrent aussi avec leurs coutumes et traditions. C'est ainsi que Hotu Matua fit ériger des lieux de culte le long de la côte. Sur leur ancienne île, ces Polynésiens avaient pour habitude d'élever des monuments commémoratifs aux chefs de tribus défunts – des statues en pierre de plusieurs mètres de hauteur, appelées *moai*.

Île de Pâques

Statue de pierre, ou *moai,* sur l'île de Pâques. Les têtes aux longues oreilles et au long nez atteignent jusqu'à dix mètres de hauteur et pèsent plus de 150 tonnes.

CARTE D'IDENTITÉ

✳ Nom : île de Pâques

✳ Superficie : 162,5 km²

✳ Situation : Pacifique sud-est, à 27° de latitude sud et 109° de longitude ouest ; l'île peuplée la plus proche, Pitcairn, se trouve à plus de 2 000 km à l'ouest ; la côte chilienne, à 3 700 km ; Tahiti, à 4 000 km

✳ État : Chili

✳ Patrimoine de l'Unesco : depuis 1995

✳ Particularité : statues de pierre *(moai)* atteignant 10 m de hauteur et pesant plus de 150 t

Les célèbres statues de l'île de Pâques atteignent 10 mètres de hauteur et pèsent jusqu'à 150 tonnes. Taillées dans les pentes du volcan Rano Ranaku, elles représentent des êtres humains stylisés. Pour les transporter, on suppose que les Pascuans utilisaient des troncs d'arbres provenant des riches palmeraies de l'île, sur lesquels ils les faisaient rouler. Les statues étaient ainsi acheminées centimètre par centimètre jusqu'à leur lieu de destination, situé parfois à des kilomètres de distance. Ce travail, qui représentait un effort titanesque, nécessitait la participation de centaines d'hommes.

En 1774, le célèbre capitaine britannique James Cook atteignit l'île de Pâques. Ce qu'il y découvrit n'avait rien à voir avec les descriptions d'une culture prospère et avancée que les Hollandais avaient rapportées dans l'Ancien Monde. Nombre des légendaires colosses de pierre gisaient au sol ou étaient détruits. Seuls quelques autochtones vivaient reclus dans des grottes inaccessibles. Cook fut alors confronté à une énigme : que s'était-il passé ? Les récits livrés par les quelques survivants de la population indigène étaient souvent contradictoires.

Tout laisse penser que, après le départ des Hollandais, la civilisation pascuane fut victime de la surpopulation et d'une importante famine qui contribuèrent à son déclin. L'exploitation abusive des forêts, due au culte des statues, associée à de mauvaises récoltes, entraîna l'épuisement des ressources précaires de l'île. Ces difficultés engendrèrent des désordres sociaux qui se manifestèrent sous la forme d'affrontements guerriers, de conflits de pouvoir et de cannibalisme. Lorsque Cook aborda sur l'île, il ne restait que quatre mille Pascuans sur les vingt mille habitants que Roggeveen avait recensés en 1722. L'île perdue au milieu du Pacifique sombra bientôt dans l'oubli.

En 1862, des soldats péruviens conquirent l'île et déportèrent neuf cents Pascuans comme esclaves sur les îles à guano. Seuls quinze d'entre eux survécurent et revinrent sur l'île de Pâques en rapportant la variole. En 1877, l'île ne comptait plus que 111 habitants. En 1888, elle fut annexée par le Chili. En 1966, la population élit un maire pour la première fois. Depuis 1964, l'île est reliée au monde extérieur par un aéroport. Depuis, 20 000 touristes viennent découvrir chaque année la mythique île de Pâques. Pour les 3 800 habitants que compte l'île actuellement, l'élevage du mouton représente une activité économique importante.

AU MILIEU Les statues de pierre de l'île de Pâques soulèvent bien des énigmes.

EN BAS Des huttes de pierre rondes émaillent les paysages de l'île.

PANAMÁ
Canal de Panamá

OUVERT EN 1914 À LA NAVIGATION COMMERCIALE, LE CANAL DE PANAMÁ,
PRINCIPALE VOIE NAVIGABLE ARTIFICIELLE DU MONDE, TRAVERSE L'ISTHME
DU MÊME NOM POUR RELIER LE PACIFIQUE ET L'ATLANTIQUE.

Canal de Panamá

Dès le début du XVIᵉ siècle, les conquérants espagnols conçurent l'idée de relier les deux grands océans par une voie navigable. Mais le roi Philippe II rejeta d'emblée le projet. Il menaça même de la peine de mort tous ceux qui lui soumirent ensuite des propositions concernant la construction d'un canal. C'est seulement trois cents ans plus tard que l'idée sera reprise.

Fort de son succès avec le canal de Suez, le diplomate français Ferdinand de Lesseps a désormais pour objectif d'établir une liaison entre l'Atlantique et le Pacifique. Mais les travaux, entrepris en 1881, se heurtent à de

nombreuses difficultés. Aux maladies – paludisme et fièvre jaune – s'ajoutent les glissements de terrain, à l'origine de nombreuses morts parmi les ouvriers. Sept ans seulement après le début des travaux, l'ambitieux chantier doit être arrêté. La société responsable du financement fait faillite suite à des erreurs de gestion et à des problèmes de corruption qui seront à l'origine d'un énorme scandale financier en France.

En 1902, la société de liquidation vend aux États-Unis, pour 40 millions de dollars, les droits, les travaux et le matériel afférents à la construction du canal. Mais, le Panamá appartenant alors à la Colombie, les Américains ne peuvent pas relancer la construction. En 1903, le gouvernement américain, sous la houlette

CI-CONTRE Le *Cape Charles* figure parmi les plus gros navires qui peuvent emprunter le canal.

CI-DESSOUS Un cargo à l'écluse de Gatún.

CAPE CHARLES
PANAMA

du président Theodore Roosevelt, fomente une révolte à Panamá, où est proclamée l'indépendance. Il négocie ensuite avec la nouvelle république un traité qui lui permet de reprendre la construction du canal. Les termes du traité signé entre le Panamá et les États-Unis prévoient que le canal restera propriété du gouvernement américain « pour l'éternité ». Dès le 15 août 1914, le canal est ouvert à la circulation.

Le canal de Panamá s'étire sur 80 kilomètres entre les villes de Colón, sur l'Atlantique, et de Panamá, sur le Pacifique, et traverse le lac de Gatún, aménagé en barrage. Il raccourcit le voyage maritime de New York à San Francisco de 26 000 kilomètres à 10 000 kilomètres et nécessite le franchissement de trois écluses. Les navires doivent s'élever de 26 mètres au niveau du lac de Gatún, bien que le niveau de l'Atlantique, dans la zone du canal, ne soit inférieur que de 24 centimètres à celui du Pacifique. Le canal peut être emprunté en double sens sur presque toute sa longueur. Cependant,

les écluses à deux voies limitent la taille des navires. Ceux de la catégorie Panamax ne doivent pas dépasser 294 mètres de longueur, 32 mètres de largeur et 12 mètres de tirant d'eau.

Depuis l'ouverture du canal de Panamá à la circulation, plus de 900 000 navires ont emprunté cette voie navigable. Pour chaque passage, les autorités panaméennes – responsables de la gestion du canal depuis le 1er janvier 2000 – perçoivent des taxes en fonction de la taille et du tonnage des navires. En 2005, elles se sont élevées à environ 70 000 dollars pour chacun des 14 000 navires qui ont emprunté le canal. Mais depuis longtemps, la capacité du canal de Panamá ne répond plus à la demande, des bateaux de plus en plus gros assurant désormais le trafic des marchandises entre les États-Unis et l'Asie. Les dimensions des navires de catégorie Postpanamax dépassent largement les normes en vigueur pour la traversée du canal. Trois cents géants de cette catégorie sillonnent actuellement les océans du monde, et ils seront de plus en plus nombreux dans les années à venir. Leur capacité, supérieure à 10 000 conteneurs, correspond au double de celle des plus gros navires de la catégorie Panamax.

Pour le Panamá, le canal est une véritable mine d'or. Afin de préserver son attrait et d'assurer des ressources à long terme pour l'État, le gouvernement panaméen prévoit la rénovation du canal. Le financement de cette entreprise sera assuré par une augmentation considérable des taxes perçues sur la traversée. Le coup d'envoi de ce projet controversé doit être donné au cours des prochaines années, à la suite d'un référendum.

CHRONOLOGIE

* **1881** : début de la construction par un consortium français

* **1902** : vente aux États-Unis des droits, des travaux et du matériel afférents à la construction du canal pour 40 millions de dollars

* **1903** : le Panamá devient indépendant ; reprise des travaux par le gouvernement américain

* **15 août 1914** : mise en service du canal

* **1920-1999** : le canal appartient aux États-Unis

* **2000** : les États-Unis cèdent le canal au Panamá

CARTE D'IDENTITÉ

* **Longueur** : 80 km

* **Écluses** : 3

* **Nombre de traversées** : 900 000 depuis 1914 ; max. 45 par jour

* **Recettes moyennes** : 70 000 dollars (2005) pour une traversée

* **Classe Panamax** : longueur max. 294 m, largeur max. 32 m, tirant d'eau max. 12 m

ARGENTINE
Glacier de Perito Moreno

LE PERITO MERENO, EN PATAGONIE, EST LE SEUL GLACIER DU MONDE QUI AVANCE CONTINUELLEMENT
– JUSQU'À 450 MÈTRES PAR AN ! DEPUIS 1981, LE GLACIER ET LE PARC NATIONAL DE LOS GLACIARES
FIGURENT SUR LA LISTE DU PATRIMOINE MONDIAL DE L'UNESCO.

Glacier de
Perito Moreno

Les vastes étendues sauvages de la Patagonie, à l'extrémité méridionale du continent américain, fascinent par leur caractère austère et menaçant. Dans ce décor grandiose se répète à intervalles irréguliers un phénomène naturel unique et impressionnant : la barrière de glace qui retient une partie des eaux du lac Argentino cède et se fracture sous la pression considérable qu'elles exercent.

Le champ de glace patagonien recouvre la quasi-totalité du parc national de Los Glaciares. Il représente, après l'Antarctique, la plus importante masse de glace du monde, d'une superficie de 14 400 kilomètres carrés !

Cette curiosité naturelle s'étire sur environ 350 kilomètres de longueur et près de 50 kilomètres de largeur. Le champ de glace naît au nord du parc national, sur les versants du Fitz Roy, à 1 500 mètres d'altitude seulement. L'extrémité des langues glaciaires des trois principaux glaciers – le Perito Moreno, l'Upsala et le Viedma – se situe à environ 1 300 mètres d'altitude. Les eaux de leur fonte ont donné naissance à de vastes lacs qui doivent notamment leur attrait à leur couleur turquoise. Les parties émergées des glaciers dressent leurs formes déchiquetées jusqu'à 60 mètres de hauteur au-dessus de l'eau, tels de gigantesques icebergs. La plus grande partie des glaciers est immergée sur environ 130 mètres de profondeur.

* **Nom** : parc national de Los Glaciares

* **Superficie** : 4 500 km²

* **Patrimoine de l'Unesco** : depuis 1981

* **Glaciers** : 13

* **Particularité** : les glaciers forment la plus importante masse de glasse après l'Antarctique

* **Étymologie** : le glacier doit son nom à son découvreur, l'Argentin Francisco Pascasio « Perito » Moreno (1852-1919), géographe et anthropologue

De vastes étendues de prairies, les pampas, participent au décor du parc national de Los Glaciares. À l'arrière-plan se profilent les contreforts enneigés des Andes méridionales.

Le glacier de Perito Moreno, le plus grand du parc national de Los Glaciares, atteint environ 60 kilomètres de longueur et 5 kilomètres de largeur. Partout dans le monde les glaciers ont tendance à fondre lentement et à reculer. Le Perito Moreno est l'un des seuls glaciers continentaux qui continue à avancer ! Chaque jour, à son point de départ, les fortes précipitations qui tombent sur les montagnes forment environ 1 mètre de glace, faisant progresser la langue glacière d'environ 450 mètres par an.

La langue glaciaire du Perito Moreno aboutit dans le lac Argentino, où elle dresse sa masse au-dessus de l'eau sur près de 2 kilomètres de largeur et 60 mètres de hauteur. Certaines années, la glace partage le lac en deux parties. Au nord de cette barrière, les eaux du lac peuvent s'écouler librement. Au sud, en revanche, elles sont retenues. Des différences de 30 mètres dans le niveau d'eau entre le nord et le sud du lac ne sont pas rares. Il arrive que la pression de l'eau soit telle qu'elle finisse par rompre la barrière de glace, engendrant alors un phénomène unique et fantastique – appelé la *Ruptura*.

Des blocs de glace atteignant la hauteur de maisons cèdent à la force de l'eau, se détachent de la masse de glace et se fracassent dans le lac Argentino dans un bruit assourdissant. L'eau se fraie des passages à travers la barrière sous la forme de canaux ou de tunnels par lesquels s'évacue la masse d'eau retenue. Elle se déverse ensuite en une gigantesque vague dans la partie septentrionale du lac et poursuit sa course en direction de l'Atlantique.

Tous les quatre à dix ans, le glacier de Perito Moreno est à l'origine de ce saisissant spectacle. Le dernier, qui a eu lieu en mars 2006, a attiré des milliers de curieux.

Ci-DESSUS Des blocs de glace se détachent régulièrement de la langue glaciaire.

Ci-CONTRE Le glacier Perito Moreno est l'un des rares glaciers continentaux au monde qui voient leur volume augmenter.

MEXIQUE
Teotihuacán

TEOTIHUACÁN FUT LE FOYER DE LA PREMIÈRE CULTURE INDIENNE AU MEXIQUE CENTRAL.
PLUS QU'AUCUNE AUTRE, CETTE MÉTROPOLE PRÉCOLOMBIENNE CONTRIBUA LARGEMENT
AU DÉVELOPPEMENT DES CIVILISATIONS MÉSO-AMÉRICAINES.

Teotihuacán

La fondation de Teotihuacán marque le début de l'époque classique en Méso-Amérique. On sait aujourd'hui de façon certaine que Teotihuacán fut la capitale d'un empire qui surpassa même celui des Aztèques par sa puissance, sa taille et son influence. Les constructeurs de la monumentale cité, célèbre pour ses pyramides, demeurent inconnus à ce jour. Lorsqu'ils s'établirent à Teotihuacán au XIVᵉ siècle, les Aztèques furent très impressionnés par les dimensions des édifices qu'ils y découvrirent.

Si l'on en croit une ancienne légende indienne, Teotihuacán fut le lieu élu par les dieux pour s'entretenir sur la création de l'homme. Les spécialistes, quant à eux, attribuent la fondation de la ville, au IVᵉ siècle av. J.-C., à des agriculteurs indiens venus du nord. Grâce à leur savoir-faire, Teotihuacán devint bientôt un centre agricole florissant. Par ailleurs, les liaisons commerciales qu'entretenait la population avec d'autres régions de Méso-Amérique participèrent à la prospérité de la cité. À son apogée, entre 200 et 400, Teotihuacán était peuplée de 200 000 personnes. À partir de 650, la cité amorça son déclin et les habitants commencèrent à partir. Mais nous en sommes actuellement réduits aux hypothèses quant aux raisons à l'origine de ce revirement de situation.

Des témoignages d'incendie, présents sur de nombreux édifices, laissent supposer qu'une catastrophe

L'allée des Morts, de plus de 1 500 mètres de longueur, mène de la pyramide de la Lune au temple de Quetzalcóatl.

AU MILIEU Troisième pyramide du monde par ses dimensions, la pyramide du Soleil dresse ses 63 mètres de hauteur au-dessus des ruines de Teotihuacán.

EN BAS Le dieu de la Végétation, Quetzalcóatl.

fut à l'origine de la fuite de la population. On pense que la ville fut par la suite victime des Toltèques, qui la pillèrent et la dévastèrent.

Au XIVᵉ siècle, les Aztèques prirent possession de la ville et lui attribuèrent le nom sous lequel nous la connaissons aujourd'hui. Dans la langue des Aztèques, Teotihuacán signifie « le lieu où les hommes deviennent des dieux ». Dès leur arrivée, les Aztèques furent saisis d'admiration devant la grandeur de la ville, la largeur de ses avenues et la splendeur de ses monuments. Ils en vinrent à la conclusion que Teotihuacán avait été construite par des géants, et qu'elle avait vu naître le Soleil et la Lune.

Le plus modeste des deux édifices qui dominent Teotihuacán, la pyramide de la Lune se dresse au départ de la principale artère de la ville, l'allée des Morts. Dépassant 1 500 mètres de longueur, cette avenue doit son nom au fait que les Aztèques la prirent pour une gigantesque sépulture. L'allée mène au temple de Quetzalcóatl. Formant le centre de la citadelle, ce sanctuaire pyramidal est rehaussé de bas-reliefs figurant des serpents. Quetzalcóatl, le dieu de la Végétation, est le plus souvent représenté sous les traits d'un serpent à plumes. En continuant le long de l'allée des Morts, on arrive à la gigantesque pyramide du Soleil, monument phare de la prestigieuse cité.

La pyramide du Soleil, troisième du monde par ses dimensions, est le monument le plus somptueux de Teotihuacán. De 63 mètres de hauteur, elle mesure 222 x 225 mètres à la base. Sa construction, entreprise vers 200 av. J.-C., nécessita l'emploi de 995 000 kilomètres cubes de matériaux. Les spécialistes ont estimé son poids à près de trois millions de tonnes. Contrairement à d'autres pyramides de Méso-Amérique, la pyramide du Soleil, ainsi que celle de la Lune, n'ont pas fait l'objet d'agrandissements successifs à partir du centre au cours des siècles. On pense que leur construction fut menée de manière ininterrompue – tout comme celle des autres édifices de la ville. Contrairement aux pyramides égyptiennes, celles de Teotihuacán ne remplissaient pas la fonction de tombeaux, mais servaient de plates-formes sur lesquelles étaient érigés des temples. En 1971 a été découvert un tunnel de 100 mètres de longueur, abritant des objets rituels et des représentations figuratives d'inspiration religieuse. À l'apogée de Teotihuacán, la pyramide du Soleil était peinte en rouge foncé.

GUATEMALA
Tikal

AU GUATEMALA, DANS LES PROFONDEURS DE LA FORÊT TROPICALE, DE GRANDIOSES MONUMENTS DE PIERRE SONT LES VESTIGES D'UNE CULTURE DISPARUE DEPUIS LONGTEMPS – LES PYRAMIDES, TEMPLES ET PALAIS DE LA MYTHIQUE CITÉ DE TIKAL, AU CŒUR DE LA FORÊT DU PÉTEN.

Tikal

Les Mayas, les habitants de Tikal, continuent de poser bien des énigmes. Apparus il y a près de trois mille ans, ils ont été à l'origine d'une brillante civilisation, dont l'existence a duré plus longtemps que celle de l'Empire romain. Ils ont fini par disparaître aussi mystérieusement qu'ils étaient entrés sur la grande scène de l'Histoire.

La culture maya a atteint son apogée au VIe siècle apr. J.-C. Les Mayas bâtissent alors de somptueuses villes, dans lesquelles ils élèvent des palais et des temples. Tikal devient l'un des principaux foyers religieux de cette culture. La puissante dynastie consolide et étend sa souveraineté et son influence par la conquête des États voisins. Tikal connaît alors son plein épanouissement. Mais trois cents plus tard, au IXe siècle, la prestigieuse cité commence à sombrer dans l'oubli, au cœur de la forêt tropicale. En peu de temps, la population abandonne la métropole jadis florissante. La haute culture maya disparaît avec son peuple. Comment expliquer ce phénomène ?

Du caractère énigmatique de cette civilisation est né tout naturellement un mythe. Pendant longtemps, les Mayas ont été considérés comme un peuple pacifique, vivant en étroite symbiose avec la nature. Mais il semblerait que la réalité ait été tout à fait autre pour les Mayas de la cité de Tikal. C'est du moins ce qu'attestent de récentes études.

CI-CONTRE À l'apogée des Mayas, de 50 000 à 80 000 personnes vivaient à Tikal.

CI-DESSOUS Tikal fut l'un des principaux centres cérémoniels de l'empire maya.

L'État maya de Tikal était dominé par une élite avide de pouvoir et de prestige, qui entretenait l'idolâtrie, exploitant ses sujets sans vergogne – jusqu'à l'anéantissement. La corruption et les abus de pouvoir qui marquèrent la politique de cette élite, préoccupée avant tout de sa puissance et de son bien-être, débouchèrent sur une catastrophe écologique qui aurait finalement conduit à la chute de l'une des plus brillantes cultures de la période classique en Méso-Amérique.

Les souverains mayas s'employèrent à exploiter le culte des rois déifiés qui avait la faveur de leurs sujets. Ils s'approprièrent le pouvoir des chamans et s'imposèrent comme des intermédiaires entre le peuple et les divinités du panthéon maya. Ces souverains qui, aux yeux du peuple, paraissaient d'essence divine, élaborèrent un système social hautement hiérarchisé sur lequel ils régnaient en maîtres tout-puissants.

Les Mayas sont aujourd'hui connus pour leurs nombreuses réalisations. En dehors de l'urbanisme et l'architecture, ils s'illustrèrent notamment dans le domaine des sciences. Leur écriture pictographique, formée de glyphes, était la plus élaborée de l'aire méso-américaine. C'est à eux que reviendrait la découverte du chiffre zéro, et ils inventèrent deux calendriers – un rituel et un solaire.

Toutefois, l'accès aux connaissances comme l'écriture ou les mathématiques était réservé à quelques élus seulement. Le groupe des puissants était très restreint, et la classe des dirigeants s'opposait avec virulence, sinon avec cruauté, à tous ceux qui tentaient de porter atteinte à leur puissance et à leur monopole du savoir. Des milliers de sujets trouvèrent la mort dans le cadre de sacrifices qui prenaient parfois la forme de jeux.

Dans le même temps, les palais et les temples gagnaient en grandeur, l'ornementation déployait de plus en plus d'opulence. Les colonnes, stèles, escaliers et corniches foisonnaient de décorations en stuc. Pour faire brûler la chaux utilisée dans la fabrication du stuc, d'énormes quantités de bois étaient nécessaires. C'est pourquoi les souverains mayas ordonnèrent le déboisement systématique des environs de Tikal. Aux forêts se substituèrent des cultures de maïs destinées à subvenir aux besoins de la population. Mais la terre fertile, exposée aux intempéries, fut bientôt entraînée par les pluies tropicales. Seul resta le sol aride, impropre aux cultures. Le résultat ne se fit pas longtemps attendre – la pénurie de denrées alimentaires entraîna une importante famine. La puissance des souverains mayas s'effondra, signant la chute de Tikal. Les habitants s'enfuirent par milliers, laissant derrière eux une ville-fantôme – mais aussi, pour les générations à venir, de somptueux témoignages d'une culture avancée.

CHRONOLOGIE

✳ **400 av. J.-C. :** premier peuplement de Tikal

✳ **219-238 :** roi Yax Moch Xoc (la « Grande Patte de jaguar »)

✳ **250 :** Tikal devient un centre religieux

✳ **292 :** roi Balam Ajaw (le « Jaguar décoré »)

✳ **682-734 :** roi Ah Cacao (« prince Chocolat »)

✳ **IXᵉ siècle :** début de la décadence de Tikal

Aux États-Unis et au Canada, haute technologie et richesses naturelles coexistent en parfaite symbiose. Des constructions à l'architecture audacieuse témoignent d'un haut niveau de savoir-faire et d'une course effrénée au progrès. De fantastiques paradis naturels et réserves animales abritent des trésors d'une valeur inestimable.

AMÉRIQUE

DU NORD

Tour CN

LORSQUE L'ON APPROCHE LA MÉTROPOLE CANADIENNE DE TORONTO
EN BATEAU, PAR LE LAC ONTARIO, LA TOUR CN, EMBLÈME DE LA VILLE
ET MERVEILLE D'INGÉNIERIE, SE SIGNALE AU REGARD.

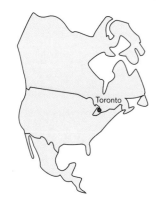

Toronto

La tour CN, la plus haute construction auto-portante du monde, pointe vers les cieux sa silhouette fine et élancée. La tour de télévision, de 533,33 mètres de hauteur, doit à sa fonction le surnom de « merveille mondiale du Canada ». L'abréviation CN renvoie au nom de la compagnie ferroviaire canadienne, le Canadien National Railway, à l'origine de sa construction dans les années 1970, en partenariat avec la société Canadian Broadcasting Company (CBC).

C'est le 6 février 1973 qu'a été posée la première pierre de la tour CN. La construction des fondations a nécessité en premier lieu l'extraction et l'évacuation de 62 000 tonnes de terre et de schiste. Les fondations consistent en une plaque de béton précontraint de 6 mètres d'épaisseur et 70 mètres de diamètre. Plus de 57 000 tonnes de béton ont été utilisées pour ce socle qui supporte un poids supérieur à 130 000 tonnes.

La flèche de la tour a été élevée au rythme de 6 mètres par jour avec du béton coulé en continu dans un coffrage mobile. À mesure que le béton durcissait, le coffrage était déplacé vers le haut à l'aide de vérins hydrauliques. Mais le principal défi pour les constructeurs a été de dresser la tour à la verticale. À cette fin, les ingénieurs ont suspendu un cylindre d'acier de plus de 100 kilos à un câble d'acier dans la cavité hexa-

Ci-contre La tour CN pointe son élégante silhouette au-dessus de la ville de Toronto.

Ci-dessous Toronto la nuit – une mer de lumières sur les rives du lac Ontario.

gonale, au centre de la tour. Des mesures précises ont été effectuées régulièrement au moyen d'instruments optiques très performants. Le résultat est impressionnant : la tour CN, de plus de 550 mètres de hauteur, présente seulement un écart de 2,7 centimètres par rapport à la verticale.

Une antenne a été ajoutée à l'extrémité de la tour. L'aiguille d'acier, composée de trente-neuf éléments, a été transportée en haut du « Space Deck » par un énorme hélicoptère Sikorsky. Cette méthode a permis de réduire la pose de l'antenne à trois semaines et demie. Par des moyens conventionnels, elle aurait duré six mois. La dernière section a été montée le 2 avril 1975.

La construction de la tour CN constitue une véritable prouesse en termes de stabilité. L'édifice de conception audacieuse, ouvert au public en 1976, présente une particularité architectonique. La tour n'est pas cylindrique, mais hexagonale, sa structure se com-

posant de trois ailes formant un Y au sol. Ce parti pris architectural est problématique à bien des égards, le principal inconvénient étant l'extrême sensibilité au vent, contrairement à une structure de forme ronde. Rien d'étonnant, donc, que l'extrémité de la tour CN accuse une inclinaison de 3 mètres par vents violents, d'environ 200 km/h.

À environ 350 mètres de hauteur, le Space Deck est accessible au moyen de six ascenseurs vitrés qui, atteignant une vitesse de plus de 365 mètres par seconde, montent et descendent le long de la paroi extérieure de la tour CN. La structure ronde, de 36,50 mètres de diamètre, abrite un restaurant, une discothèque et deux terrasses panoramiques. La terrasse inférieure offrait auparavant un point de vue grandiose sur le vide, au-dessous : le sol se compose en effet de dalles de verre ultrarésistant de 6,35 mètres d'épaisseur, pouvant supporter un poids de 38 tonnes. Mais les visiteurs ayant des réticences à plonger leur regard vers le vide, à leurs pieds, le sol a été en partie revêtu de moquette.

La partie inférieure du Space Deck présente la forme d'un énorme bourrelet de matière plastique recouvert de Téflon et renforcé avec de la fibre de verre. La partie supérieure du Space Deck est habillée d'un revêtement en acier inoxydable, qui brille sous le soleil.

À 447 mètres de hauteur, point le plus élevé de la tour accessible au public, la plus haute terrasse panoramique du monde, appelée Skypod, dégage un point de vue époustouflant – à condition de ne pas être sujet au vertige.

CARTE D'IDENTITÉ

✱ **Nom** : tour CN

✱ **Situation** : Toronto, Canada

✱ **Début des travaux** :
6 février 1973

✱ **Fin des travaux** :
2 avril 1975

✱ **Hauteur** : 553,33 m

✱ **Fondations** : plaque de béton de 6 m d'épaisseur et 70 m de diamètre

✱ **Poids des fondations** :
57 000 t

✱ **Poids de la tour CN** :
plus de 130 000 t

✱ **Ascenseurs** :
6 ascenseurs vitrés le long de la paroi extérieure

✱ **Vitesse des ascenseurs** :
plus de 365 m/s

✱ **Particularité** : le Space Deck de forme cylindrique à 350 m de hauteur ; diamètre : 36,50 m. La terrasse inférieure offrait à l'origine un panorama grandiose sur le vide : le sol se compose de dalles de verre ultrarésistant de 6,35 cm d'épaisseur, pouvant supporter un poids de 38 t

✱ **Marches** : 2 570

ÉTATS-UNIS
Vallée de la Mort

LORSQUE L'ON TRAVERSE LA VALLÉE DE LA MORT SOUS UNE CHALEUR ACCABLANTE,
IL EST DIFFICILE DE CONCEVOIR QU'ELLE FUT JADIS LE DOMAINE DES GLACES. POURTANT,
AU COURS DE SA RICHE HISTOIRE, LA VALLÉE DE LA MORT A CONNU DEUX GLACIATIONS.

Vallée de
la Mort

La chaleur est torride, voire insupportable dans la vallée de la Mort (Death Valley) ; l'air, terriblement sec. Pendant les mois d'été, il n'est pas rare que la température atteigne 50 °C. Un record de chaleur a été battu le 10 juillet 1913, à Badwater, lorsqu'elle est montée à 56,7 °C – température la plus élevée jamais enregistrée aux États-Unis. La vallée de la Mort est séparée de l'océan Pacifique par la barrière montagneuse de la sierra Nevada, qui bloque les précipitations venant de l'ouest. Les nuages déversent leur eau sur les crêtes, et l'air devient très sec en arrivant dans la vallée de la Mort. C'est l'une des régions les plus sèches de la planète.

Toutefois, malgré son caractère inhospitalier, ce milieu naturel n'est pas dénué de vie. La région est peuplée depuis plus de sept mille ans, comme en témoignent des gravures rupestres et autres vestiges de présence humaine. Aujourd'hui, seuls quelques Indiens Shoshones ou Timbisha se concentrent encore dans les environs de Furnace Creek.

Le parc national de la Vallée de la Mort abrite aussi une population de moutons bighorn. Cette espèce de moutons de montagne, connue pour sa grande résistance et sa capacité d'adaptation exceptionnelle, s'accommode parfaitement des conditions hostiles qui règnent dans la vallée de la Mort. La flore variée est adaptée à la sécheresse. C'est seulement après les tem-

✽ **Nom** : parc national de
la vallée de la Mort

✽ **Création** : 11 février 1933
comme monument national,
depuis le 31 octobre 1994
comme parc national

✽ **Situation** : Californie
et Nevada, États-Unis

✽ **Altitude** : de 85,50 m
au-dessous du niveau de
la mer (Badwater Basin) à
3 368 m au-dessus du niveau
de la mer (Telescope Peak)

✽ **Superficie** : 13 268 km²

✽ **Visiteurs** : env. 1 million
par an

✽ **Particularité** : point le
moins élevé des États-Unis
et de l'hémisphère
occidental

✽ **Étymologie** : la vallée
de la Mort doit son nom
à un événement tragique.
En 1849, des chercheurs
d'or furent victimes de
la chaleur torride et de
la pénurie d'eau en tentant
de trouver un passage en
direction de la Californie

Même la nuit, la température
descend rarement au-dessous
de 38 °C à Devil's Golf Course,
le « terrain de golf du Diable ».

pêtes de printemps que les graines enfouies dans le sol reprennent vie, un ravissant tapis multicolore recouvrant alors, mais brièvement, les paysages arides.

La vallée de la Mort est une formation relativement récente. Âgée de quelques millions d'années seulement, elle possède néanmoins un passé géologique riche. Au moins quatre périodes d'activité volcanique l'ont façonnée. Elle a connu trois ou quatre périodes de sédimentation et plusieurs épisodes de déformations tectoniques. Elle a également subi deux glaciations. Le parc national est célèbre pour l'étonnante diversité de ses paysages. Le site d'Artists Palette doit son nom à la stupéfiante gamme de couleurs que présentent ses rochers. Le point le moins élevé de la vallée, Badwater Basin, descend à 85,50 mètres au-dessous du niveau de la mer. Il est connu pour ses curieuses formations salines en forme de saucières hexagonales. À proximité immédiate se trouve la station météorologique qui enregistra le record de chaleur de 1913. À 1 669 mètres d'altitude, le point de vue de Dante's View dégage un panorama spectaculaire sur le centre de la vallée de la Mort – de Badwater Basin aux grandes étendues salées de Devil's Golf Course, jusqu'à Telescope Peak, point le plus élevé du parc national, culminant à 3 368 mètres.

Au nord de la vallée, de gigantesques dunes de sable, les Mesquite Flat Dunes, atteignant 50 mètres

de hauteur, doivent leur nom à un arbre, le mesquite, ou *Prosopis,* qui domine la végétation. C'est dans ce cadre que George Lucas a tourné certaines séquences des films de la série *Star Wars.* Mais le site de Racetrack Playa mérite une mention particulière pour le phénomène étonnant que l'on y observe : les pierres se déplacent mystérieusement sur le sable brûlant en laissant des traces derrière elles. Certains ont émis l'hypothèse que, de temps en temps, de fortes précipitations nocturnes transforment brièvement le sable en une patinoire sur laquelle le vent pousse les pierres.

CI-DESSUS C'est seulement après
les tempêtes de printemps que
la vallée de la Mort présente
un aspect accueillant.

CI-CONTRE Les Mesquite Flat Dunes
déroulent leurs ondulations au nord
de la vallée de la Mort.

ÉTATS-UNIS
Empire State Building

LORSQUE, LE 1er MAI 1931, L'EMPIRE STATE BUILDING A ÉTÉ INAUGURÉ EN GRANDE POMPE, LES NEW-YORKAIS SONT TOMBÉS AMOUREUX DE LEUR « ESB ». L'IMMEUBLE MYTHIQUE, EMBLÈME DE NEW YORK, A ÉTÉ PENDANT QUARANTE ANS LE BÂTIMENT LE PLUS ÉLEVÉ DU MONDE.

Le gratte-ciel a été érigé pendant la Grande Dépression, après le krach boursier de 1929, alors que le secteur du bâtiment était presque totalement paralysé à New York. Situé au cœur de Manhattan, à l'angle de la 5e Avenue et de la 34e Rue, il demeure le symbole incontesté du rêve américain. L'audacieuse construction est issue de la rivalité entre deux géants de l'industrie automobile : Walter Chrysler, fondateur de Chrysler Corporation, et John Jacob Raskob, fondateur de General Motors – deux milliardaires qui s'étaient fixé pour objectif de construire l'édifice le plus haut de New York. C'est finalement Raskob qui l'emportera avec

son ESB dépassant de 70 mètres le déjà célèbre Chrysler Building de Walter Chrysler.

Raskob confia à l'architecte William F. Lamb la réalisation de son projet ambitieux. Les New-Yorkais, pour leur part, étaient très dubitatifs quant à la réussite de l'entreprise. La construction commença en mars 1930, mais la pose officielle de la première pierre n'eut lieu qu'en septembre de la même année en présence d'Alfred E. Smith, ancien gouverneur de New York et président de l'Empire State Corporation, nouvellement créée.

William Lamb élabora un gigantesque système logistique pour la construction de l'Empire State Building : s'inspirant de l'idée de la chaîne de montage mise au point par Henry Ford dans l'industrie automobile, il fit

À l'époque de la crise économique mondiale, l'Empire State Building fut le symbole incontesté du courage et de la détermination du peuple américain.

AU MILIEU De nombreux Indiens Mohawks travaillèrent sur le gigantesque chantier.

EN BAS Avec ses 381 mètres de hauteur, l'Empire State Building resta le plus haut édifice du monde jusqu'en 1972.

installer à l'intérieur de l'édifice un système de transport vertical pour les matériaux de construction. Une fois parvenus sur le site du chantier, les matériaux étaient aussitôt déchargés et acheminés à l'emplacement auquel ils étaient destinés. Ce système judicieux, qui permettait d'éviter tout arrêt dans le travail et toute perte de temps, révéla son efficacité.

C'est ainsi que 50 000 poutres d'acier furent montées en un temps record. La construction du gratte-ciel dura exactement 12 mois et 45 jours, progressant au rythme moyen de 4,5 étages par semaine. Le record fut de 14 étages en seulement dix jours ! Dans la réalisation de cette prouesse, la palme revient aux monteurs qui enfonçaient jusqu'à 800 rivets par jour dans les énormes poutres d'acier à des hauteurs vertigineuses.

L'inauguration de l'Empire State Building eut lieu en grande pompe le 1er mai 1931. À cette occasion, le président Hoover en personne appuya sur un bouton pour éclairer l'édifice. Mais malgré l'enthousiasme suscité par le nouveau gratte-ciel, le climat de crise n'encouragea guère la location des locaux, qui restèrent en partie inoccupés pendant des années. Au début de l'existence du gratte-ciel, les recettes tirées des billets donnant accès à la terrasse panoramique surpassèrent largement les revenus des loyers. Si bien que les New-Yorkais inventèrent un sobriquet pour désigner le bâtiment : « Empty (vide) State Building ». Il a fallu attendre les années 1940 pour que tous les bureaux soient loués.

Dès les années 1930, l'édifice a servi de décor à quantité de productions hollywoodiennes. Nombre de scènes romantiques ont été tournées sur la plate-forme supérieure. La séquence où l'énorme gorille King Kong escalade l'Empire State Building est devenue une scène d'anthologie du cinéma. En 1983, pour célébrer le cinquantième anniversaire du film, un King Kong gonflable a été placé en haut de l'immeuble.

Plus haut édifice du monde jusqu'en 1972, l'Empire State Building mesure 381 mètres de hauteur – 443 mètres avec l'antenne. Ses 102 étages sont accessibles par 73 ascenseurs ou 1 860 marches. Plus de 3,5 millions de personnes montent chaque année jusqu'à la terrasse panoramique, au 86e étage. L'un des plus éminents symboles de New York, l'ESB se signale également à l'attention la nuit, lorsque son sommet est éclairé selon un calendrier qui tient compte notamment des jours fériés et des événements de l'actualité. Ainsi, tous les 14 juillet, des illuminations bleu-blanc-rouge commémorent la Révolution française.

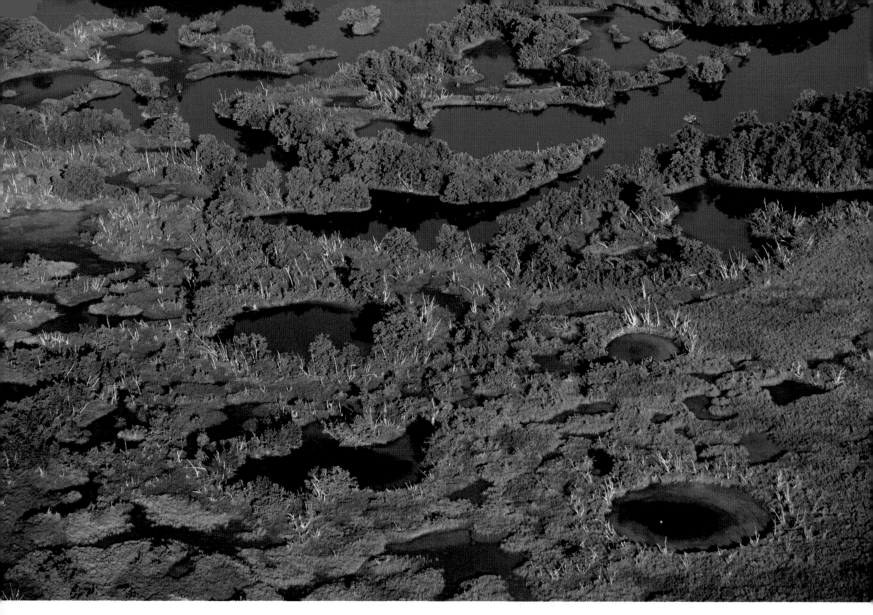

ÉTATS-UNIS
Everglades

LE FLEUVE D'HERBE – BEST-SELLER DE L'ÉCRIVAINE AMÉRICAINE MARJORY STONEMAN DOUGLAS, FERVENTE MILITANTE POUR LA DÉFENSE DE L'ENVIRONNEMENT, EST UNE VÉRITABLE DÉCLARATION D'AMOUR AUX PAYSAGES UNIQUES ET MONDIALEMENT CONNUS DES EVERGLADES.

Malgré les efforts déployés au cours des cent dernières années pour protéger ce milieu exceptionnel, l'avenir des Everglades est gravement menacé. Située au sud de la Floride, cette région de marécages était appelée par les Indiens Séminoles, qui la peuplèrent jusqu'au XIXᵉ siècle, Pa-hay-okee (« l'eau herbeuse »).

Aujourd'hui, elle est au bord de la catastrophe écologique. Le drame qui la touche est dû à une conjonction de facteurs. L'assèchement et le déboisement consécutifs au développement intensif de l'agriculture au début du XXᵉ siècle, ainsi qu'à l'urbanisation croissante – en particulier l'expansion des villes de

Miami et d'Orlando – portent atteinte à l'équilibre fragile de l'écosystème des Everglades. Afin de sauvegarder ce trésor inestimable pour l'humanité, le parc national des Everglades, couvrant environ 20 % de la superficie initiale de la région, a été créé en 1947.

Depuis des millénaires, le même spectacle fabuleux se répète chaque jour dans ce fascinant décor. Chaque matin, les rives du lac Okeechobee s'animent au lever du soleil. C'est l'eau de ce lac qui a façonné les paysages uniques des Everglades. L'étendue d'eau, où prend sa source le « fleuve d'herbe », ne se situe qu'à 5 mètres au-dessus du niveau de la mer – le golfe du Mexique, à 500 kilomètres de distance. En s'écoulant en direction de la mer, le cours d'eau s'élargit progres-

Everglades

CARTE D'IDENTITÉ

✱ **Nom** : Everglades

✱ **Situation** : Floride, États-Unis

✱ **Statut** : parc national

✱ **Fondation** : 6 décembre 1947

✱ **Superficie** : env. 6 100 km² (la moitié de la superficie de l'Île-de-France)

✱ **Patrimoine de l'Unesco** : depuis 1979 ; sur la liste du patrimoine en péril depuis 1993

✱ **Particularité** : région marécageuse subtropicale à la flore et faune uniques – orchidées, mangrove, alligators, lamantins, etc.

sivement pour atteindre 80 kilomètres, engendrant de fantastiques paysages marécageux. L'eau parcourant seulement une trentaine de mètres par jour, il lui faut quarante ans pour atteindre la mer. Plus l'eau du lac s'approche du golfe du Mexique, plus elle devient salée. L'eau douce des Everglades se mélange avec l'eau salée de la baie de Floride. À proximité de la côte, la végétation riche et variée des marécages cède la place à la mangrove.

Entre le lac Okeechobee et le golfe du Mexique, l'eau couvre une superficie de 6 000 kilomètres carrés. Les paysages vierges des Everglades composent aujourd'hui la plus vaste région marécageuse de la Terre – mais pour combien de temps encore ?

Lorsque, au XVIe siècle, les conquérants espagnols abordèrent sur les côtes de Floride, ils découvrirent à quelques kilomètres vers l'intérieur des terres une immense zone marécageuse infestée de moustiques, de serpents et d'alligators. Les Espagnols ignoraient alors que ces vastes étendues vouées aux marais cachaient de précieuses richesses biologiques. Ils laissèrent intactes ces terres qui leur parurent dangereuses, inhospitalières et dénuées de tout intérêt.

C'est à la fin du XIXe siècle qu'a commencé l'exploitation abusive des Everglades. Malgré les mises en garde des naturalistes, les spéculateurs ont entrepris de drainer, à des fins agricoles et immobilières, cet écosystème parfaitement préservé jusqu'alors. En peu de temps, 1,2 million de kilomètres carrés de terres ont été asséchés, notamment au moyen d'une espèce d'arbuste importée d'Australie, le niaouli (*Melaleuca*). Une catastrophe écologique d'une ampleur inimaginable se profilait à l'horizon.

Le niaouli, variété de myrte à l'écorce blanche qui se desquame, exige quatre fois plus d'eau que la flore indigène. Ces arbustes aux énormes besoins en

CI-DESSUS Au coucher du soleil, les Everglades composent un décor fantastique.

CI-CONTRE La mangrove prospère sur les nombreux îlots des Everglades.

Les banlieues de Miami et d'Orlando repoussent chaque jour un peu loin les limites de la nature dans les Everglades.

eau furent donc plantés pour assécher le sol marécageux des Everglades, de manière à le transformer en terrains constructibles et en terres cultivables – destinées notamment aux cultures de canne à sucre et d'oranger. Cette initiative fut le point de départ d'un processus irréversible, qui porta un coup fatal à cet écosystème jusqu'alors intact. La conversion des marais en terres agricoles s'accompagna de l'apparition de fermes spécialisées dans diverses cultures et mit un terme au libre écoulement de l'eau.

Les intérêts économiques avaient eu raison de la préservation de l'environnement. Les exploitations agricoles dominaient désormais le paysage. Pendant la saison chaude, des incendies ravageaient les champs et la végétation indigène. Le sol des marécages s'asséchait de manière inexorable. La rentabilité de nombreuses exploitations se limita à quelques années seulement, suite à l'épuisement des ressources en eau des sols. Pour pallier ce problème, les fermiers aménagèrent de gigantesques systèmes d'irrigation, qui diminuèrent encore davantage les réserves d'eau des Everglades. Aux perturbations de la circulation de l'eau s'ajoutait la pollution des nappes souterraines par les pesticides et les engrais. La fin des Everglades paraissait proche.

C'est à de fervents défenseurs de l'environnement, comme Marjory Stoneman, que l'on doit une véritable prise de conscience quant à la destinée des Everglades. Il aura fallu beaucoup de temps avant que la population de Floride comprenne l'importance du désastre qui la frappait – l'arrêt de l'écoulement de l'eau dans cette région traditionnellement marécageuse. Un projet gigantesque et extrêmement coûteux de réhabilitation des marais fut lancé à la suite de ce constat. D'énormes stations de pompage devaient désormais réguler le circuit de l'eau dans les Everglades. Toutefois l'ancien paradis naturel est en partie détruit, et ces dommages sont irréversibles.

La moitié de la superficie initiale des Everglades est actuellement exploitée à des fins agricoles. L'autre moitié fait l'objet d'une protection. En 1947, la partie sud des Everglades a été déclarée parc national (environ 20 % de la superficie totale) et figure depuis 1979 au patrimoine mondial de l'Unesco. Le classement du parc, en 1993, sur la liste du patrimoine en péril donne la mesure de l'ampleur de la menace qui pèse sur les Everglades.

Cet écosystème subtropical, autrefois connu pour son immense biodiversité – près de 1 000 plantes

L'alligator règne en maître dans les marais. Suite au développement de l'urbanisation, il n'est pas rare que des spécimens échouent dans les piscines et jardins des nouvelles habitations.

tropicales, dont 65 endémiques au sud de la Floride, 25 espèces d'orchidées, 120 essences et trois espèces de mangrove, ainsi que 36 espèces animales menacées et en danger –, a perdu pour toujours nombre de ses trésors naturels. Ainsi, les habitats de l'alligator du Mississippi, du crocodile, du puma et du lamantin, cet inoffensif herbivore marin, sont gravement perturbés. Malgré les mesures de protection mises en œuvre, l'exploitation abusive de la nature poursuit ses ravages.

Dans son best-seller *The River of Grass*, « Le Fleuve d'herbe », la célèbre écrivaine et militante Marjory Stoneman Douglas rend hommage aux paysages uniques des Everglades. Des extraits figurent dans presque tous les guides de voyage sur la Floride et les Everglades. L'auteur évoque notamment avec nostalgie le silence quasi irréel auquel elle goûta à l'occasion de ses séjours dans cette région exceptionnelle, au début des années 1940.

Les Everglades attirent aujourd'hui des visiteurs du monde entier. Plus de 1,5 million de touristes se pressent chaque année vers le parc national. Mais cette affluence menace elle aussi l'équilibre de l'écosystème. Au même titre que l'expansion incontrôlée des villes voisines de Miami et d'Orlando, qui empiètent toujours davantage sur les Everglades. Chaque jour, la présence et l'intervention de l'homme repoussent un peu plus loin les limites de la nature. Les habitations qui surgissent un peu partout dans le paysage sont agrémentées de jardins et de piscines. Les besoins en eau par personne s'élèvent à 470 litres d'eau par jour – soit trois fois plus que la moyenne des pays européens. Il n'est pas rare que des alligators à la recherche d'un étang ou d'une mare échouent dans des piscines privées.

CI-DESSUS Les Everglades offrent un habitat de choix au puma, dont la population est gravement menacée.

CI-CONTRE Le développement du tourisme porte lui aussi atteinte au fragile écosystème des Everglades.

ÉTATS-UNIS
Statue de la Liberté

BRANDISSANT SA TORCHE À 93 MÈTRES DE HAUTEUR, LA STATUE DE LA LIBERTÉ
ACCUEILLE, IMMUABLE, LES VISITEURS ET LES IMMIGRANTS EN PROVENANCE DU
MONDE ENTIER DEPUIS PLUS DE CENT ANS, À L'ENTRÉE DU PORT DU NEW YORK.

La statue de la Liberté – ou plus exacement *la Liberté éclairant le monde* – fut offerte aux Américains par le gouvernement français pour commémorer le centenaire de l'indépendance américaine et l'alliance franco-américaine durant la guerre d'Indépendance. Elle représente une femme drapée dans un vêtement flottant, coiffée d'une couronne rayonnante. Elle tient dans sa main droite un flambeau ; dans sa main gauche, une tablette portant la date de l'indépendance américaine : le 4 juillet 1776.

La gigantesque statue a vu le jour dans l'atelier du sculpteur alsacien Auguste Bartholdi, après plus de dix années de travail. La

construction de l'ossature en acier qui supporte la statue est due à Gustave Eiffel, constructeur de la tour du même nom. À l'origine, la statue de la Liberté devait être inaugurée le 4 juillet 1876, à la date exacte du centenaire de l'Indépendance. Mais des difficultés financières – finalement résolues par un apport de dons – entraînèrent un retard considérable dans la construction. Le 28 octobre 1886, le président américain Grover Cleveland inaugura la statue de la Liberté en grande pompe sur l'île de Bedloe, qui fut rebaptisée, en 1956, Liberty Island. Plus d'un million de personnes assistaient à la cérémonie

Selon les accords conclus entre les deux gouvernements, les Français étaient responsables de la réalisa-

CI-CONTRE Vue sur l'intérieur de la statue de la Liberté.

CI-DESSOUS Le visage intrigant de la statue de la Liberté est connu dans le monde entier.

tion et du transport de la statue, tandis que les Américains se chargeaient de la construction du socle sur lequel elle devait être érigée. Les uns et les autres choisirent comme emplacement la petite île de Bedloe, à l'entrée du port de New York, qui servait jadis de lieu de quarantaine. Le socle de la statue fut construit sur les fondations en forme d'étoile de l'ancienne fortification de Fort Wood. La première pierre fut posée le 5 août 1884.

Tandis que le financement du projet faisait encore l'objet de nombreux débats aux États-Unis, Bartholdi et Eiffel travaillaient depuis longtemps à la réalisation de la statue. Pour l'enveloppe externe du monumental ouvrage qui, selon les plans, devait atteindre 47 mètres de hauteur, Bartholdi choisit une structure légère à base de plaques de cuivre de 2,4 millimètres d'épaisseur, qui furent façonnées manuellement sur des formes en bois fabriquées spécialement à cet effet. Bartholdi et ses apprentis préparèrent au total trois cent cinquante pièces

qui partirent par bateau en juillet 1884 vers New York. Elles furent assemblées sur le squelette en acier de Gustave Eiffel, tel un puzzle en trois dimensions.

La charpente en acier comprend quatre pylônes en forme de L, de près de 30 mètres de hauteur, dressés à la verticale pour soutenir la statue et fixés au socle par d'énormes boulons. Des poutres disposées transversalement supportent un maillage en fer sur lequel reposent les pièces en cuivre de Bartholdi, et qui assure dans le même temps souplesse et solidité au squelette de la statue. Le problème de la dilatation a été résolu par l'élasticité de la structure interne et les plis de la robe de la statue.

Avec le socle en granit et béton armé, dont la conception revient à l'Américain Richard Morris Hunt, la statue de la Liberté mesure 95 mètres de hauteur jusqu'à l'extrémité de la flamme recouverte d'or. Les sept branches de la couronne représentent les sept mers et continents du monde. Emblème national des États-Unis, la statue est l'un des symboles universels de la liberté et de la démocratie. Elle représenta longtemps le Nouveau Monde, autant pour les touristes fortunés qui se rendaient en voyage aux États-Unis que pour les milliers d'immigrants qui accostaient sur la Terre promise. Le flambeau de la liberté cristallisait les rêves et les aspirations des nouveaux émigrants qui arrivaient au centre d'accueil d'Ellis Island.

Pour son centenaire, en 1986, la statue de la Liberté a fait l'objet d'une complète restauration. Au fil du temps, l'air marin, salé, avait attaqué la construction. Cette gigantesque entreprise de rénovation a coûté 2 millions de dollars aux Américains.

CARTE D'IDENTITÉ

* **Noms :** statue de la Liberté, *la Liberté éclairant le monde,* Lady Liberty, Miss Liberty

* **Patrimoine de l'Unesco :** depuis 1984

* **Réalisation :** le sculpteur français Auguste Bartholdi

* **Charpente en acier :** l'ingénieur français Gustave Eiffel

* **Hauteur :** 46,50 m

* **Poids :** 254 t

* **Hauteur du socle :** 47 m

* **Nombre de marches :** 354

ÉTATS-UNIS
Golden Gate Bridge

LES PREMIERS PLANS POUR LA CONSTRUCTION D'UN PONT À L'ENTRÉE DE LA BAIE DE SAN FRANCISCO REMONTENT À 1872, MAIS LES TRAVAUX N'ONT COMMENCÉ QUE LE 5 JANVIER 1933. UNE FOIS TERMINÉ, LE GOLDEN GATE BRIDGE ÉTAIT LE PLUS LONG PONT SUSPENDU DU MONDE.

Les premiers plans échouèrent pour des raisons techniques. La distance entre les deux rives – près de 3 kilomètres – paraissait trop grande aux yeux des architectes. C'est seulement au début du XXe siècle que l'ingénieur Joseph Baermann Strauss reprit l'idée. Avec opiniâtreté, malgré les nombreuses résistances qu'il rencontra, il poursuivit son idée – un projet on ne peut plus ambitieux. Jusqu'à alors, personne n'avait pensé qu'il serait possible de relier par un pont suspendu les rives nord et sud du détroit de Golden Gate.

Les conditions n'étaient nullement réunies pour la construction d'une structure aussi importante à cet endroit. À la force des courants marins à l'entrée de la baie de San Francisco s'ajoutait la profondeur du sous-sol sur lequel devraient reposer les piliers du pont. Le risque de tremblement de terre, dans cette région d'intense activité sismique, représentait une difficulté supplémentaire. Enfin, la navigation dans le Golden Gate, voie très fréquentée, ne devait pas être perturbée. C'était donc un défi de taille que devait relever l'ingénieur Strauss, néanmoins expérimenté. Mais le 5 janvier 1933, le chantier du pont de Golden Gate était ouvert.

Les travaux s'avérèrent difficiles dès le départ. Ce sont les fondations du pilier sud qui posèrent le plus de problèmes. Il devait être élevé à 335 mètres de la

San Francisco

Le pont est suspendu à deux énormes câbles d'acier de 92, 4 centimètres de diamètre, formés de 92 torons qui se composent chacun de plus de 27 000 fils d'acier.

CARTE D'IDENTITÉ

* **Début des travaux :**
5 janvier 1933

* **Ouverture au public :**
27 mai 1937

* **Type de construction :**
pont suspendu

* **Longueur :** 2 727 m

* **Portée centrale :** 1 280 m

* **Largeur :** 25 m

* **Piliers :** 2 de 277 m
de haut

* **Circulation :** trafic
automobile (6 voies),
piétons et cyclistes

* **Bilan tragique :** depuis
son ouverture, le Golden
Gate Bridge a été le théâtre
de nombreux suicides.
1 100 tentatives de suicide
ont été enregistrées. Seules
quelques personnes ont
survécu à leur saut de 70 m
au-dessus de la mer depuis
la voie piétonnière

AU MILIEU L'un des deux
piliers de 227 mètres
de hauteur.

EN BAS Sous le soleil
matinal, le haut d'un pilier
surgit au-dessus de
la brume qui enveloppe
la baie de « Frisco ».

rive, et à 30 mètres de profondeur. La force du courant à cet endroit est telle que les travaux sous la surface de l'eau n'étaient possibles que pendant le renversement de marée – soit au maximum 20 minutes par jour ! Les deux piliers qui supportent le pont mesurent chacun 227 mètres de hauteur. Ils ont été érigés avec des pièces d'acier placées les unes au-dessus des autres et assemblées au moyen de 1 200 000 rivets. Le dernier rivet posé est en or.

Le pont est suspendu à deux énormes câbles d'acier de 92,4 centimètres de diamètre qui relient les deux rives en passant par les deux piliers. Chaque câble comprend 92 torons composés chacun de plus de 27 000 fils d'acier de 5 millimètres d'épaisseur. Les câbles ont été ancrés sur les rives par des fixations en béton.

Malgré toutes les difficultés survenues avant et pendant les travaux, le Golden Gate Bridge a été inauguré le 27 mai 1937. Pendant la journée réservée aux piétons, « Pedestrian Day », 200 000 personnes ont traversé le pont. Les six voies réservées au trafic automobile, celles conçues pour les cyclistes et les piétons ont été ensuite ouvertes officiellement à la circulation. Le premier jour, 32 000 véhicules ont franchi le pont. Aujourd'hui, ils sont plus de 100 000 à l'emprunter chaque jour – tendance qui va en s'accentuant.

Constructeur sérieux et attentionné, Joseph Baermann Strauss s'était fixé comme priorité la sécurité des équipes sur le chantier. Onze ouvriers trouvèrent néanmoins la mort pendant la construction du pont. Mais les victimes auraient certainement été beaucoup plus nombreuses si Strauss n'avait pas fait installer des filets de sécurité sous le pont. Dix-neuf ouvriers se retrouvèrent pris dans les mailles des filets après des chutes périlleuses. Mis à part quelques blessures, ils survécurent tous à l'accident. Une fois le pont terminé, les dix-neuf ouvriers ont fondé le club Half Way to Hell (« à mi-chemin de l'enfer »).

À l'époque de sa construction, le Golden Gate Bridge a attiré l'attention du monde entier par la prouesse technologique qu'il représentait. Mais il doit aussi sa renommée à sa séduisante esthétique, notamment à l'architecture de ses piliers, inspirée de l'Art déco. Strauss et son équipe ont accompli un véritable exploit avec la construction de ce pont suspendu : le gigantesque ouvrage, chef-d'œuvre de technologie, s'intègre parfaitement dans le décor grandiose de la baie de San Francisco.

ÉTATS-UNIS
Grand Canyon

AU NORD-OUEST DE L'ARIZONA, LE GRAND CANYON, DE 500 KILOMÈTRES DE LONGUEUR
ET PRÈS DE 2 KILOMÈTRES DE PROFONDEUR, OFFRE UN SPECTACLE GRANDIOSE,
MAIS ÉGALEMENT UN TÉMOIGNAGE UNIQUE DE L'HISTOIRE DE LA TERRE.

Les légendes des Indiens Navajos raconte que c'est le héros mythique Packithaawi qui aurait formé le Grand Canyon en voulant arrêter les eaux. C'est en frappant la terre envahie par l'eau avec une énorme massue que ce dernier aurait donné naissance à ce paysage extraordinaire. Les résultats de recherches scientifiques montrent aujourd'hui que la gigantesque gorge se serait formée au cours des 40 à 50 derniers millions d'années, et que le fleuve Colorado a sculpté progressivement son lit dans les rochers.

En 1540, une troupe de soldats espagnols en quête des légendaires « sept cités d'or de Cibola » atteignit les abords de la profonde gorge. À la vue du gouffre qui s'ouvrait devant eux, les hommes furent si impressionnés et si effrayés qu'ils s'agenouillèrent et se mirent à prier. Trois jours durant, ils tentèrent de trouver un moyen de franchir le vertigineux canyon, en vain. Manquant d'eau et de provisions, ils durent se résoudre à rebrousser chemin. Leur expédition avait échoué, leurs espoirs étaient déçus, la région du Grand Canyon fut déclarée sans intérêt – et sombra dans l'oubli.

En 1858, Joseph Ives remonta le Colorado à bord du bateau à vapeur *Explorer* à partir de son embouchure dans le golfe de Californie, pour voir jusqu'où le cours d'eau était navigable. Mais l'*Explorer* ne tarda pas à

Grand Canyon

Dans la région du Grand Canyon,
des panoramas époustouflants
s'offrent partout au regard.

CARTE D'IDENTITÉ

* **Nom :** Grand Canyon

* **Situation :** Arizona,
États-Unis

* **Formation :** il y a 40
à 50 millions d'années

* **Longueur :**
plus de 450 km

* **Largeur :** max. 30 km

* **Profondeur :** max. 1,8 km

* **Statut :** parc national
depuis 1919

* **Particularité :** classé
depuis 1979 au patrimoine
mondial de l'Unesco

s'échouer, obligeant Joseph Ives à interrompre son expédition. C'est seulement en 1869 que le major John Wesley Powell réussit à remonter entièrement le Colorado pour la première fois. Son expédition marqua le point de départ de l'exploration scientifique du Grand Canyon.

Véritable Eldorado pour les géologues, le Grand Canyon n'a cessé de faire l'objet d'investigations scientifiques depuis l'expédition de Powell. Pour les géologues, les strates du Grand Canyon constituent un témoignage unique de l'histoire de la Terre. Au fil des années, les chercheurs y ont découvert des formations rocheuses âgées, pour certaines, de plus de 1,7 milliard d'années. Le Colorado ne laisse aucun répit aux scientifiques : balayant sans cesse les parois rocheuses, il révèle régulièrement de nouvelles formations, inconnues jusqu'alors.

Il y a environ 2 milliards d'années, la région où s'écoule aujourd'hui le Grand Canyon était recouverte par la mer. En se retirant, celle-ci a laissé d'importants dépôts de sédiments. Des éruptions volcaniques ont ensuite recouvert les sédiments de lave. De gigantesques forces tectoniques – la pression et la chaleur – ont modelé les strates, les ont superposées et poussées sous la forme de montagnes. La région a été de nouveau envahie par la mer, et le même phénomène s'est reproduit. De nouvelles couches de sédiments et de débris volcaniques se sont accumulées au-dessus des strates existantes.

Lors de la formation des Rocheuses, il y a 40 à 50 millions d'années, on estime que le relief s'est élevé d'environ 3 000 mètres vers le sud. Aujourd'hui, en raison du travail de l'érosion, la profondeur des gorges ne dépasse pas 2 000 mètres de hauteur. On peut penser que, dans quelques millions d'années, le Grand Canyon aura complètement disparu.

Ci-dessus Cascades d'Havasu dans le Grand Canyon.

Ci-contre Pendant des millions d'années, le Colorado a creusé son lit dans le plateau de Kaibab.

ÉTATS-UNIS
Musée Guggenheim

AU CŒUR DE MANHATTAN, SUR LA 5ᵉ AVENUE, L'UNE DES PLUS PRESTIGIEUSES RÉALISATIONS
DE L'ARCHITECTE AMÉRICAIN FRANK LLOYD WRIGHT – LE MUSÉE GUGGENHEIM – SE SIGNALE
PAR SES LIGNES AUDACIEUSES.

New York

En 1943, la baronne allemande Hilla Rebay confia à l'architecte Frank Lloyd Wright, très en vue à l'époque, la construction d'un musée destiné à recevoir la collection de Solomon R. Guggenheim, industriel passionné d'art. Son musée consacré à la peinture non objective, qui avait ouvert en 1939, s'avérait en effet trop exigu.

Hilla Rebay souhaitait faire construire un « temple de l'art ». Dans une lettre, elle soumit son idée à Wright en précisant : « Je cherche un battant, un amoureux de l'espace, un homme sage. » Frank Lloyd Wright s'efforça de concrétiser son rêve et se révéla bientôt à la hauteur des ambitions de la baronne.

Mais ce n'est qu'au terme de longues discussions et négociations que Hilla Rebay, Solomon R. Guggenheim et Frank Lloyd Wright parvinrent à se mettre d'accord sur le choix d'un emplacement à Manhattan. Le terrain acquis pour la construction du musée était situé sur la 5ᵉ Avenue, à proximité de Central Park. Wright défendit son idée avec conviction : le nouveau musée devait aboutir à une symbiose entre nature et architecture ; l'architecture, l'art et la nature devaient y fusionner en un ensemble harmonieux, en accord avec la vie trépidante de la mégapole.

Wright entreprit immédiatement les plans du bâtiment qui devait accueillir le musée Guggenheim. Mais les travaux ne commencèrent qu'en 1956. Solomon

Le musée Guggenheim de New York, chef-d'œuvre du légendaire architecte Wright, séduit autant les amateurs d'art que les férus d'architecture.

R. Guggenheim, fondateur et mécène de la collection et du nouveau musée, ne put assister à la pose de la première pierre. Il mourut en effet en 1949.

Le musée Guggenheim compte aujourd'hui parmi les musées d'art contemporain les plus renommés du monde – non seulement pour les trésors qu'il abrite, mais pour le bâtiment en lui-même. Aujourd'hui encore, l'imposant édifice suscite dans le monde entier l'admiration des amateurs d'art et des férus d'architecture. Sa conception révolutionnaire fait fi des conventions, Wright s'étant fixé comme objectif de rompre avec le schéma rectangulaire de Manhattan. De la volonté du créateur – conjuguer nature et architecture – est née une construction d'inspiration organique. Le chef-d'œuvre de Wright évoque une gigantesque coquille d'escargot.

À l'intérieur du bâtiment, une rampe de forme hélicoïdale se déroule de bas en haut. La structure ouverte, inondée de lumière par la coupole de verre qui la couronne, dégage une merveilleuse sensation d'espace. La visite des expositions commence toujours à l'étage supérieur et se poursuit le long de la rampe, vers le bas, offrant un parcours ininterrompu. Pour le visiteur, cet agencement libère à chaque instant des échappées inattendues sur les différents volumes du musée, dégageant de nouvelles perspectives sur les œuvres d'art. Le musée juxtapose, en un judicieux ensemble, des formes géométriques répétitives – carrés, triangles, ovales, cercles et demi-cercles.

Malgré l'enthousiasme suscité par la réalisation de Wright, nombreux furent ceux qui lui reprochèrent d'avoir relégué l'art au second plan. Selon ces détracteurs, l'architecture s'impose au détriment des œuvres, dominant l'art au lieu de le servir. Mais Wright, qui avait défendu son projet avec acharnement, pensait que l'art et l'architecture y dialogueraient à l'unisson.

CI-DESSUS **Solomon R. Guggenheim (1861-1949), mécène et passionné d'art.**

CI-CONTRE **À l'intérieur du bâtiment, une rampe se déroule en spirale de bas en haut.**

ÉTATS-UNIS
Barrage Hoover

LORSQUE, LE 29 MAI 1935, S'ACHEVA LA CONSTRUCTION DU BARRAGE HOOVER, ENTRE LES ÉTATS DU NEVADA ET DE L'ARIZONA, CETTE MERVEILLE TECHNOLOGIQUE OBTINT LE TITRE DE PLUS GRAND BARRAGE DU MONDE.

Barrage Hoover

Le barrage Hoover (Hoover Dam) est plus un mur qu'un barrage proprement dit. Située à 50 kilomètres au sud-est de Las Vegas, la structure barre le cours du Colorado, dans le Black Canyon. Le mur de béton se dresse sur 220 mètres de hauteur depuis la base jusqu'à la crête. Derrière, la retenue du fleuve forme le lac Mead, le plus grand réservoir artificiel des États-Unis.

Le Hoover Dam est un barrage mixte, tenant à la fois du barrage-poids et du barrage-voûte. Sa courbure, orientée vers le lac Mead, compense la pression considérable exercée par les masses d'eau du lac – jusqu'à 35 milliards de mètres cubes. La construction du barrage a représenté un défi technologique considérable pour les ingénieurs. C'est plus particulièrement la chaleur accablante qui a posé des problèmes, la température montant jusqu'à 50 °C dans la région pendant les mois d'été. Il fallut penser à une façon d'accélérer le processus de refroidissement du béton, car une structure aussi importante aurait mis près de cent vingt-cinq ans à se solidifier à la température ambiante.

Les ingénieurs eurent recours à une technique novatrice : le barrage Hoover fut construit avec des blocs de béton, et non pas avec une seule masse de béton. Par ailleurs, afin d'écourter la durée de solidification, ils firent construire sur le site une usine de réfrigération capable de produire 1 000 tonnes de glace par

Le mur du barrage mesure 221 mètres de hauteur et 379 mètres de longueur. Il présente une largeur de 14 mètres à la crête, de 200 mètres à la base.

jour. L'eau du fleuve était acheminée vers l'usine, refroidie et pompée dans un réseau de tuyaux coulés dans le béton afin de refroidir celui-ci. Les tuyaux étaient ensuite coupés et du béton injecté sous pression pour boucher les orifices. Grâce à ce procédé, les ingénieurs réussirent à solidifier la structure en vingt mois seulement. Les blocs de béton présentaient tous une hauteur standard de 1,50 mètre. La construction du barrage nécessita l'emploi de 2,6 millions de mètres cubes de béton. Ce volume colossal suffirait à construire une route de 5 mètres de largeur et 20 centimètres d'épaisseur entre San Francisco et New York !

Pendant la durée des travaux, le fleuve Colorado dut être dévié pour que le chantier reste sec en permanence. À cette fin, quatre tunnels de dérivation de 5 kilomètres de longueur et 17 mètres de diamètre furent percés dans le rocher de part et d'autre du fleuve pour évacuer ses eaux. Parmi les 3 500 ouvriers qui furent mobilisés sur le chantier, 96 périrent à la suite d'accidents. Le coût de la construction du gigantesque barrage fut estimé à 49 millions de dollars. Mais le budget explosa, dépassant finalement 165 millions de dollars. C'est en 1985 seulement que l'investissement a été rentabilisé par la vente de l'électricité produite et les recettes tirées du tourisme. Depuis, la centrale hydroélectrique alimente plusieurs millions de personnes.

Au départ, pendant la phase de conception, le projet fut désigné sous le nom de « barrage de Boulder », d'après le site, Boulder City, où l'infrastructure devait voir le jour. Mais les résultats d'études géologiques montrèrent qu'elle devait être érigée à environ 16 kilomètres en amont, la configuration géologique du Black Canyon s'avérant plus propice. Le barrage doit finalement son nom au 31e président des États-Unis, Hoover, qui donna l'impulsion au gigantesque projet.

CI-DESSUS Vue sur la salle des turbines de la centrale hydroélectrique du barrage.

CI-CONTRE Le barrage Hoover est un chef-d'œuvre de technologie.

Mont Rushmore

LA PLUS AMÉRICAINE DE TOUTES LES ŒUVRES D'ART AMÉRICAINES – LE MÉMORIAL NATIONAL DU MONT RUSHMORE – SE SITUE DANS LES BLACK HILLS, DANS LE DAKOTA DU SUD. LE GIGANTESQUE MONUMENT MET EN SCÈNE LES PORTRAITS DE QUATRE PRÉSIDENTS AMÉRICAINS.

C'est au sculpteur et peintre John Gutzon Borglum (1867-1941) que revient l'idée de cette imposante œuvre d'art. L'ancien élève de Rodin voulait créer un monument national impérissable, qui symboliserait les principes et les idéaux de la nation américaine. Pour réaliser son dessein, Gutzon Borglum choisit les quatre présidents qui lui paraissaient les plus représentatifs.

C'est en 1923 que Gutzon Borglum commença à concevoir le plan d'une sculpture monumentale dans les Black Hills ; elle devait figurer les portraits des quatre présidents qui avaient le plus marqué l'histoire américaine :

George Washington, le père de la nation, Thomas Jefferson, défenseur des droits de l'homme, Abraham Lincoln, garant de l'unité nationale, Theodore Roosevelt, promoteur de l'expansion vers l'ouest et instigateur de la construction du canal de Panamá.

Pour l'emplacement du monument, Gutzon Borglum choisit le mont Rushmore, qui lui permettrait de sculpter librement les portraits des quatre présidents. La réalisation du mémorial national du mont Rushmore commença le 10 août 1927.

Le sculpteur s'entoura d'une équipe de près de quatre cents ouvriers pour mener à bien le gigantesque projet. Étant donné les conditions climatiques qui règnent dans la région, le printemps et l'été s'avéraient

les périodes de l'année les plus favorables à l'exécution du travail. Pendant quatorze années consécutives, Borglum sculpta la pierre, la martela, la perça et la fit sauter à la dynamite. Mais l'artiste n'eut pas le loisir de voir son ouvrage achevé. Il mourut le 6 mars 1941, sept mois avant la fin du travail. C'est son fils, Lincoln, qui reprit le flambeau et mena à terme l'œuvre de son père. Le mémorial national du mont Rushmore fut inauguré officiellement le 31 octobre 1941.

Gutzon Borglum avait planifié son travail dans le moindre détail. Chaque portrait devait atteindre environ 20 mètres de hauteur. Avant de commencer le travail de sculpture proprement dit, il élimina les masses de pierre superflues – 450 000 tonnes au total. Cette phase préparatoire fut effectuée à l'aide de marteaux piqueurs et de dynamite. Gutzon Borglum et son équipe perfectionnèrent l'emploi des substances explosives au point qu'ils parvenaient à retirer 90 % de la pierre avec chaque charge de dynamite. Les travaux de finition, très délicats, étaient supervisés par Gutzon Borglum en personne. Ils étaient réalisés à l'aide de marteaux piqueurs conçus spécialement à cet effet, qui permettaient d'obtenir une surface parfaitement lisse. Le travail sur les parois rocheuses était dangereux et laborieux, la variété de granit du mont Rushmore, appelée Harney Peak granit, étant extrêmement dure et résistante. Cette difficulté contraignit le sculpteur à modifier ses plans originaux et à repousser l'exécution des portraits de Thomas Jefferson et Abraham Lincoln.

Le financement du projet fut assuré au départ par des dons privés et avec le soutien de puissantes compagnies de chemin de fer. Lorsque le gouvernement fédéral prit le projet en charge, en 1938, il assura le reste du financement. Le coût du mémorial national du mont Rushmore s'éleva finalement à la somme de 989 993,32 dollars.

Depuis son achèvement, le mémorial national du mont Rushmore fait l'objet d'une surveillance régulière. Une fois par an, il est examiné méticuleusement par des scientifiques à l'affût de la moindre faille. Les fissures sont aussitôt colmatées avec un ciment à base de silicone. Ce matériau s'est révélé jusqu'à présent très efficace pour résister aux conditions climatiques de la région. Ce sont surtout les fortes différences de températures qui portent atteinte à l'œuvre d'art. En effet, le Harney Peak granit est si dur que l'érosion naturelle se limite à 1 centimètre tous les deux cent mille ans ! L'entretien du mémorial national du mont Rushmore, financé par le gouvernement américain, revient chaque année à environ 250 000 dollars.

LE SAVIEZ-VOUS ?

✱ Mont Rushmore :
situé dans les Black Hills, Dakota du Sud, le massif montagneux doit son nom à l'avocat new-yorkais Charles Rushmore, qui acquit les droits d'exploitation de l'or dans la région

✱ Un projet controversé :
la construction du mémorial national a fait l'objet de vives controverses. À 25 km du mont Rushmore se dresse le monument de Crazy Horse. Les Indiens Lakotas, établis dans la région, considérèrent le mémorial comme une profanation de leur montagne sacrée. Le mémorial fut néanmoins érigé en dépit des protestations

✱ Décor de films :
le mémorial national du mont Rushmore a servi de cadre à de nombreux films. La séquence finale de *La Mort aux trousses* (1959), d'Alfred Hitchcock, avec notamment Cary Grant et Eva Marie Saint, a lieu sur le monument, reconstitué partiellement en studio

CANADA/ÉTATS-UNIS
Chutes du Niagara

LES CHUTES DU NIAGARA OFFRENT UN SPECTACLE DES PLUS IMPRESSIONNANTS
À LA FRONTIÈRE ENTRE LE CANADA ET LES ÉTATS-UNIS, À 100 KILOMÈTRES
AU SUD DE TORONTO.

Les masses d'eau du fleuve Niagara, qui relie le lac Érié au lac Ontario, se fracassent dans un gouffre de 50 mètres de profondeur sur plus de 1 000 mètres de longueur, composant un site absolument spectaculaire. Les chutes du Niagara méritent bien leur place parmi les plus belles merveilles naturelles du continent nord-américain.

Depuis la description que le père jésuite Louis Hennepin en fit en 1678, la configuration de la cataracte s'est modifiée à bien des égards. Certains changements sont attribuables à l'érosion, qui poursuit son œuvre inlassablement depuis des siècles. Par ailleurs,

les interventions de l'homme ont porté un grave préjudice à ce site naturel d'une grande beauté.

À la fin de la dernière glaciation, il y a quelque douze mille ans, la fondaison des énormes glaciers situés dans l'actuelle région des Grands Lacs – lacs Supérieur, Michigan, Huron, Érié et Ontario – a provoqué le débordement du lac Érié. Les eaux de fonte ont formé le fleuve Niagara, qui dégringole dans le lac Ontario par l'escarpement du Niagara. Sur la rive canadienne se sont formées les chutes du Fer-à-cheval (Horseshoe Falls) ; sur la rive américaine, les chutes Américaines (American Falls) et du Voile de la mariée (Bridal Veil Falls). Les différentes cascades sont séparées par une succession d'îles, parmi lesquelles la célèbre Goat

Chutes
du Niagara

CARTE D'IDENTITÉ

* **Nom** : chutes de Niagara

* **Situation** : Canada et États-Unis

* **Longueur de la faille** : 1 155 m, dont 792 du côté canadien et 363 m du côté américain

* **Hauteur** : max. 58 m

* **Débit** : max. 6 000 m^3 par seconde, dont 90 % du côté canadien et 10 % du canadien américain

* **Modifications** : en 1931, 70 000 t de roche se sont effondrées du côté américain ; quelques années après, 27 000 t du côté canadien, et en 1954, 170 000 t se sont détachées sous les chutes américaines

* **Un phénomène naturel rare** : pendant les hivers longs et rigoureux, il arrive que les chutes de Niagara gèlent. Le phénomène s'est produit pour la dernière fois en 1936

Les chutes du Niagara et le fleuve du même nom forment la frontière entre le Canada et les États-Unis.

Island, ou île de la Chèvre. De la masse d'eau qui se fracasse dans le précipice, 90 % composent les chutes du Fer-à-cheval, 10 % seulement se déversent depuis la rive américaine.

Le socle rocheux de l'escarpement de Niagara présente une particularité géologique. Sous la surface, composée de dolomie, roche dure, se cache un soubassement de schiste, sujet à l'érosion. Les masses d'eau qui forment les chutes érodent continuellement la roche tendre : le schiste est attaqué, et il se forme un réseau de cavités sous la couche superficielle de dolomie, qui finit par s'effondrer dans le fleuve. Jusqu'à 2 mètres de roche se détachent ainsi chaque année de l'escarpement. C'est pour cette raison que, depuis leur formation, les chutes du Niagara ont été déviées de 11 kilomètres en direction du lac Érié. Depuis que l'eau du Niagara est utilisée pour la production d'énergie à des fins industrielles dans la région des Grands Lacs, et en partie déviée, la fougue de l'eau a été domptée et l'érosion freinée.

Néanmoins, l'exploitation extensive du Niagara pour la production d'énergie demeure sujet à controverse. Le cours du fleuve a été plus que domestiqué par la construction de nombreuses centrales hydroélectriques. Là où, le long de l'escarpement, dégrin-

golaient jadis jusqu'à 6 000 mètres cubes d'eau par seconde, il ne se déverse plus que 3 000 mètres cubes au maximum. Le Niagara et ses chutes forment aujourd'hui un système entièrement régulé et contrôlé. Les visiteurs viennent admirer le spectacle unique des masses d'eau qui se fracassent dans un bruit assourdissant, créant un nuage d'écume d'une hauteur impressionnante. Mais dès que le dernier car de touristes a quitté le parking aménagé à proximité du site, l'eau est déviée vers la centrale hydroélectrique pour la production d'électricité.

CI-DESSUS La tour Skylon, de 160 mètres de hauteur, domine la ville de Niagara Falls, dans l'État de l'Ontario.

CI-CONTRE Les chutes du Niagara occupent une place de choix parmi les curiosités naturelles les plus spectaculaires de la Terre.

ÉTATS-UNIS
Old Faithful

FONDÉ LE 1er MARS 1872 AU NORD-OUEST DE L'ÉTAT DU WYOMING, LE PARC NATIONAL
DE YELLOWSTONE EST LE PLUS ANCIEN PARC NATIONAL DU MONDE. IL DOIT SA RENOMMÉE
À SON INTENSE ACTIVITÉ GÉOTHERMIQUE.

Old Faithful

Gigantesque chaudron bouillonnant d'activité, le parc national de Yellowstone concentre près des deux tiers de toutes les sources chaudes existant au monde. Parmi les trois cents geysers que compte le parc, *Old Faithful*, le « Vieux Fidèle », est le plus connu. S'il n'est pas le plus grand – cette distinction revient au Steamboat –, c'est néanmoins le plus « fidèle », comme son nom l'indique. À des intervalles réguliers, compris entre 60 et 90 minutes, Old Faithful entre en éruption et projette vers le ciel 14 000 à 32 000 litres d'eau avec une force considérable, créant un spectacle des plus impressionnants.

Les geysers sont des sources d'eau chaude qui jaillissent à intervalles réguliers ou irréguliers. Leur formation est due à une conjonction de facteurs géologiques et climatiques.

Old Faithful anime de ses manifestations spectaculaires l'Upper Geyser Basin du parc national de Yellowstone. Depuis sa découverte officielle, en 1870, le fascinant geyser fait l'objet d'une surveillance continuelle de la part des scientifiques, qui ont estimé à plus d'un million le nombre d'éruptions total. Old Faithful fonctionne presque comme une horloge suisse : toutes les heures en moyenne, il projette ses colonnes de vapeur d'eau chaude des entrailles de la terre en direction du ciel. Chaque éruption dure entre une minute et

Ce spectacle impressionnant n'est autre que celui d'une colonne d'eau chaude qu'Old Faithful projette à 55 mètres de hauteur au-dessus du parc national de Yellowstone.

CARTE D'IDENTITÉ

* **Nom** : parc national de Yellowstone

* **Situation** : Wyoming, et de petites portions dans le Montana et l'Idaho, aux États-Unis

* **Fondation** : 1er mars 1872

* **Statut** : plus ancien parc national du monde

* **Patrimoine de l'Unesco** : depuis le 8 septembre 1978

* **Étymologie** : le parc doit son nom aux rochers jaunes du grand canyon de Yellowstone

* **Superficie** : 8 983 km² (environ trois fois la superficie du Luxembourg)

* **Longueur max.** : env. 102 km

* **Largeur max.** : env. 87 km

* **Point culminant** : Eagle Peak, 3 462 m

* **Point le plus bas** : accès nord, 1 620 m

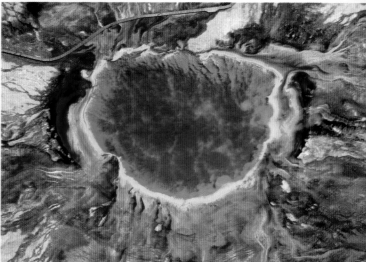

Au milieu La Giant Prismatic Spring doit sa réputation à la splendeur de ses couleurs.

En bas L'activité géothermique est intense dans le parc national de Yellowstone.

demie et cinq minutes. Les 14 000 à 32 000 litres de vapeur d'eau surgissent du sol avec une force considérable en formant une colonne blanche de 30 à 55 mètres de hauteur.

Les geysers diffèrent des simples sources chaudes par la structure géologique interne. L'orifice de surface, étroit, est relié à des conduits fins qui mènent à d'imposant réservoirs d'eau souterrains. À 7 mètres de profondeur, le diamètre de la cheminée d'Old Faithful ne dépasse pas 11 centimètres de diamètre. C'est par cet étroit conduit que l'eau sort des profondeurs de la terre sous la forme d'une gerbe, à une température comprise entre 118 et 129 °C.

L'importante concentration de geysers, sources chaudes et bains de boue bouillonnante à laquelle le parc national de Yellowstone doit sa renommée est due à la présence, juste au-dessous, d'une chambre magmatique, ou point chaud. Le centre du parc se situe dans un gigantesque cratère volcanique, ou caldeira, apparu il y a plus de six cent mille ans suite à une puissante explosion. Cette éruption secoua l'ensemble de la Terre. Une caldeira est un grand cratère volcanique formé par l'effondrement de la partie supérieure du cône suite à une éruption.

Depuis, la croûte terrestre n'atteint que quelques kilomètres d'épaisseur au niveau du parc national de Yellowstone. Les eaux de pluie et de la fonte des neiges s'infiltrent dans les crevasses et fissures de la pierre volcanique. En s'enfonçant, elles rencontrent la roche chauffée par le magma en fusion. Sous l'effet de la pression, l'eau bouillante est expulsée vers la surface de la Terre, où elle jaillit sous la forme de colonnes.

La région du parc national de Yellowstone, et plus particulièrement le comportement des geysers, fait l'objet d'une surveillance étroite de la part des scientifiques. Chaque modification observée dans le rythme des éruptions est scrupuleusement notée et analysée. Selon l'état des connaissances scientifiques actuelles, la chambre magmatique située sous le parc de Yellowstone aurait déjà explosé trois fois à des intervalles de six cent mille ans. La dernière éruption remontant à six cent mille ans, les scientifiques sont unanimes quant à la probabilité d'éruptions à venir, mais il leur est impossible d'en prévoir les dates exactes. Les tremblements de terre sont fréquents dans le parc national de Yellowstone, mais d'intensité trop faible pour être perçus par les visiteurs.

Parc national de Redwood

COMPRENANT TROIS PARCS CALIFORNIENS, LE PARC NATIONAL DE REDWOOD SE SITUE DANS LE NORD DE L'ÉTAT. LE PARC NATIONAL A POUR VOCATION LA PRÉSERVATION D'UNE FAUNE ET D'UNE FLORE RARES, DONT UNE REMARQUABLE POPULATION DE SÉQUOIAS GÉANTS.

L'aire de répartition de ces gigantesques arbres se limite aujourd'hui à une étroite frange côtière qui s'étire des confins de l'État de l'Oregon au centre de la Californie. Cette essence très ancienne ne pousse plus que sur la côte pacifique des États-Unis. Pendant des années, une politique de déboisement impitoyable a décimé la population de séquoias – *redwoods* en anglais.

Durant des millénaires, les premiers habitants de l'Amérique ont vécu en harmonie parfaite avec la nature dans les vastes forêts de séquoias de Californie. C'est seulement au XIXᵉ siècle que les premiers Blancs sont apparus dans la région. En 1828, Jedediah Strong Smith a atteint les terres correspondant à l'actuel parc national avec un groupe de trappeurs à la recherche de nouveaux terrains de chasse.

La première vague d'immigration vers le nord de la Californie remonte à 1848, au moment de la ruée vers l'or. Des rumeurs faisant état de l'existence de mines d'or attirèrent des milliers de personnes dans la région de Redwood. Sur les traces des chercheurs d'or arrivèrent bientôt des bûcherons qui entreprirent l'abattage systématique de l'essence précieuse. Le bois dur et résistant des séquoias se prêtait parfaitement à la menuiserie et l'ébénisterie. Les Indiens, qui étaient établis dans la région depuis des millénaires, furent repoussés progressivement, et les derniers survivants furent finalement

Parc national
de Redwood

CI-CONTRE En 1983, le parc national de Redwood a été déclaré réserve de biosphère.

CI-DESSOUS Les troncs des séquoias présentent des dimensions impressionnantes.

confinés dans une réserve. La ruée vers l'or prit fin aussi rapidement qu'elle avait commencé, mais l'exploitation abusive du bois poursuivit son œuvre dévastatrice dans les forêts de séquoias avec une vigueur incontrôlable. Dès 1852, des défenseurs de la nature comme Jedediah Strong Smith dénoncèrent la déforestation et tirèrent la sonnette d'alarme quant au devenir de la région. La Ligue de protection des séquoias réussit à sauver trois secteurs, embryons des trois parcs créés en 1927.

Malgré la mobilisation de ces trappeurs engagés, en 1965, les forêts de séquoias étaient réduites à 15 % de leur superficie initiale. En 1968, suite aux efforts conjugués de diverses associations écologiques, 430 kilomètres carrés des 1 200 kilomètres carrés restants furent déclarés parc national. En 1980, le parc fut inscrit sur la liste du patrimoine de l'Unesco et, en 1983, il fut déclaré réserve de biosphère. Dans le même temps, toutefois, le déboisement se poursuivait de manière inexorable dans les zones frontalières.

Le séquoia sempervirent est le descendant de gigantesques conifères largement répandus au jurassique. À la suite des changements climatiques survenus au cours de l'histoire de la Terre, les forêts de séquoias, jadis prospères, déclinèrent. Aujourd'hui, les dernières populations se concentrent dans la région du parc national de Redwood. Les séquoias peuvent vivre deux mille ans et dépasser 100 mètres de hauteur. Leur légendaire longévité repose en premier lieu sur une substance chimique contenue dans leur écorce épaisse, qui empêche l'apparition de champignons et autres parasites – autrement dit, un insecticide et fongicide naturel. L'humidité apportée par l'océan Pacifique et le courant de Californie favorise la croissance des séquoias dans la région.

Le plus grand séquoia existant actuellement dans le parc national de Redwood porte le surnom, très approprié, de « géant de la stratosphère ». Avec une hauteur de près de 113 mètres et un diamètre supérieur à 6 mètres, c'est actuellement le plus grand arbre de la Terre. Son âge est estimé à six cents ans. Si l'on pense que les séquoias peuvent vivre deux mille ans, le géant est actuellement dans sa période de pleine croissance.

La dureté et la résistance du bois de séquoia lui vaut d'être prisé aujourd'hui encore pour la menuiserie et l'ébénisterie, et comme matériau de construction. L'arbre doit son nom anglais, *redwood*, à la couleur brun-rouge de son écorce. C'est seulement grâce à des mesures de protection très strictes, comme celles prises dans l'enceinte du parc national de Redwood, que les dernières populations de cette essence unique parviendront à survivre. L'État de Californie et le gouvernement fédéral mettent tout en œuvre pour sauver de l'extinction les derniers spécimens de séquoias.

....

LE SAVIEZ-VOUS ?

❋ Parc national de Redwood : créé en 1968, ce parc national de 430 kilomètres carrés réunit trois parcs californiens : Prairie Creeks, Del Norte et Jedediah Smith. Depuis 1980, il figure sur la liste du patrimoine mondial de l'Unesco, et en 1983, il a été déclaré réserve de biosphère

❋ Séquoias sempervirent : ces gigantesques arbres, qui comptent parmi les merveilles naturelles de l'Amérique du Nord, sont cités dans de nombreux poèmes et romans de la littérature classique et contemporaine. Le chanteur folk Woody Guthrie a lui aussi immortalisé la « forêt de séquoias » dans sa célèbre chanson *This Land is Your Land,* de 1940

....

Parc national des Volcans

L'ARCHIPEL DE HAWAII, DANS LE PACIFIQUE, ÉVOQUE D'EMBLÉE DES PLAGES S'ÉTENDANT À L'INFINI, D'ÉNORMES VAGUES QUI FONT LA JOIE DES SURFERS ET DE RAVISSANTES DANSEUSES DE TAMOURÉ À LA PEAU COULEUR CAFÉ. MAIS LE 50ᵉ ÉTAT DES ÉTATS-UNIS POSSÈDE BIEN D'AUTRES ATOUTS.

Les îles paradisiaques des mers du Sud sont le produit d'une intense activité volcanique. L'archipel de Hawaii, dans l'océan Pacifique, se compose de cent vingt-deux îles qui s'égrènent en chapelet. Il correspond au sommet d'une énorme montagne volcanique qui se cache en grande partie sous la surface de la mer. L'archipel se situe à la limite de la plaque pacifique, qui se déplace chaque année d'environ 10 centimètres vers le nord-ouest. Sur Big Island – nom attribué par la population locale à l'île principale –, les volcans du parc national figurent parmi les plus grandes montagnes du monde et les volcans les plus actifs.

Hawaii

Le parc national a été créé le 1ᵉʳ août 1916 sous l'appellation de parc national de Hawaii. Couvrant une superficie de plus de 1 300 kilomètres carrés, il a reçu son nom actuel en septembre 1961. Le parc national des Volcans forme un écosystème unique et complexe, dû notamment à la présence des montagnes volcaniques les plus impressionnantes et les plus actives de la planète.

Le plus grand volcan de la Terre, le Mauna Loa, se dresse à 4 170 mètres au-dessus du niveau de la mer. Si l'on sait qu'il descend à 5 000 mètres de profondeur dans le Pacifique, ce gigantesque volcan bouclier totalise plus de 9 100 mètres de hauteur ! Le Mauna Loa surpasse ainsi la montagne la plus élevée de la Terre, le

CI-CONTRE Le Kilauea crache sa lave
brûlante et incandescente à plusieurs
mètres de hauteur dans le ciel de Hawaii.

CI-DESSOUS Le sommet enneigé du Mauna
Loa, culminant à 4 169 mètres.

mont Everest (8 848 mètres). Quant à son « petit frère », le Kilauea, même s'il ne rivalise pas avec ses imposantes dimensions, c'est le volcan le plus actif du globe. La formation de ces deux volcans boucliers remonte à 3 millions d'années. Le parc national est un véritable paradis pour les géologues qui peuvent y découvrir les traces de 70 millions d'années d'activité volcanique.

Les violentes éruptions du Kilauea trouvent, dans la tradition orale locale, une explication. Selon une légende hawaiienne, le cratère du Kilauea, le Halemaumau, serait la résidence de Pele, la déesse du Feu, connue pour son tempérament lunatique. Lorsque cette dernière est en proie à la colère, elle crache du feu et de la lave. Lorsqu'elle retrouve son calme, elle tombe dans un sommeil profond. Mais personne ne sait combien de temps dureront ces pauses bienvenues. Des offrandes déposées au bord du cratère sont destinées à l'apaiser et à éviter ses explosions de rage. Si l'on en croit la légende, c'est surtout le gin qui aurait le pouvoir de calmer la nature impétueuse de la « femme de l'Enfer ».

Les géologues expliquent les manifestations violentes du Kilauea de manière plus prosaïque, par la théorie du point chaud. Un point chaud est un endroit de la croûte terrestre où le magma monte de l'intérieur de la Terre jusqu'à la surface, phénomène qui s'étend dans la durée. La plaque du Pacifique se déplace sur une immense mer de magma en fusion. Suite aux gigantesques forces qui se déploient lorsque la plaque continentale dérive vers le nord-ouest au-dessus du point chaud, il arrive que le magma en fusion surgisse à la surface de la Terre. C'est précisément à cet endroit qu'apparaît une île volcanique. Rien d'étonnant que le Kilauea crache presque en permanence une lave incandescente et bouillonnante. À proximité du volcan, un mince nuage de fumée plane presque toujours au-dessus de la mer.

Les paysages et les zones de végétation qui s'étagent sur les flancs des deux volcans ne manquent pas d'intérêt. Malgré l'activité volcanique presque continue, les sommets sont le plus souvent enneigés. À mi-pente, les fougères et les lichens poussent à profusion sur la lave fraîchement solidifiée. Les champs de lave de formation ancienne accueillent des forêts denses de fougères arborescentes. En revanche, les versants sud-ouest du massif volcanique, faiblement arrosés, présentent un aspect désertique, marqué par des failles et des crevasses. Dans ces espaces dénudés, formant le désert de Kau, la lave liquide du Kilauea effectue sa longue et lente progression en direction de l'océan Pacifique.

CARTE D'IDENTITÉ

* **Nom** : parc national des Volcans

* **Fondation** : 1er août 1916

* **Situation** : Hawaii, États-Unis

* **Superficie** : 1 309 km²

* **Altitude** : de 0 m (niveau de la mer) à 4 170 m (sommet du cratère du Mauna Loa)

* **Point culminant** : le Mauna Loa (4 170 m) ; depuis sa base, au fond de l'océan, il mesure plus de 9 100 m, ce qui en fait la plus haute montagne de la Terre

* **Activité volcanique** : le Kilauea, actif en permanence depuis 1983, est le volcan le plus actif du monde

* **Patrimoine de l'Unesco** : depuis 1987

Parc national de Yosemite

« LA PLUS BELLE MERVEILLE NATURELLE », C'EST EN CES TERMES ADMIRATIFS QUE LE NATURALISTE AMÉRICAIN JOHN MUIR (1838-1914) ÉVOQUA LA VALLÉE DE LA SIERRA NEVADA, EN CALIFORNIE. LES INDIENS L'APPELAIENT *AHWAHNEE,* OU « BOUCHE BÉANTE D'ÉTONNEMENT ».

La région, connue dans le monde entier, a reçu le nom de parc national de Yosemite. La nature à l'état pur : c'est l'impression qu'inspire le parc national le plus remarquable d'Amérique du Nord et qui lui vaut de figurer depuis 1984 au patrimoine mondial de l'Unesco. Des forêts à perte de vue, quatre grandioses cascades, dont la plus haute des États-Unis, d'imposants monolithes de granit, des arbres aux proportions démesurées, mais aussi une flore et une faune riches et diversifiées font du parc national de Yosemite un véritable trésor écologique.

Les premiers habitants de cette vallée située dans l'ouest des États-Unis semblent avoir été eux aussi subjugués par la beauté de la nature. C'est du moins ce que l'on peut déduire du nom qu'ils lui attribuèrent – *Ahwahnee,* qui signifie en indien « bouche béante d'étonnement ». Pendant des générations, les Indiens y ont vécu à l'unisson avec la nature, jusqu'à l'arrivée d'une mystérieuse maladie, la peste, ou « mort noire », qui décima presque entièrement la population. Les quelques survivants s'enfuirent dans les profondeurs des montagnes de la sierra Nevada. Ce n'est que de nombreuses années après que les descendants des fugitifs s'aventurèrent de nouveau dans la vallée. Par crainte d'éveiller la colère des dieux, ils changèrent de nom et s'appelèrent Yosemites – synonyme, dans leur langue, de grizzly.

Parc national de Yosemite

De nombreuses chutes d'eau animent de leur spectacle féérique le parc national de Yosemite.

De nombreuses curiosités naturelles participent à la beauté de la région que découvrent chaque année plusieurs millions de touristes. Le parc doit notamment sa renommée à ses quatre principales cascades : Yosemite Fall, la plus haute des États-Unis avec ses 800 mètres ; Vernal Fall, qui forme une muraille blanche en dégringolant le long du précipice ; Nevada Fall, sauvage et imposante comme les montagnes de la sierra Nevada ; Bridal Veil Fall, qui évoque un voile de mariée.

Deux gigantesques monolithes de granit interpellent également le visiteur : El Capitán et Half Dome. Leurs parois quasi verticales de près de 1 000 mètres de hauteur, polies par une immense moraine il y a plus de 250 000 ans, témoignent de l'action des forces de la nature. D'après les estimations des géologues, Half Dome, qui doit son nom à sa forme semi-circulaire, serait âgé de plus de 85 millions d'années. En été, ses versants abrupts offrent un excellent terrain d'entraînement aux alpinistes venus du monde entier.

La flore et la faune réservent elles aussi d'agréables surprises au visiteur. « The Fallen Monarch », un arbre gigantesque, gît à l'entrée de « Mariposa Grove », un bois de séquoias vieux de plus de 2 700 ans. Parmi les trente-sept essences qui se partagent les vallées et les versants des montagnes figurent, outre les séquoias, des espèces rares de pins et de sapins. Au total, plus de 1 400 espèces végétales ont été dénombrées dans le parc. La faune ne manque pas non plus de diversité : plus de 230 espèces d'oiseaux côtoient 74 mammifères, parmi lesquels des tamias, des marmottes, des coyotes et des ours noirs.

Protégé depuis 1864, cet environnement fragile, d'une valeur incomparable, revendique le statut de plus ancienne réserve naturelle du monde, même s'il ne fut classé officiellement parc national qu'en 1890, soit dix-huit ans après le parc de Yellowstone.

CI-DESSUS **Le sommet enneigé du Half Dome, emblème du parc, en hiver.**

CI-CONTRE **Dans la langue des Indiens, la chute du Voile de la mariée s'appelle Pohono, ou « emporté par le vent ».**

La Nouvelle-Zélande offre aux visiteurs ses espaces vierges, décors grandioses abritant des volcans encore actifs, d'irrésistibles fjords, mais aussi une faune et une flore d'exception. L'Australie, terre de contrastes, oppose des chefs-d'œuvre d'architecture futuriste et de fantastiques sites naturels, tels la spectaculaire Grande Barrière de corail ou les colosses de pierre imprégnés de tradition aborigène.

OCÉANIE

AUSTRALIE
Grande Barrière de corail

PARALLÈLEMENT À LA CÔTE ORIENTALE DE L'AUSTRALIE S'ÉTIRE LA PLUS GRANDE « CONSTRUCTION »
DU MONDE ÉRIGÉE PAR DES ORGANISMES VIVANTS : LA GRANDE BARRIÈRE DE CORAIL.
LES ABORIGÈNES AUSTRALIENS L'APPELLENT *WAGA GABOO,* « LE GRAND RÉCIF ».

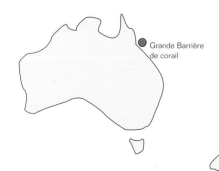

Grande Barrière de corail

La Grande Barrière de corail étire ses milliers de récifs multicolores sur plus de 2 000 kilomètres de longueur. Elle mesure jusqu'à 145 kilomètres de largeur et s'élève parfois à 120 mètres au-dessus du fond. Au final, sa superficie équivaut à la moitié de celle de la France. De minuscules organismes, des polypes coralliens, sont les maîtres d'œuvre de ce merveilleux édifice. Ils ont créé un fascinant paradis sous-marin, riche d'une flore et d'une faune hors du commun. La formation de cet écosystème unique, véritable monument naturel, s'est étendue sur des millions d'années. La Grande Barrière de corail est le récif corallien le plus important de la planète. Depuis 1981, elle figure sur la liste du patrimoine mondial de l'Unesco.

La découverte du gigantesque récif corallien qui longe les côtes australiennes est due au hasard – plus précisément à un incident fâcheux pour celui qui en fut à l'origine. Dans la nuit du 10 au 11 juin 1770, l'*Endeavour,* navire du célèbre navigateur et explorateur James Cook, s'échoua sur la Grande Barrière de corail. Ce phénomène naturel ne figurait sur aucune carte marine. Après avoir effectué les réparations qui s'imposaient sur son navire, Cook poursuivit son voyage vers le nord le long du récif. Vers la mi-août 1770, il trouva enfin un passage. Une ville, située le long de la Grande Barrière de corail, porte son nom.

On peut imaginer l'étonnement de Cook lorsqu'il eut achevé l'arpentage et la cartographie de la Grande Barrière de corail. Située dans le Pacifique Sud entre le 10ᵉ et le 24ᵉ degré de latitude sud, elle s'étire au nord-est de l'Australie, au large du Queensland – du détroit de Torres, au sud de la Papouasie-Nouvelle-Guinée, jusqu'à l'île Lady Elliot. Elle s'étend à l'est de la plaque continentale australienne, à une distance du littoral comprise entre 30 kilomètres (au large de Cairns) et 250 kilomètres (au large de Gladstone). Pour plus de commodité, en raison de sa taille, la Grande Barrière de corail a été partagée en quatre sections (du nord au sud) : Far Northern Section, Cairns Section ou Tropical Northern, Central Section ou Whitsunday Section, Southern Section ou Mackay Capricorn Section.

La Grande Barrière se situe entièrement dans la zone tropicale et la région des typhons. Sa partie la plus ancienne, la Far Northern Section, s'est formée il y a 18 à 20 millions d'années. Celles qui s'étendent au centre et au sud, beaucoup plus jeunes, sont apparues il y a 2 millions d'années. Les récifs coralliens aux somptueuses couleurs que l'on peut admirer aujourd'hui remontent à environ dix mille ans. La Grande Barrière de corail compose un chapelet de près de trois mille récifs, mille îles et innombrables bancs de sable, couvrant une superficie d'environ 347 800 kilomètres carrés. C'est depuis l'espace, dans des conditions atmosphériques optimales, que l'on appréhende le mieux sa splendeur et son immensité.

Chaque année, au début de l'été, le même spectacle insolite, visible à l'œil nu, se répète au même moment dans l'ensemble du récif. Quelques jours après la pleine lune, lorsque la température de l'eau s'élève et que le courant est faible, des quantités de minuscules polypes coralliens libèrent dans la mer des paquets d'œufs et de spermatozoïdes qui se mettent à flotter à la surface de l'eau. Une fois la fécondation terminée, les larves nagent dans le courant avant de couler au fond. Une fois l'endroit idéal trouvé, les larves deviennent des polypes qui forment une nouvelle colonie.

Chaque jour, les minuscules polypes coralliens produisent 4 tonnes de squelettes de calcaire sur un seul kilomètre carré de récif. La Grande Barrière de corail grandit continuellement, offrant un habitat de choix à des nombreuses espèces végétales et animales. Plus de 350 espèces de coraux ont participé à l'édification de la plus grande œuvre de la nature, 80 espèces de coraux mous se partagent les récifs, 1 500 espèces d'éponges et 5 000 espèces de mollusques colonisent les failles et les fissures. Quelque 800 espèces d'échinodermes – notamment des étoiles de mer et des oursins – peuplent la

CARTE D'IDENTITÉ

✳ **Nom :** Grande Barrière

✳ **Pays :** Australie

✳ **Situation :** 10°–24° de latitude sud

✳ **Longueur :** plus de 2 300 km

✳ **Superficie :** 347 800 km²

✳ **Âge :** 18 à 20 millions d'années (Far Northern Section)

✳ **Composition :** plus de 2 900 récifs, plus de 1 000 îles et d'innombrables bancs de sable

✳ **Patrimoine de l'Unesco :** depuis 1981

La Grande Barrière de corail se compose de plus de 2 900 récifs, 1 000 îles et d'innombrables bancs de sable.

Grande Barrière de corail et 1 500 espèces de poissons y cherchent leur nourriture et le refuge. Pour les grands prédateurs comme le requin, la Grande Barrière de corail est un terrain de chasse privilégié.

Bien d'autres animaux encore ont élu domicile dans les récifs – 215 espèces d'oiseaux y ont été dénombrées. Une mention particulière revient aux tortues, menacées d'extinction, qui utilisent les récifs pour pondre leurs œufs. Six des sept espèces de tortues marines existant au monde ont été recensées dans la Grande Barrière. Quant aux dugongs, ou vaches marines, leur existence est elle aussi déclarée en péril.

L'un des grands moments qui rythment la vie de la Grande Barrière de corail est l'arrivée, chaque année, de la baleine à bosse, qui fait escale dans ses eaux chaudes pour mettre bas sur son chemin migratoire de l'Antarctique vers le nord.

Mais une grave menace pèse aujourd'hui sur la Grande Barrière de corail. Les récifs coralliens étant des écosystèmes extrêmement sensibles, la moindre perturbation intervenant dans leur équilibre fragile peut provoquer des dégâts imprévisibles.

Pour survivre, les coraux exigent notamment des eaux dont la température est relativement constante.

Des températures comprises entre 18 et 30 °C, comportant de faibles variations, offrent des conditions idéales à leur développement et à leur survie. Une élévation trop importante de la température endommagerait les algues indispensables à l'existence des coraux et finirait par provoquer leur mort.

Les algues sont également responsables de la coloration des coraux. Si elles viennent à disparaître, les coraux sont victimes de blanchissement, laissant apparaître leurs squelettes de calcaire blancs. De même, si la croissance des algues est perturbée par l'élévation de la température de l'eau, les coraux meurent par manque de nourriture. Il ne reste plus que les squelettes. Le blanchissement des coraux est la plus grande menace qui pèse sur l'écosystème fragile et complexe de la Grande Barrière de corail.

Aux 2 millions de touristes que doit supporter chaque année ce système sensible s'ajoutent les conséquences des changements climatiques qui s'effectuent au niveau mondial. L'effet de serre a déjà lourdement affecté les récifs coralliens sous la forme du blanchissement. En 2002, 60 à 90 % du récif étaient considérés comme gravement menacés. Plus manifestes encore sont les effets des pesticides et des engrais provenant

CI-CONTRE Un poisson-clown
cherche refuge entre les tentacules
d'une anémone de mer.

CI-DESSOUS Les coraux sont
les constructeurs de la Grande
Barrière de corail.

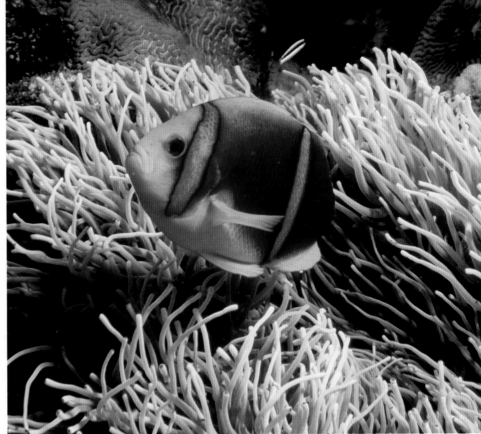

des plantations de canne à sucre et de bananiers sur le continent. Transportés dans les eaux côtières par les pluies des moussons, les intrants agricoles conduisent à la destruction des colonies de coraux. Les substances chimiques ont anéanti des colonies entières de coraux sur de nombreux kilomètres. D'autres substances nocives sont également déversées dans la mer en conséquence du développement du tourisme et de l'aménagement de certaines îles.

Étant donné la diversité des causes qui participent à la dégradation de ce milieu naturel unique, les mesures de protection sont difficiles à mettre en place. Une grande partie des dommages a pour origine les substances en suspension provenant des activités agricoles à proximité du littoral.

L'autre menace liée au réchauffement de la planète est le passage des cyclones, de plus en plus fréquents ces dernières années. Les énormes vagues qu'ils déclenchent ont provoqué des dégâts importants dans de larges portions de la Grande Barrière de corail. Quant à l'étoile noire, ennemi naturel du récif corallien, elle est connue pour ses tendances voraces. Portant jusqu'à dix-sept bras couverts d'épines venimeuses et opérant en groupe, elle peut détruire une colonie entière. Elle dissout les polypes avec ses sucs digestifs et s'en nourrit par succion. On estime qu'une seule étoile est responsable de la disparition de 6 mètres carrés de récif par an. Sa recrudescence ces dernières années est due en partie à l'augmentation des eaux usées en provenance du littoral.

L'inscription en 1981 de la Grande Barrière de corail sur la liste du patrimoine de l'Unesco s'est accompagnée du lancement d'un programme de recherche et de conservation de ce milieu unique, qui doit s'étendre sur vingt-cinq ans. Des résultats ont d'ores et déjà été enregistrés. Du blanchissement massif des années 1998 à 2002, qui concerna près de 95 % des coraux, presque toutes les colonies se sont remises grâce aux mesures de protection. Seuls 5 % du récif ont été si gravement endommagés qu'il faudra encore attendre de nombreuses années avant que les blessures soient pansées.

L'écosystème de la Grande Barrière de corail doit sa complexité aux relations symbiotiques unissant les divers organismes qui y vivent. La moindre modification de ce milieu fragile peut mettre en péril ce chef-d'œuvre de la nature. Aux agressions d'ordre environnemental, comme le réchauffement climatique, s'ajoutent les interventions humaines sous la forme du tourisme et des activités agricoles. L'extrême vulnérabilité de ce précieux trésor, l'un des derniers paradis naturels du globe, exige le respect de chacun, ainsi que des mesures de protection efficaces.

LE SAVIEZ-VOUS ?

✱ Flore et faune :
359 espèces de coraux, 80 espèces de coraux mous, 1 500 espèces d'éponges, 5 000 espèces de mollusques, 800 espèces d'échinodermes (étoiles de mer et oursins), plus de 1 500 espèces de poissons, 215 espèces d'oiseaux, 6 espèces de tortues marines, dugongs (vaches marines) et baleines à bosse

NOUVELLE-ZÉLANDE
Milford Sound

AU SUD-OUEST DE L'ÎLE DU SUD, EN NOUVELLE-ZÉLANDE, LE MILFORD SOUND S'ENFONCE
VERS L'INTÉRIEUR DES TERRES. MALGRÉ SON NOM (*SOUND,* « BRAS DE MER »), IL NE S'AGIT
NULLEMENT D'UN DÉTROIT, MAIS D'UN LONG FJORD FAÇONNÉ PAR L'ACTIVITÉ GLACIAIRE.

Milford Sound

Fasciné par la beauté secrète de la nature dans ce coin retiré de la planète, le célèbre écrivain britannique Rudyard Kipling a décrit un jour le Milford Sound comme la huitième merveille du monde. Le parc national de Fiordland, qui abrite le Milford Sound, doit sa splendeur à ses paysages sauvages et grandioses.

Géologiquement, le Milford Sound est un fjord classique. Les fjords sont nés de l'activité glaciaire il y a des millions d'années. En descendant vers le littoral depuis leur point d'origine, dans les hauteurs des montagnes, les glaciers se sont creusés en profondeur dans le soubassement rocheux, charriant sur leur

parcours des pierres et des débris. Après avoir fondu, ils ont laissé des vallées en auge, en forme de U, qui se sont remplies d'eau à la suite de l'élévation du niveau de la mer. Le merveilleux fjord de Milford Sound s'enfonce sur plus de 15 kilomètres de longueur vers l'intérieur des terres depuis la mer de Tasman. Il est dominé par des parois de granit abruptes dont certaines atteignent 1 200 mètres de hauteur.

Véritable paradis naturel, le Milford Sound possède une flore et une faune d'une extraordinaire richesse. Des forêts tropicales peuplent les versants escarpés de part et d'autre du fjord. Les arbres s'enracinent dans le soubassement rocheux, recouvert par une épaisse végétation composée de mousses et de fou-

CARTE D'IDENTITÉ

✳ **Nom** : Milford Sound

✳ **Type** : fjord né de l'activité glaciaire

✳ **Situation** : parc national de Fiorland, Nouvelle-Zélande

✳ **Longueur** : plus de 15 km

✳ **Superficie du parc national** : 1 250 000 ha

✳ **Point culminant** : mont Mitre, 1 692 m

✳ **Flore et faune** : forêt tropicale, phoques, manchots, marsouins, requins, nombreuses espèces d'oiseaux, coraux noirs

Le mont Mitre, culminant à 1 692 mètres, se reflète dans les eaux cristallines du Milford Sound. Ce monolithe de granit doit son nom à sa ressemblance avec une mitre d'évêque.

gères. Au-dessus, des sommets recouverts de neige et de glace se dressent jusqu'à près de 1 700 mètres de hauteur. Le mont Mitre, culminant à 1 692 mètres, se reflète dans les eaux cristallines du fjord. L'impressionnant monolithe de granit doit son nom à sa forme caractéristique, évoquant la mitre d'un évêque. De toutes parts, des chutes d'eau, élégantes ou majestueuses, dégringolent le long des parois rocheuses. Les pluies donnent naissance à d'autres cascades qui se déversent dans des nuages d'écume, parfois sur plus de 1 000 mètres de hauteur.

Une importante population de phoques, manchots et marsouins anime les eaux du fjord de Milford Sound. Un observatoire sous-marin – le Milford Deep –, aménagé pour les chercheurs et les visiteurs, permet de « plonger » sous l'eau. On peut y découvrir notamment les nombreuses espèces de requins qui sillonnent les eaux du Sound. Tout aussi fascinants sont les récifs recouverts d'une variété de corail très particulière, de couleur noire, qui trouve un habitat de choix dans cet environnement.

Le Milford Sound est connu pour l'énorme quantité de précipitations qui y tombent – 7 000 millimètres par mètre carré chaque année. Il pleut au moins une fois par jour dans ce décor fantastique : jusqu'à midi, le temps est au beau fixe ; vers midi, les nuages commencent à s'amonceler dans le ciel ; et l'après-midi, des pluies diluviennes s'abattent sur le fjord.

Dans l'ensemble, le climat est plus frais à Milford Sound que dans le reste de la Nouvelle-Zélande. Les mois de mai à août sont les plus froids, la saison la plus chaude s'étendant entre novembre et février. Le soleil filtre alors à travers la végétation presque impénétrable de la forêt tropicale, créant des jeux d'ombre et de lumière ensorcelants sur les versants qui surplombent le fjord, ainsi qu'à la surface de l'eau.

Ci-dessus Les montagnes semblent surgir des eaux du Milford Sound.

Ci-contre Les nuages exécutent de somptueux ballets au-dessus des eaux du fjord.

AUSTRALIE
Opéra de Sydney

L'OPÉRA DE SYDNEY – SYDNEY OPERA HOUSE –, L'UN DES ÉDIFICES LES PLUS CÉLÈBRES
ET LES PLUS REMARQUABLES DU XXᵉ SIÈCLE, EST AUSSI L'EMBLÈME LE PLUS PHOTOGRAPHIÉ
DE LA MÉGAPOLE AUSTRALIENNE.

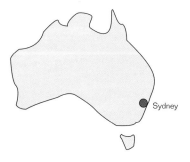

Sydney

Ouvrant sur le port de Sydney, en Australie, l'Opéra compte parmi les réalisations architecturales les plus spectaculaires du siècle dernier. Ce chef-d'œuvre d'allure futuriste a suscité des réactions passionnées au moment de sa construction et de son ouverture. Lors de son inauguration, *The Times* a salué « la construction du siècle ». Les audacieuses lignes du toit ont aussi inspiré des moqueries et certains l'ont comparé à « une équipe de football de religieuses françaises ». Quant à la population locale, elle évoque « son » Opéra en termes moins sarcastiques, le surnommant « les cornettes de bonnes sœurs » ou « l'huître ouverte ».

C'est le projet de l'architecte danois Jörn Utzon qui a été retenu le 29 janvier 1957 parmi les 223 candidatures proposées. Deux ans après, le 2 mars 1959, la première pierre de l'Opéra était posée sur le site de Bennelong Point, dans le port de Sydney. Trois à quatre ans de travaux étaient prévus pour la construction de l'imposant édifice, et les coûts estimés à 3,5 millions de dollars.

Mais peu de temps après le commencement des travaux, il s'avéra que le budget ne suffirait pas, et que la date d'achèvement de ce projet ambitieux ne pourrait être respectée. La construction du toit notamment posa d'énormes problèmes techniques aux constructeurs. En outre, les carreaux de céramique qui habillent les différentes parties du toit durent être fabriqués en Suède

L'immense salle de concert de l'Opéra de Sydney offre une capacité d'accueil de 2 700 personnes.

CARTE D'IDENTITÉ

✱ Nom : Sydney Opera House

✱ Situation : Bennelong Point, Sydney, Nouvelle-Galles du Sud, Australie

✱ Architecte : Jörn Utzon

✱ Début des travaux : 2 mars 1959

✱ Première représentation : 28 septembre 1973

✱ Inauguration officielle : 20 octobre 1973

✱ Durée du chantier : 14 ans

✱ Coût : 57 millions de dollars US

✱ Longueur : 183 m

✱ Largeur : 118 m

✱ Superficie : 21 500 m²

✱ Poids : env. 160 000 t

✱ Aménagement intérieur : 5 salles de théâtre et de concert totalisant 5 500 places

✱ Toit : construction en plusieurs parties, habillée de plus de 1 million de carreaux de céramique

✱ Câbles électriques : 645 km

Au milieu Le toit de l'Opéra de Sydney est habillé de plus d'un million de carreaux de céramique.

En bas Avec le célèbre Harbour Bridge, l'Opéra de Sydney compose un décor futuriste.

selon un procédé particulier, puis acheminées jusqu'à Sydney – entreprise qui fit exploser le budget.

Le gouvernement de Nouvelle-Galles du Sud, responsable de la construction de l'Opéra, tira la sonnette d'alarme et imposa d'importantes modifications à l'architecte Jörn Utzon afin de réduire les coûts. Mais celui-ci refusa de se plier à cette demande. La rupture entre l'architecte et les commanditaires était inévitable. En 1966, Jörn Utzon quitta Sydney après de violentes discussions concernant la réalisation du toit, l'aménagement intérieur et le financement du projet. L'architecte, imperturbable, déclinera même l'invitation à l'inauguration de « son » opéra.

C'est une équipe de jeunes architectes australiens qui poursuivit la construction de l'Opéra de Sydney. Les moyens financiers supplémentaires furent apportés par le gouvernement de Nouvelle-Galles du Sud à l'aide d'une loterie organisée au profit de l'Opéra. Le 20 octobre 1973, l'Opéra de Sydney put enfin être inauguré par la reine Elizabeth II d'Angleterre. Des millions de personnes assistèrent à l'événement qui fut célébré par des feux d'artifice, l'exécution de la *Neuvième Symphonie* de Beethoven, et retransmis à la télévision. Les quatre années prévues au départ pour la construction s'étaient transformées en quatorze années, et le coût de la construction s'éleva finalement à 57 millions de dollars.

L'Opéra de Sydney mesure 183 mètres de longueur, 118 mètres de largeur, et couvre une superficie supérieure à 21 500 mètres carrés. Son toit à l'architecture singulière, de 67 mètres de hauteur, évoquant pour certains les voiles d'un immense navire, est habillé de plus de 1 million de carreaux de faïence vernis. La structure repose sur 580 piliers en béton descendant à 25 mètres de profondeur. Le poids du bâtiment s'élève à environ 160 000 tonnes. L'Opéra de Sydney abrite cinq grandes salles : une immense salle de concert, offrant une capacité d'accueil de 2 700 personnes ; l'Opéra, comptant plus de 1 500 places ; le Drama Theatre, de 500 places ; la Playhouse, de 400 places ; le Studio Theatre, d'environ 365 places. L'édifice comporte de nombreuses salles comprenant des studios de répétition, de grands halls, des restaurants, des bars et des magasins. Le réseau électrique compte plus de 645 kilomètres de câbles électriques. Lorsque des concerts et représentations ont lieu le même soir dans les cinq salles principales, l'Opéra de Sydney consomme autant d'électricité qu'une ville de 25 000 habitants !

NOUVELLE-ZÉLANDE
Tongariro

LA PLUS ANCIENNE RÉSERVE NATURELLE DE NOUVELLE-ZÉLANDE S'ÉTEND
AU CENTRE DE L'ÎLE DU NORD. LE PARC NATIONAL DE TONGARIRO DÉVOILE
AUX NOMBREUX VISITEURS SES RICHESSES UNIQUES ET GRANDIOSES.

De vastes étendues de végétation luxuriante alternent avec des plateaux désertiques, des lacs nichés au pied de gigantesques parois karstiques recouvertes de lave côtoient des sommets volcaniques enneigés. Pour les Maoris, la population indigène de Nouvelle-Zélande, la région du Tongariro est sacrée. Les trois volcans encore actifs du parc national – le Tongariro, le Ngauruhoe et le Ruapehu – sont étroitement liés à la mythologie maorie.

Une légende met en scène le chef Ngatoroirangi, de la tribu des Tuwharetoa. Afin de pouvoir s'emparer de la région, Ngatoroirangi dut escalader le mont Tongariro et allumer un feu sur son sommet. Il se mit en route avec son esclave Auruhoe, mais le froid était si glacial qu'ils faillirent périr. Ngatoroirangi appela à l'aide ses sœurs, qui officiaient comme prêtresses sur l'île éloignée d'Hawaiki. Ayant entendu l'appel désespéré de leur frère, les sœurs lui envoyèrent du feu. La Terre s'ouvrit, laissant échapper le feu de ses entrailles. Pour remercier le dieu des Volcans, Ngatoroirangi lui offrit en sacrifice son esclave Auruhoe. C'est pourquoi le volcan porte depuis un nom qui rend hommage à la malheureuse : Ngauruhoe.

Les descendants du chef Ngatoroirangi vivent toujours dans les environs du Tongariro. Pour la tribu des Tuwharetoa, le Tongariro est une montagne sacrée.

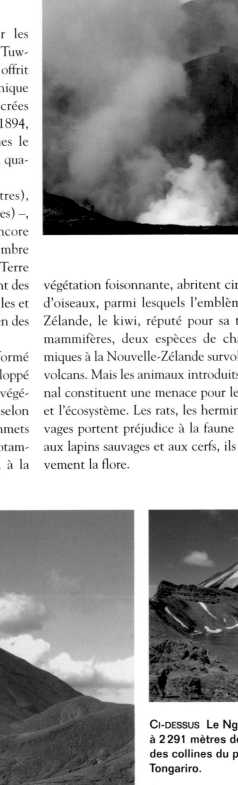

D'épaisses fumerolles s'échappent du cratère du Ruapehu (2 797 mètres), le plus actif des trois volcans du parc.

Afin d'empêcher l'exploitation des terres par les Blancs, le sage et chef suprême de la tribu Ngati Tuwharetoa eut recours à un stratagème : en 1887, il offrit la région des trois volcans à la Couronne britannique à la condition qu'elle protège les montagnes sacrées par la création d'une réserve. C'est ainsi que, en 1894, les terres sacrées des Tuwharetoa sont devenues le premier parc national de Nouvelle-Zélande et le quatrième du monde.

Les trois volcans – Tongariro (1 968 mètres), Ngauruhoe (2 291 mètres) et Ruapehu (2 797 mètres) –, qui forment le centre du parc national, sont encore actifs. La dernière éruption a eu lieu le 23 septembre 1995. La pression accumulée à l'intérieur de la Terre s'est évacuée par la cheminée du Ruapehu. Pendant des mois, le volcan a expulsé des cendres, des fumerolles et de la lave, transformant les paysages situés à l'est en des espaces lunaires.

Malgré l'instabilité de l'environnement formé par le parc national du Tongariro, il s'y est développé une faune et une flore riches et diversifiées. Les végétaux se sont adaptés aux différents habitats offerts selon l'altitude et les zones climatiques. Même les sommets enneigés accueillent diverses espèces végétales, notamment des graminées et des lichens. Les forêts, à la végétation foisonnante, abritent cinquante-six espèces d'oiseaux, parmi lesquels l'emblème de la Nouvelle-Zélande, le kiwi, réputé pour sa timidité. Parmi les mammifères, deux espèces de chauves-souris endémiques à la Nouvelle-Zélande survolent les versants des volcans. Mais les animaux introduits dans le parc national constituent une menace pour les espèces indigènes et l'écosystème. Les rats, les hermines et les chats sauvages portent préjudice à la faune endémique. Quant aux lapins sauvages et aux cerfs, ils endommagent gravement la flore.

CI-DESSUS Le Ngauruhoe se dresse à 2 291 mètres de hauteur au-dessus des collines du parc national de Tongariro.

CI-CONTRE Le Ngauruhoe est le troisième volcan actif du parc national de Tongariro.

AUSTRALIE
Uluru

ULURU, MIEUX CONNU SOUS LE NOM D'AYERS ROCK, DRESSE SA GIGANTESQUE
MASSE DE GRÈS ROUGE AU-DESSUS DES ÉTENDUES SEMI-DÉSERTIQUES DE L'OUTBACK
AUSTRALIEN, ÉVOQUANT LE DOS D'UNE BALEINE ÉCHOUÉE.

De loin, ses flancs accidentés trahissent l'ancienneté de ce monolithe dont la longue histoire remonte à plus de 600 millions d'années. Avec les Kata Tjuta – aussi nommés monts Olgas –, il forme depuis 1977 le parc national d'Uluru-Kata Tjuta. En 1985, le gouvernement australien a restitué officiellement aux Aborigènes le deuxième plus gros monolithe de la Terre et les terres environnantes, comprenant les Kata Tjuta. Les Aborigènes, qui portent le nom d'Anangu dans cette région du territoire du Nord, considèrent le site du parc national comme sacré, comme le lieu d'origine de la vie.

Sa taille seule lui vaut de figurer parmi les merveilles naturelles de la planète. Le monolithe de grès rouge se dresse à 348 mètres au-dessus du sol, son sommet s'élevant à 867 mètres au-dessus du niveau de la mer. Mais il ne révèle qu'une partie de sa monstrueuse masse. Le reste se cache sous la surface de la Terre, s'enfonçant jusqu'à 6 000 mètres de profondeur ! La partie émergée mesure environ 3,4 kilomètres de longueur et 2 kilomètres de largeur, sa circonférence étant supérieure à 9 kilomètres. Le colosse de grès rouge – plus précisément d'arkose, grès feldspathique – est né des forces qui se sont déployées à l'intérieur de la Terre. Des masses de roche ont été comprimées, puis poussées à la surface de la Terre par des mouvements tectoniques.

Ci-contre Uluru paraît encore plus
mystérieux sous la lumière d'un éclair.
Ci-dessous Les Kata Tjuta, les 36 rochers
de granit, de gneiss et de pierre volcanique,
sont protégés au sein du parc national.

À environ 50 kilomètres d'Uluru, trente-six rochers surgissent au-dessus des étendues arides, les Kata Tjuta, littéralement « plusieurs têtes » dans la langue des Aborigènes Anangu. Le premier Européen à s'être aventuré dans cette région isolée et inhospitalière fut l'explorateur britannique Ernest Giles. Il nomma les formations rocheuses monts Olgas, en hommage à la reine Olga de Wurtemberg, qui favorisa le développement des sciences et de la recherche au XIXᵉ siècle. Les Kata Tjuta, manifestement plus jeunes que leur voisin Uluru, sont apparus il y a environ 300 millions d'années, formés par un amoncellement de sédiments pétrifiés. Le mélange de granit, gneiss et pierre volcanique a été façonné par l'érosion au fil du temps.

Uluru et les Kata Tjuta sont de hauts lieux sacrés de la culture aborigène. La légende rapporte qu'il y a fort longtemps, Kuniya (Kuhni-ya), la femelle python, se rendit à Uluru pour y déposer ses œufs. Elle découvrit alors que son neveu avait été tué par le serpent venimeux Liru. Pour se venger, elle partit à Mutitjulu, où elle rencontra l'un des hommes de Liru. Kuniya exécuta une danse rituelle destinée à montrer sa puissance et son désir de vengeance, mais l'homme de Liru se moqua d'elle. Elle prit alors une poignée de sable qu'elle lança avec fureur sur son ennemi. À l'endroit où le sable fut jeté, les plantes et les arbres devinrent venimeux. Mais l'homme de Liru répondit de nouveau par des moqueries. Alors, Kuniya prit sa massue (*wana*) et frappa sur la tête de l'homme de Liru. Sa furie était telle qu'elle lui administra un second coup de massue et qu'elle le tua. Les profondes entailles que l'on peut voir sur le rocher correspondent aux coups que Kuniya asséna à l'homme de Liru, une fois mort. Kuniya et son neveu se métamorphosèrent alors en serpents arcs-en-ciel. Aujourd'hui encore, ils vivent à Mutitjulu et veillent sur les Anangu.

Selon les croyances des Anangu, toutes les formes de vie trouvent leur origine dans le mythe de la création, ou « Temps du Rêve », appelé Tjukurpa. À cette époque, les esprits-ancêtres firent leur entrée dans le pays, incarnés dans des hommes et des animaux. Certains esprits-ancêtres sortirent des entrailles de la Terre sous la forme de gigantesques serpents. Ils façonnèrent les paysages et établirent les règles de vie en usage aujourd'hui encore chez les Anangu. Ces récits et ces légendes transmis de génération en génération constituent toujours les fondements de leur culture. C'est dans la tradition orale qu'ils trouvent les réponses à toutes les questions essentielles de l'existence : la naissance de la vie et de l'Univers, les lois de la nature, les relations entre les sexes, le sens de la vie, la mort et l'au-delà.

CARTE D'IDENTITÉ

* **Nom :** Uluru (Ayers Rock)

* **Longueur :** 3,4 km

* **Largeur :** max. 2 km

* **Circonférence :** env. 9 km

* **Hauteur :** 348 m, partie émergée ; env. 6 000 m sous la surface de la Terre

* **Hauteur au-dessus du niveau de la mer :** 867 m

* **Âge :** env. 600 millions d'années

* **Roche :** arkose, grès feldspathique rouge

* **Patrimoine naturel et culturel de l'Unesco :** depuis 1987

Ce fascinant voyage à travers le monde se prolonge et s'achève par la découverte d'horizons extrêmes : l'étrange univers de glace de l'Antarctique et son fragile écosystème ; les fantastiques aurores boréales et australes, aux pôles ; une merveille de haute technologie créée par l'homme dans l'espace interplanétaire pour assouvir ses besoins d'exploration et de conquête.

HORIZONS
EXTRÊMES

ANTARCTIQUE

Antarctique

L'ANTARCTIQUE SE RÉSUME EN QUELQUES MOTS – UN UNIVERS DE GLACE, DES VENTS GLACIALS, DE VIOLENTES TEMPÊTES. LE CONTINENT LE PLUS MÉRIDIONAL DE NOTRE PLANÈTE CONNAÎT DES CONDITIONS CLIMATIQUES EXTRÊMES : C'EST LA TERRE LA PLUS FROIDE ET LA PLUS VENTÉE DU GLOBE.

Situé loin des grandes routes commerciales qui sillonnaient alors le monde entier, le continent antarctique a été épargné par les colonisations du XIXᵉ siècle et du début du XXᵉ siècle. La découverte du continent de glace ne date que de 1820, année où le capitaine russe Bellingshausen, au service du tsar Alexandre Iᵉʳ, atteignit les côtes de l'Antarctique. C'est le chasseur de phoques américain John Davis qui, le premier, posa le pied sur le continent le 7 février 1821.

Mais la conquête de l'Antarctique ne commença réellement qu'en 1895. Lors d'un congrès international qui eut lieu à Londres,

les scientifiques de tous les pays furent invités à explorer le continent inconnu. Les années qui suivirent furent marquées par les premières expéditions à destination de l'Antarctique. Celle du Britannique Robert Falcon Scott (1901-1904) reconnut ses abords. La première expédition allemande, sous la direction d'Erich von Drygalski (1901-1903), découvrit la terre de Guillaume-II et le Gaussberg. Quant à l'expédition de l'Irlandais Ernest Shackleton (1907-1909), elle fut contrainte de rebrousser chemin à 150 kilomètres du pôle sud. Le 14 décembre 1911, le Norvégien Roald Amundsen remporta la course au pôle contre son concurrent Robert Falcon Scott. Ce dernier arriva au pôle trente-quatre jours après. Mais sur le chemin du

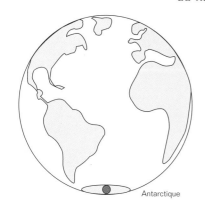

Antarctique

CARTE D'IDENTITÉ

✱ **Découverte :**
16 janvier 1820

✱ **Superficie :**
52 millions de km²

✱ **Point culminant :**
mont Vinson, 5 140 m

✱ **Point le plus bas :**
Bentleygraben, 2 538 m
au-dessous du niveau
de la mer

✱ **90 % du continent**
sont en permanence
le domaine des glaces

✱ **L'Antarctique** concentre
75 % des réserves d'eau
douce du monde

✱ **Température la plus
basse jamais enregistrée :**
−88,3 °C (station
de Vostok)

✱ **Vitesse des vents
maximale :** 327 km/h
(station Dumont d'Urville)

✱ **Nombre de stations
de recherche :** 82, dont
37 occupées en permanence

✱ **Nombre d'habitants :**
de 1 000 à 4 000,
selon la saison

✱ **Densité de la population :**
0,0001 à 0,0003 habitants/km²

Malgré le caractère inhospitalier de cet univers de glace, de nombreuses espèces animales s'ébattent dans les eaux côtières de l'Antarctique, qui abondent en nourriture.

retour, il fut pris dans une tempête de neige et trouva la mort avec toute son équipe.

Le 1ᵉʳ décembre 1959, le traité de l'Antarctique fut ratifié par quarante-quatre nations, à Washington. Le traité, entré en vigueur le 23 juin 1961, plaçait le continent sous protection internationale, interdisant son exploitation à des fins économiques et militaires. Le sol de l'Antarctique cache des trésors d'une valeur inestimable. On y a découvert 45 milliards de barils de pétrole, 115 milliards de mètres cubes de gaz naturel, d'immenses gisements de charbon, titane, fer, minerai de cuivre et uranium, mais aussi de l'or et du platine. Le traité expire en 2041, et l'on ignore à ce jour s'il sera reconduit.

L'Antarctique connaît des conditions climatiques extrêmes. La température moyenne annuelle sur le continent est de −55 °C. Sur le plateau central la température la plus basse que la Terre ait jamais connue, −88,3 °C, a été enregistrée le 21 juillet 1983 ! Étant donné les températures dominantes, les précipitations tombent généralement sous la forme de neige. La moyenne annuelle ne dépasse pas 40 litres par mètre carré. De ce point de vue, cette région peut donc être considérée comme un désert – le plus grand du monde. L'Antarctique est également connu pour la violence de ses vents, plus particulièrement durant les mois d'hiver – de juin à août. En juillet 1972, les rafales ont atteint 327 kilomètres à l'heure (soit 91 mètres par seconde) – un record mondial.

Les scientifiques et les manchots sont les seuls résidents permanents de l'Antarctique. Jusqu'à quatre mille chercheurs y séjournent à certaines périodes de l'année, partageant les terres inhospitalières avec la population indigène, les manchots. Les eaux côtières, grouillant de krill, attirent les phoques, oiseaux marins, calmars et baleines, qui trouvent dans ce milieu la nourriture nécessaire et un habitat largement préservé.

Cɪ-ᴅᴇssus La population indigène de l'Antarctique comprend deux espèces de manchots : empereur et Adélie.

Cɪ-ᴄᴏɴᴛʀᴇ La station de recherche américaine, dans l'Antarctique.

ESPACE
ISS

LA CONSTRUCTION DE L'ISS, LA STATION SPATIALE INTERNATIONALE, EST LE PLUS IMPORTANT PROJET CIVIL INTERNATIONAL DE L'HISTOIRE DE L'HUMANITÉ. DE NOMBREUX PARTENAIRES – ÉTATS-UNIS, RUSSIE, JAPON, CANADA, BRÉSIL ET EUROPE – COLLABORENT AU PROJET.

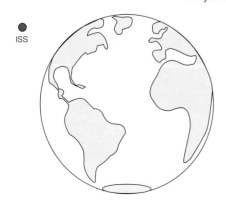

ISS

Il n'y a pas tout à fait quarante ans, l'astronaute américain Neil Armstrong fut le premier homme à poser le pied sur la Lune. Dans la nuit du 20 au 21 juillet 1969, il prononça la phrase aujourd'hui mondialement célèbre : « C'est un petit pas pour l'homme, mais un grand pas pour l'humanité. » L'exploration et la conquête de l'espace figurent parmi les plus grands défis des peuples de la Terre. Ils n'ont de cesse d'imaginer des moyens de plus en plus innovants pour y accéder et y évoluer. L'ISS, International Space Station, constitue une étape majeure dans la connaissance et la maîtrise de ce monde fascinant.

En 1984, le gouvernement américain annonça un programme destiné à la construction d'une station spatiale. Mais, dès la phase de conception et de planification, les coûts exorbitants contraignirent les partenaires à ajourner et à suspendre le projet à diverses reprises. C'est seulement après la fin de la guerre froide que le projet d'une station spatiale internationale commença à se concrétiser. En 1993, la Russie s'y associa. En 1986, les Soviétiques avaient déjà entrepris la construction de leur propre station spatiale, Mir (« Paix »). Leur expérience et leur savoir-faire s'avéraient donc de précieux atouts dans cette entreprise.

Le feu vert pour la construction de l'ISS fut donné en 1998. Il fallut tout d'abord mettre en place les

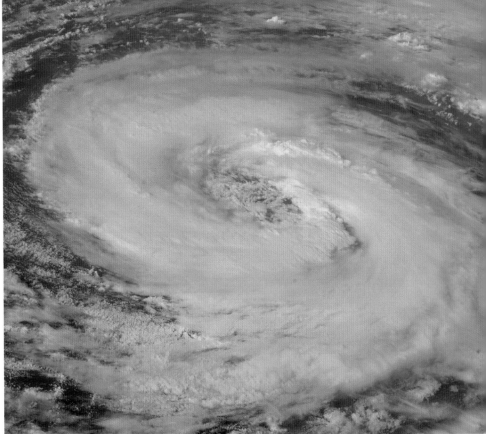

CI-CONTRE Le 3 décembre 2005, l'équipe qui occupait l'ISS a photographié l'ouragan Epsilon au-dessus de l'Atlantique.

CI-DESSOUS La station spatiale soviétique Mir a été délibérément détruite le 23 mars 2003.

conditions techniques nécessaires à une collaboration harmonieuse. À cette fin, la navette spatiale américaine effectua plusieurs vols jusqu'à la station spatiale russe Mir et entreprit notamment des manœuvres d'arrimage. Le 20 novembre 1998, le premier module de l'ISS, le module de transport et de contrôle Zarya, fut installé dans l'espace, à 350 kilomètres d'altitude. La même année, suivit un module de liaison auquel fut arrimé le 12 juillet 2000 le module d'habitation russe Zvezda. De novembre 2000 à avril 2003, le chantier de l'ISS fut occupé en permanence par une équipe internationale constituée de trois astronautes. Les équipes de l'ISS passent cinq à sept mois dans l'espace selon un système de roulement. Après la catastrophe de la navette *Columbia*, en février 2003, l'occupation permanente de l'ISS fut limitée à deux astronautes pour des raisons de ravitaillement.

La tragédie de la navette spatiale eut de lourdes répercussions sur le développement de l'ISS. Dans un premier temps, les travaux furent suspendus. Seuls les vaisseaux russes Soyouz et Progress effectuèrent jusqu'en 2005 une série de vols de transport et de ravitaillement jusqu'à la station spatiale. Depuis le 26 juillet 2005, la NASA participe également au ravitaillement et à la construction de l'ISS avec des navettes spatiales. Jusqu'en 2009, douze autres modules doivent être installés sur la station internationale. À la suite des nombreux problèmes techniques et aux coûts exorbitants impliqués par le projet, la construction de l'ISS est retardée en permanence. Depuis longtemps, les partenaires du gigantesque projet ne livrent aucun renseignement quant à la date d'achèvement. Selon les spécialistes, la construction de l'ISS sera terminée en 2010 au plus tôt.

Une fois achevée, l'ISS présentera des dimensions impressionnantes, équivalentes à celles d'un terrain de football. Avec les panneaux solaires, la longueur de la station sera de 108 mètres, sa largeur, de 45 mètres, et son poids, de 455 tonnes. Ce sera alors la plus grande station spatiale jamais construite. À présent, seuls 40 % des composants de l'ISS sont installés. Mais la station est déjà l'objet artificiel le plus grand et le plus lumineux de l'espace. Une fois achevée, l'ISS sera visible la nuit depuis la Terre à l'œil nu.

Les coûts afférents à la construction du fantastique projet ne font pas encore l'objet d'une évaluation complète. Dans la première phase de conception, la NASA avait estimé le budget total à 40 milliards de dollars, mais ces calculs ont dû être rapidement revus à la hausse. L'Agence spatiale européenne (ESA) estime que l'ensemble des coûts sera supérieur à 100 milliards de dollars.

CARTE D'IDENTITÉ

* **Début des travaux :** 1998

* **Longueur :** 108,60 m

* **Largeur :** 79,90 m

* **Profondeur :** 88 m

* **Espace habitable :** 1 140 m^2

* **Poids :** env. 450 t

* **Orbite :** 335-460 km au-dessus du niveau de la mer

* **Inclinaison de l'orbite :** 51,6°

* **Tour de la Terre :** 90 mn

* **Vitesse relative :** 29 000 km/h

* **Production électrique :** 110 kW

* **Superficie des panneaux solaires :** 4 500 m^2

* **Occupation permanente :** 3 astronautes (2000-2003), 2 astronautes (depuis avril 2003)

* **Vols vers l'ISS :** 28 (en juillet 2006)

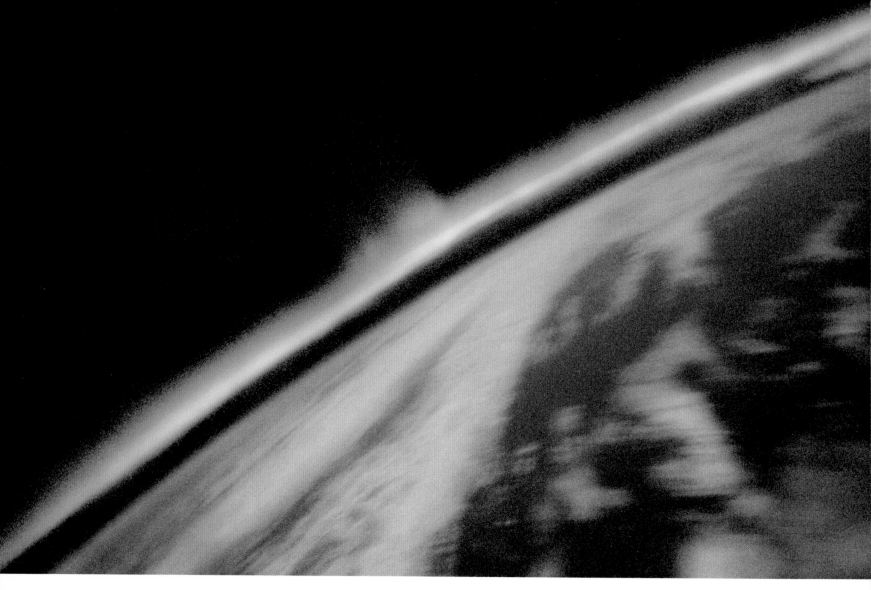

PÔLES
Aurores polaires

LES PREMIERS RÉCITS D'AURORES POLAIRES REMONTENT À PLUS DE DEUX MILLE ANS. CERTAINS PEUPLES LES APPARENTAIENT À DES MESSAGES DES DIEUX. DANS L'EUROPE DU MOYEN ÂGE, ELLES ÉTAIENT CONSIDÉRÉES COMME DES SIGNES ANNONCIATEURS DE CATASTROPHES.

Les aurores polaires sont des phénomènes lumineux résultant de la rencontre de particules de vent solaire avec l'atmosphère terrestre. Elles se produisent principalement dans les régions polaires. Plus l'on se rapproche de l'équateur, plus la probabilité de pouvoir apercevoir une aurore polaire dans le ciel diminue. Aux latitudes moyennes de l'Europe, les aurores polaires sont rares.

Ces phénomènes lumineux naissent de l'interaction du Soleil et de la Terre. Des éruptions solaires déclenchent de violentes tempêtes de particules (rayons corpusculaires), appelées vents solaires. Les particules, en géné-

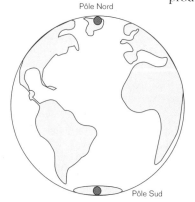

ral des électrons, protons, particules alpha et ions, heurtent finalement les couches supérieures de l'atmosphère. Elles sont déviées du champ magnétique terrestre vers les pôles et, sur leur chemin en direction de la Terre, elles excitent les atomes d'oxygène et d'azote, qui deviennent alors lumineux. Ces phénomènes apparaissent généralement à une altitude comprise entre 65 et 400 kilomètres.

Les aurores polaires doivent leur nom au fait qu'elles se produisent principalement dans les régions polaires. Les minuscules particules de vent solaire se déplacent à très grande vitesse en direction de la Terre – environ 3 millions de km/h ! Une fois arrivées dans l'atmosphère, elles sont dirigées vers les pôles le

Un rayon éblouissant de lumière
au-dessus du désert de l'Alaska.

Au milieu **Aurore polaire
en Europe centrale.**

En bas **Le formidable
spectacle des formes et
couleurs fantastiques
des aurores polaires.**

long des lignes du champ magnétique. Ce dernier étant, à cet endroit, perpendiculaire à la surface de la Terre, les particules peuvent entrer dans l'atmosphère. Elles effectuent leur voyage du Soleil à la Terre – environ 150 millions de kilomètres – en deux à quatre jours. Les aurores polaires peuvent se produire autant au niveau du pôle Nord que du pôle Sud. Dans l'hémisphère Nord, on les désigne sous le nom d'aurores boréales (*Aurora borealis*) ; dans l'hémisphère Sud, sous le nom d'aurores australes (*Aurora australis*).

La fréquence et la luminosité des aurores polaires dépendent de la force du vent solaire, qui dépend à son tour de l'activité solaire. Un cycle d'activité solaire (cycle de taches solaires) dure environ onze ans. Plus l'activité solaire est intense, plus la fréquence des aurores polaires est élevée. Pendant la phase maximale d'activité solaire, elles peuvent également être observées en Europe centrale.

L'identification d'une aurore polaire est relativement simple. Les aurores polaires sont en effet actives. Si elles appartiennent aux astres – constellations, Voie lactée, etc. –, qui sont toujours observables dans le ciel, elles apparaissent une seule fois dans le ciel et se différencient par leur forme, leur couleur et leur intensité.

Toujours changeantes, les aurores polaires se présentent tantôt sous la forme de surfaces nettement circonscrites, tantôt comme des arcs lumineux spectaculaires ou des rayons de lumière visibles dans le ciel nocturne. Leurs couleurs embrassent la totalité du spectre lumineux. Ainsi apparaissent des aurores de couleur verte, produites par des atomes d'oxygène qui sont activés à plus de 100 kilomètres d'altitude par les rayons corpusculaires. Les jeux de lumière paraissent rouges lorsque les atomes d'oxygène sont excités à environ 200 kilomètres d'altitude. Les atomes d'azote produisent une lumière violette.

Les peuples anciens d'Amérique du Nord, d'Europe et d'Asie apparentaient ces phénomènes lumineux à des messages des dieux et des esprits. Les hommes du Moyen Âge y voyaient des signes de catastrophes à venir. Pour les habitants de la Scandinavie, les farouches Vikings, les phénomènes lumineux étaient des signes des dieux indiquant que, quelque part dans le monde, se déroulait un combat glorieux. Selon leur tradition, les messagères d'Odin, les Walkyries, accompagnaient après chaque combat les héros tués vers le Walhalla, où ils trouvaient une vie éternelle et orgiaque.

Crédits photographiques

b : bas ; h : haut ; d : droite ; g : gauche ; m : milieu